クリーピー

前川　裕

光　文　社

目次

クリーピー

creepy

（恐怖のために）ぞっと身の毛がよだつような；

気味の悪い（『小学館ランダムハウス英和大辞典』第一版）

第一章　隣人

（一）

暗闇を歩いた。静かだった。駅からおよそ徒歩十五分、杉並区にある典型的な住宅街だ。いつものキリスト教教会を通り過ぎた。外灯の光が入り口の看板の文字を照らした。日曜集会。日本キリスト教会理事。泉北清俊《せんぼくきよとし》氏講演。「マタイ伝の真実」。そこを通り過ぎると、下り坂の一本道がおよそ二百メートル続いた。人家は途切れることはなかった。だが、家々の門灯と室内から漏れる薄明かりは、かえって私の前方に広がる闇の深さを際だたせた。人通りはない。腕時計を見た。午後九時三分数十秒。それほど遅い時間でもなかった。だが、近頃、こういうことがよく起こった。私の住む住宅街は、そこそこの都会である。それなのに、この一本道ではこんな時間帯に私以外には誰も歩いていないことがあるのだ。そのたびに、私は荒涼とした気分に襲われた。悪夢の中で見知らぬ街を彷徨《さまよ》っているような不安を感じた。

不意に背後から足音が聞こえた。

「もしもし、ちょっとすいません」

ぎょっとして振り返った。懐中電灯の夥《おびただ》しい光が、私の頭上に降り注いだ。二人の制服警官が立っていた。

「失礼ですが、このあたりにお住まいでしょうか？」

背の高いほうの警察官が訊《き》いた。丁重な口調だった。

「ええ、あそこの十字路を左に曲がった、二軒目の家に住んでいます。高倉《たかくら》と言います」

「申し訳ありませんが、その鞄の中をお見せいただけないでしょうか？」

もう一人のほうが、一層丁重な口調で言った。

警察官職務執行法の条文の断片を思い浮かべた。警察官が職務質問できる条件。異常な挙動——その他周囲の事情から判断して何らかの犯罪——疑うに足りる相当な理由——。

私は、何に該当するのだろうか。「異常な挙動」があったとは思えない。「周囲の事情」のせいなのか。それは人通りのない暗い一本道を、夜一人で歩いていたためだろうか。そう遅くもない夜に。

「どうぞ」

私は、焦げ茶のショルダーバッグのジッパーを開いた。その日の所持品はとぼしかった。

携帯電話、電子辞書、洋書二冊。それですべてだ。

「ありがとうございます」

二人は、中をのぞき込んだだけで、手にとって調べようとはしなかった。

「何か事件でもあったのですか？」

「ええ、昨夜この近辺で暴行未遂事件が発生したものですから」

背の高いほうの警察官が答えた。私は、それ以上は尋ねなかった。自宅に向かって再び歩き出した。

「失礼しました。お気を付けてお帰り下さい」

私の背中から、警察官たちの声が響いた。

外門の鉄扉《てっぴ》を開いて、中に入ろうとしたとき、隣家の玄関の明かりが灯った。正面玄関が開き、西野《にしの》が出てきた。郵便受けから、夕刊を取り出そうとしていた。

「こんばんは」

私から声を掛けた。西野は顔を上げて、こちらを見た。

「ああ、どうも」

西野は、いつも通りの愛想のよい笑顔を向けて、私のほうに二、三歩、歩み寄った。綺麗に切りそろえた口ひげと細いフレームの金縁眼鏡《めがね》。それが彼のトレードマークだ。オシャレな中年である。オリエント協会理事。今年の三月、私と妻が引っ越しの挨拶に隣家を訪れたとき、渡された名刺の肩書きを思い出した。オリエント協会が何なのか、分からなかった。どこかの省庁、あるいは、政府の外郭団体なのか。西野の妻の姿を見たことはなかった。ただ、高校生の息子と中学生の娘がいるようだった。そのあたりには仔細がありそうだったが、私は詳しくは尋ねなかった。

「そこで警察官に呼び止められませんでしたか？」

西野はまるで普通の世間話でもするように、ニコニコしながら訊いた。私たちは、低い緑の生け垣を挟んで向き合っていた。その西野のうしろには、薄いサーモンピンクの車が見える。トヨタプラッツというあまり新しくない車種だそうだが、私も妻も車に関心がなかったから、それがどれくらい古めかしい車種なのか、見当もつかなかった。ともかく、私たちは西野が一人でそれを運転して出かけていくのを頻繁に見ていた。

「ええ、そうですが——」

「実は、私もさっき呼び止められたんです。あなたより少し早い時間でしたが」

「暴行未遂事件があったそうですね」

「そのようですな。私に職務質問した警察官から聞いたのですが、昨晩、塾帰りの女子中学生が、あの一本道の坂道で、中年男に襲われたらしいですね。自転車を止められて、引きずりおろされたんだけど、必死で男を振り払い、自転車を棄ててかろうじて逃げることができた。膝頭をすりむく程度の怪我《けが》で済んだそうです。それにしても物騒ですな。あの一本道を中年男が通るたびに、警察が職務質問を掛けているんですよ。まったく、我々中年には迷惑な話だ。いや、失礼。先生は、まだそんなお歳ではないかも知れませんな」

西野は、私のことを「先生」と呼んだ。東洛《とうらく》大学文学部教授。それが私の肩書きだった。専門は犯罪心理学。特殊な異常事件が発生したとき、たまにテレビなどに呼ばれてコメントすることがあったから、私は世間的にはそこそこに知られた存在だった。年齢は、四十六歳だ。私も、りっぱな中年である。西野に比べれば、多少若い気がしていたが、正直なところ、彼の年齢は不詳だった。中・高校生の子供がいるのだから、それほど高齢だとは思えない。しかし、それくらいの年齢の子供を持つ親としては、少し歳が行きすぎている気もした。彼の近くで話すとき、強いバイタリスの匂いを感じた。七〇年代に一番流行《はや》ったヘアリキッドだ。それはオシャレな西野が示す、奇妙に無防備な中年の証《あかし》に思えた。

「いやいや、私も申し分のない中年ですよ。女子中学生を襲う元気なんかありません」

言ったあと、軽口が過ぎたと思った。大学の授業で、こんなつまらない冗談を飛ばせば、醒めた学生たちから失笑を買うだけだろう。だが、西野は、妙に甲高い声で、さもおかしそうな笑い声をたてた。

（二）

翌日、大学の授業に出かけた。二時限目と三時限目は講義科目、四時限目は空《あ》いていて、五時限目は犯罪心理学のゼミである。私の職業の特権は、早起きがほとんど必要ないことだ。大学側は、一時限目の授業を奨励しているが、それに応じるかどうかは、教員側の自由意思による。そして、早起きが大好きな高齢の教授以外は、ほとんどが一時限目の授業を忌避するのが実情だった。私は、早起きが苦手なわけではない。だが、ラッシュ時の満員電車は耐えられなかった。特に、近頃、痴漢犯罪に関連する冤罪《えんざい》事件を耳にするにつけて、私はそういう疑いを掛けられる電車に乗る必要のない自分の立場に感謝した。その日は、電車に乗りながらそんなことを考えた。前の晩、職務質問されたことが心理的に影響していたのかも知れない。

「先生、今日はどうされますか？」

ゼミが終わったあと、ゼミ室の外通路で、ゼミ長の大和田《おおわだ》が声を掛けてきた。飲み会に参加するかどうかを訊いているのだ。私のゼミは、三・四年生合わせて八人のゼミだから、小回りがきく。あらかじめゼミコンを設定することはほとんどなく、ゼミ終了後、それぞれの都合で飲み会を実施していた。私が参加しなくとも、有志の学生たちが勝手に集まって飲むに違いないのだ。ただ、私が参加すれば、それなりの援助金が期待できるから、いつも大和田が私の参加意思を確認に来た。

「今日は、遠慮させてもらうよ。原稿の締め切りがあるんでね」

大和田は、幾分、がっかりした表情になった。私の不参加の意思表明により、彼らの飲む場所はかなりの格下げを強いられるだろう。

実は、その日は、同じゼミ生の影山燐子《かげやまりんこ》に研究室で会う約束をしていた。燐子に卒論指導をすることになっていたのだ。それにも拘《かかわ》らず、燐子に会うことを大和田に告げなかった。別に嘘を吐《つ》いたつもりはなかった。実際、学会誌に載せる論文の締め切りが迫っていて、私はここ数日、帰宅後かなり遅い時間まで、執筆していた。

燐子は私のゼミ生の中では、もっとも研究熱心な学生だった。およそ一ヶ月に二度ぐらいの頻度で、来年の三月に提出予定の卒論指導を申し込んできた。卒論など、適当なコピー・アンド・ペーストで、でっちあげればいいと考えている学生が多いなかで、燐子は例外的な存在だった。だから、私もできる限り燐子の相談に応えようとした。

問題は燐子が美しい女子学生だったということだ。卒論指導後、時間帯によっては、燐子と二人だけで食事をすることがたまにあった。それが私の密かな愉しみでもあったことは否定しない。大和田が中心になって行われている飲み会に参加せず、別の場所で燐子と二人だけで食事をすることに、微かに後ろめたいしこりのようなものを感じていた。私がその日、燐子に会うことになっていたことを大和田に告げなかったのも、そういう後ろめたさと関係があったのかも知れない。

しかし、そもそも大和田の主催する飲み会の参加者は、ばらばらだった。この不景気の折、みんな就活で忙しいのだ。確かに飲み会は頻繁に開かれてはいたが、ほとんどすべて参加しているのは、大和田くらいなものだった。大和田は燐子と同じ四年生だったが、すでに十一月に入ったこの時期でもまだ就職先は決まっていない。だが、悠然としていた。実家が裕福で、彼が就職しなくともたいして困らないのだという噂があった。それはともかく、大和田はのんきな性格で、就活同様、卒論のことにもあまり関心がないようだった。私に卒論指導を求めてくることもほとんどなかった。

その日、私と燐子は、研究室で燐子の論文について二時間ほど話したあと、渋谷近辺にあるシティーホテル内のイタリアン・カフェで、食事をしていた。すでに九時近くになっていた。新宿にある大学近辺の居酒屋では、大和田たちの飲み会が続いているはずだ。

「これから彼らに合流すると、遅くなっちゃうからね。今晩も、論文を書かなくちゃいけないんだ。でも、食事くらいはしていこうか。それとも、君は彼らに合流するか？」

私は燐子と一緒に研究室を出るとき、用心深く、燐子の選択の余地を残しながら訊いていた。だが、燐子はきっぱりと答えた。

「私も先生と一緒に食事がしたいです。大和田君たちと飲むと、帰りが遅くなるから、今日は私も困るんです」

私たちが入った店はカフェという名が付くものの、高級ホテルのロビー階にあったから、実質的には、かなりレベルの高いレストランだった。少なくとも、学生が来るような店ではない。そういう印象が私に幾分の安心感を与えた。新宿ではなく、渋谷を選んだのは、心の奥底では大和田たちとの偶然の遭遇を恐れていたのかも知れない。

テーブルに着くと、私は正面に座る燐子をあらためて見つめた。その日の燐子は、薄いピンクのカラーシャツに白のカーディガン、紺の格子模様が入ったベージュのショートパンツと黒のタイツという服装だった。近頃の女子学生にもっとも多く見られるスタイルだ。鼻筋のよく通ったノーブルな顔立ち。上背もあり、痩せている印象だった。だが、タイツに覆われた太腿はやはり女らしい成熟を示していて、十分にまばゆかった。

「就職よかったね」

私たちは、白ワインで乾杯した。燐子は、二週間ほど前に、中堅の食品会社に就職が内定していた。普段、燐子はアルコールをあまり飲まなかったが、そのときは就職祝いという口実で、私がグラスワインを勧めたのだ。私が彼女の就職が決まったことについて話すのは、そのときがはじめてだった。他の学生で内定が一本も取れていない学生もいたから、ゼミ内では、就職が内定した学生を露骨に祝うのは控えていた。

「ありがとうございます。本当はもっと別の会社に入りたかったんですけど――」

燐子は、いつも通り、丁寧な口調で答えた。今時の女子学生らしくない話し方だった。もちろん、恋人や友人と話すときは、全然別の口調で話しているはずだ。だが、私は彼女がため口をきく姿を想像できなかった。

「結局、いくつくらい受けたの？」

「覚えていないくらいです。三十社以上だと思います。それで受かったのがたった一社だけですから」

「仕方がないよ。ご時世だから」

実際、この就職難の時代に、内定が一つでも決まれば幸運と考えるべきなのだ。だが、私は正直ほっとしていた。それは他のゼミ生に対する教師としての責任感とは、どこか異質な感情だった。

「でも、これで君も卒論に打ち込めるじゃないか」

私は伊勢エビ入りのぜいたくなパスタを口に運びながら言った。燐子も同じものを注文していた。メニューの値段を見て遠慮する燐子に、やはり、就職祝いだと言って、無理に勧めたのだ。

「ええ、本当にそういう意味ではほっとしています。でも、卒論もうまくいくかどうか心配なんです。やっぱり、今日、先生に指摘されたタイトル、直さなきゃダメですよね」

燐子は心配性だった。同時に自分の思考に固執《こしゅう》するタイプだった。

「アノミーと犯罪——一〇五号事件の分析——」私は燐子の卒論のタイトルを思い浮かべた。デュルケムの『自殺論』で用いられたアノミー（無規範）の概念を使って、古谷惣吉《ふるたにそうきち》という連続殺人犯の犯罪を分析する論文だ。警察庁が一〇五号として指定したこの事件では、当時「バタ屋」と呼ばれていた廃品回収業者、建設作業員など八人が連続して、素手や斧で古谷によって撲殺されていた。犯行現場は、九州から近畿の広域に及んだ。

確かに、この事件は戦後のアノミーと無関係ではない。基本的には強盗殺人事件だったが、古谷がこれだけの人々を殺した動機の一つとして、食べものを提供するのを拒否されたことに対する怒りがあったのだ。しかし、事件が起こったのは、むしろ、高度成長の時代である。金持ちと貧乏人の分化が始まった時代だった。私は、そのことを指摘して、タイトルの変更を勧めたのである。

それにしても、女子学生が選ぶとはとうてい思えないテーマだった。燐子は私がゼミで一〇五号事件について話すのを聞いて、興味を覚えたらしい。私は、その容姿からは想像できない、燐子の風変わりさを気に入っていた。

「そうだよ。君が書いていること自体はとても面白いんだよ。だから、タイトルに合わせて、書き直すほうがもったいないと思うんだ。それより、むしろ、タイトルを変えたほうが簡単じゃないか。『高度成長と犯罪』とかね。その上で、本文でアノミーについて触れればいい。一〇五号事件が、アノミー的犯罪の要素も持っているのは、確かなんだから」

私は、燐子を励ますように言った。燐子も私の言葉を聞いて、安心したように頷いた。しばらくの間、私たちは無言で食事を続けた。それから、不意に思い出したように私は言った。

「やっぱり、今日は、大和田君たちの飲み会に参加しなくて、悪かったかな?」

「そんなことないと思います。大和田君、毎週、飲み会やってるんですから、それに――」

燐子は口ごもった。

「それに、どうしたの?」

私は促すように訊いた。

「彼、ときどき変なメールを送ってくるんです。私と付き合いたいって、迫ってくるみたいな――」

「ほおっ。それは意外だね」

本音だった。燐子が男性から言い寄られても不思議ではない。ただ、大和田は女性に積極的に迫るタイプには見えなかった。どちらかというと、あらゆることに無頓着な自然体の男というのが私の印象だった。

「それで君は彼のこと、どうなの?」

私は笑みを浮かべながら訊いた。燐子に具体的な男女関係について質問するのは初めてだった。軽い緊張感を伴う疼痛《とうつう》が胸の奥を掠《かす》めすぎた。

「あまり得意じゃないタイプです。私、ああいう目的を持たない人って、苦手なんです。就職だって、まだ、決まってないし――」

「実家が裕福なそうじゃないか」

「ええ、茨城県の水戸にある大きな旅館の跡取り息子だそうです。だから、就職はしてもしなくても、どっちでもいいみたいなこと言ってました」

「そうか、だったら君もそこの若女将《わかおかみ》におさまるってのもいいかもね」

言いながら、声を立てて笑った。冗談といえば、冗談だった。だが、あまり質《たち》のいい冗談ではないことは自分でも分かっていた。

「ムリです。私、ただのＯＬのほうがいいですよっ！」

燐子が口を尖らせて言った。ただ、おどけたような言い方で、それほど腹を立てているようには見えなかった。

「君だったらとっくにちゃんとしたカレシがいるんだろ？」

アルコールで少し勢いがついたのだろうか。私は、もう一歩踏み込んだ質問をした。私は、すでにグラスワインを飲み干していた。燐子のグラスは、その透明な液体がほとんど減っていない。

「いません」

燐子はあっさりと言った。嘘を吐《つ》いているようには見えなかった。

「本当？」

「ええ、好きな人はいますけど。でも、振り向いてもらえなくて」

何かを言おうとしてぐっと言葉を呑み込んだ。私には関係ないことだった。誰かがそう囁《ささや》いていた。私は、見たことがない燐子の好きな男に、軽い嫉妬《しっと》を感じていたのかも知れない。中年男の無意味な嫉妬。燐子ほどの女性でさえも歯牙にもかけない男が世の中には存在するのだ。大和田のことも忘れかけていた。今更、もとの話題に戻るつもりもなかった。それも結局、関係のないことなのだ。燐子も大和田も、あと数ヶ月で卒業していく。それだけのことだ。

私はちらりと腕時計を見た。店に入って、すでに一時間以上が経過していた。女子学生と一対一で、食事をするとき、無用な長居はしないように心がけていた。パワハラやセクハラでうるさい時代なのだ。燐子に限って、思いもかけない訴えを起こされることは、考えられなかったが、それでも用心するに越したことはなかった。燐子も私もすでに食べ終えていた。私は、さりげなく伝票を手元に引き寄せた。

（二）

激しい雨音で目を覚ました。隣のベッドに妻の姿はない。寝室の窓から外を見た。朝の日差しはなかった。大粒の雨が窓をたたきつけ、表面張力の雨滴を散らした。枕元の、セットされていない目覚まし時計を見た。午前十時五分。昨晩、帰宅したのは午後十一時過ぎだった。私が自宅に着いたとき、雨は降っておらず、星空さえ見えていた。それから三時間近く論文を書いた。雨は、私が眠りに就いた明け方近くから降り始めたのだろう。

「おはよう」

二階の寝室から、リビングに降りると、妻が声を掛けてきた。私は、返事を返すと、そのままリビングテーブルの椅子に座り、老眼鏡を掛けてテーブルの上に置かれていた朝刊を読み始めた。私はふだん眼鏡を掛けていない。だが、すでに老眼が始まっていて、読書のときは眼鏡が必要だった。しばらくすると、妻がコーヒーとトースト一枚を運んできた。いつもの朝食だ。

「昨日は何時に帰ったの？」

私が帰宅したとき、妻はすでに寝室で寝ていた。私たちの間に子供はいなかったから、私と妻の間には暗黙の了解が成立していた。互いに相手の時間を束縛しないこと。私の帰宅が、午後十一時を過ぎると、妻は決まって就寝していた。

「十一時を過ぎていたかも知れないね」

「また、コンパなの」

「就職が決まった学生がいたから、みんなでお祝いをしたんだ。だけど、学生たちはほんとうによく飲むね」

帰宅時間も、就職祝いも、学生と飲んだことも、みんな本当だった。ついでに言えば、学生たちがよく飲むのも本当だった。ただ、「みんなで」「学生たち」という複数形が半ば意識的に使用されていたことは、嘘と言えば嘘だった。だが、燐子と二人だけだったことを強調して、無用な疑惑に晒《さら》される必要はないだろう。

「でも、学生さんの就職が決まってよかったじゃない」

妻は人の良さそうな笑顔を浮かべて言った。軽い後ろめたさが胸をよぎった。妻は、私より六歳年下で、四十になったばかりである。笑うと、目尻の下の小皺が目立った。

「ああ」

私はあいまいに相づちを打った。

「あ、そうそう、暴行未遂事件の犯人が昨日の夜遅くに捕まったそうよ。隣のアパートの二階に住んでいる二十八歳の男性だって」

東隣が西野の家で、西隣がその二階建てのアパートである。ただし、アパートは比較的大きな道路を挟んだ反対側にあり、私の家からは十メートルくらい離れている。もちろん、私はそのアパートの住民の誰一人知らない。都会では当たり前だった。近隣は閑静な住宅街で、ほとんどが一軒家だった。このアパートの存在だけが異質なのだ。私の家の向かいには、田中《たなか》という母娘《おやこ》が二人で住んでいた。西野邸の前は空き地である。従って、私と西野の家を含めたこれら三軒の家だけが、このアパートによって、他の住宅から区切られ、孤立しているように見えた。

「その話、誰から聞いたんだ？」

「お向かいの田中さんよ。娘さんのほう。今朝、ゴミを出しに行って、立ち話で聞いたの」

娘さんと言っても、すでに七十近い品のいい老婦人だった。九十を超える車椅子の母親と二人で暮らしていた。典型的な、高齢者同士の介護家庭だ。その家は、ときおり、ヘルパーらしき人が出入りしている以外は、いつもひっそりと静まりかえっていた。

「本当に二十八歳って言ったのか？」

「そうなのよ。お隣のご主人の話では、中年の男だったんでしょ。随分違うじゃない。二十八歳なら若い男って、言うべきじゃない？」

「しかし、まあ、中学生の女の子から見れば、三十に近い二十代の男性なんて、やっぱり中年に見えるのかも知れないよ。それに咄嗟《とっさ》のことで、相手の容姿なんかあんまり分からなかったってこともあるんじゃない」

私は、西野を庇《かば》うように言った。西野は、自分と私が連続して職務質問を受けたものだから、警察は中年の容疑者を捜していると勝手に思いこんだのだろうか。それとも、彼を職務質問した警官が本当に「中年」という言葉を使ったのかも知れない。それにしても、西野は、どうして私も職務質問されたことを知ったのだろうか。ふと疑問に感じて、西野の家の二階のベランダを思い浮かべた。あそこなら、あの長い一本道を見渡せるはずだ。西野はベランダに立っていて、私が職務質問されている姿を見たのかも知れない。

「そんなものかしら」

妻は、いたってあっさりした性格だったから、それ以上、しつこくは言わなかった。だが、完全に納得している風でもなかった。

「それはそうと、隣のご主人面白いのよ」

妻は、私が西野のことを考えていることを見透かしたように話題を変えた。

「ゴミ出しが終わって、キッチンで洗い物をしてたら、隣のご主人が中学生の娘さんを送り出している姿が窓から見えたの。ご主人、玄関から傘も差さずに出てきて、娘さんが傘を差して出て行く後ろ姿をずっと長い間見送ってるのよ。十分くらい、雨の中に立っていたの。きっと、娘さんの姿なんて、もうとっくに見えなくなってたはずなのに。髪の毛なんか、お風呂に入ったみたいにびしょびしょだったわ。見ている私のほうが、はらはらしちゃった。やっぱり、近くで暴行未遂事件なんかがあったもんだから、中学生の娘を持つ父親としては、心配なんでしょうね」

「そうかも知れないね」

私は、とりあえず同意したものの、妻の解釈には何かしっくりいかないものを感じていた。雨の中をびしょ濡れになって、娘の通学風景を見つめる父親の姿。別にどうということもないことにも思えたが、その動機はもっと別のところにあるように感じられた。だが、それは直感的な把握で、何か具体的な根拠があったわけではなかった。

「奥様どうされたのかしら。病気で亡くなったのかしら、それとも――」

「まあ、いいじゃないか、人にはそれぞれ事情があるんだから」

そうだ、西野にも事情があるのだ。そして、私にも。

「そうね」

妻もそれ以上詮索《せんさく》しようとはしなかった。

「あなた、今日は、何時に出ればいいの？」

「午後二時くらいでいい。三時から教授会があるだけだから」

「本当にいい職業ね。今日も、重役出勤なんだから」

重役出勤か。懐かしい言葉だ。時間的な制約をできるだけ少なくすること。それが私が現在の職業を選んだ理由の一つだった。また、その一瞬、西野のことを考えた。西野もその重役出勤を実践している人間のようだった。ときおり、平日の午後一時頃、背広姿で出かけて行く彼の姿を見かけた。たまに徒歩のこともあったが、たいていは例のプラッツを自分で運転していた。勤務先まで車で行くのか、それともどこかの駐車場に止めたあと、電車を利用しているのか分からなかった。さすがに迎えの車は見たことがなかったから、彼が本当にどこかの会社の役員なのかどうかは分からなかった。

それはともかく、要するに、私の近隣には、重役出勤の男約二名とその家族、および、あまり家の外へ出ることがない高齢者の母娘《おやこ》が住んでいるのだ。住居人たちの交流は希薄だった。実際、考えてみれば、私は東隣に住む西野のことも、向かいの田中母娘のこともほとんど何も知らなかったのだ。

（四）

野上《のがみ》を捜した。新宿の京王《けいおう》プラザホテルにある一階のコーヒーショップに来ていた。私の勤め先の大学も西新宿にあるので、便利な場所だった。左奥、角《かど》の席から手を振る男の姿が見えた。

「やあ、お手数をかけたね」

野上は、テーブルに座ったまま、笑顔で私を迎えた。野上には、高校の同窓会で一週間前に会ったばかりである。しかし、それはおよそ三十年ぶりの邂逅《かいこう》だった。私たちは、そのとき、名刺を交換した。野上は、警視庁捜査一課の警部になっていた。知らなかった。野上のほうは、テレビで私の姿を何度か見たようで、私の職業を知っていた。その野上が仕事のことで会いたいと電話してきたのだ。高校時代、私たちはそれほど親しい間柄ではなかった。野上は勉強には熱心ではなかった。私は勉強に熱心だったから、私が付き合うグループと野上が付き合うグループは自ずと異なっていた。

午後一時過ぎだった。店内は、平日とは言え、昼食を摂る客で適度に混雑していた。私たちも、昼食を食べながら話した。最初は、同窓会の続きのような話題だった。同窓会のときは、たくさんの人間と短時間、少しずつ話しただけだったから、野上とも表面的な会話しかしていない。私たちは共通の友人の消息から話しはじめ、やがて話題は現在の仕事の内容に移った。

「ずっと、本庁にいたの？」

「いや、麴町《こうじまち》署が長かった。それから、本庁に来たんだが、最初は組織犯罪対策部に配属されたよ」

「暴力団か」

「ああ、まったくの肉体労働だったね。二年前に一課に移ったんだが、君も知っての通り、今度は殺しの部署だからね。同じ悪人でも、ぜんぜんタイプが違うから、戸惑うことも多かったね」

食事が終わって、二人ともコーヒーを飲み始めていた。私は、野上の目がそろそろ本題に入りたがっているのを感じた。

「それで、今日の要件は？」

私のほうから水を向けた。野上は、コーヒーを一口飲んでから、ゆっくりとした口調で話し始めた。

「君も、八年ほど前に日野《ひの》市の多摩川近くの住宅街で起こった一家三人の行方不明事件は知ってるだろ」

私は軽く頷いた。日本中の誰もが知っているほど有名な事件ではなかった。かといって、犯罪研究の専門家と見なされている私だけが知っている特殊な事件というわけでもない。起こった当初は、マスコミも相当に騒いでいたはずである。しかし、異常事件が次から次へと発生する現代社会では、八年という歳月は、事件の記憶を薄めるのに十分だったのかも知れない。今では、この事件についてはっきりした記憶を持っている人は、けっして多くはないだろう。私自身、事件の概要は覚えていたものの、細部までは覚えていなかった。

「今度、俺はあの事件の専従を命じられてね。殺人事件の時効が撤廃された結果、警視庁でもいくつかの重要事件の捜査態勢を見直すことになったんだ」

ということは、警視庁上層部は、行方不明の三人はすでに殺されていると考えているのだろうか。確か、まだ誰一人発見されておらず、その意味では生死不明のはずである。それはともかく、野上によれば、警視庁上層部は、時効制度の撤廃を必ずしも喜んでいないという。意外だった。だが、野上の説明を聞いて、分からないでもない気がした。慢性的な人員不足に陥っている警視庁にとっては、十五年で殺人の捜査が終了になるのは、ある種の必要悪だったというのだ。それを永遠に捜査せよと言われることによって生じる負担は、計り知れなかった。

私は、もともと殺人事件の時効の撤廃には反対だった。時効が冤罪事件の防止に、ある程度効力があるのは事実だった。長い時間の経過によって、物証も目撃証人も証拠としての価値を減少させるのは、自明だった。DNA鑑定などの科学捜査の発達を過剰に評価するのも、危険である。DNA鑑定の精度が著しく上がったのは確かだろうが、それを行うのはあくまでも人間なのだ。人為的ミスや故意の改ざんの可能性を排除することはできなかった。遺族の被害感情と言うが、犯人でもない者を罰してもらっても、遺族も嬉しいはずはないだろう。だが、私はこんな法律論議に野上を誘い込む気はなく、その説明を静かに聞き入った。

事件が起こったのは、八年前の夏だった。事件の舞台となった住宅は、日野市の多摩川縁《べり》にあった。そこは景色のいい、のどかな住宅街だった。目の前を流れる多摩川は、その一帯では水量がとぼしく、夏は子供たちが水遊びをしても危険はなく、冬は鴨のような水鳥が集《つど》う平穏な場所である。しかし、奇怪な事件が起こる予兆はあった。

中堅の証券会社に勤務する本多洋平《ほんだようへい》とその妻京子《きょうこ》は、行方不明になる一ヶ月ほど前から、ある男の度重なる訪問に悩まされていた。シロアリの駆除会社の社員と名乗る男が、しつこく訪ねてきて、床下のシロアリ駆除を強要していたのだ。男は、本多家の息子が署名捺印《なついん》した契約書なるものを所持していた。シロアリの駆除作業にかかる費用が五十万であることを明記した契約書である。それに父親の氏名を使って、署名捺印したのは、高校一年生になったばかりの長男の洋介《ようすけ》だった。

長男に聞いてみたところ、両親の留守中、たまたま一人で留守番をしていたところに、一人の男が不意に訪ねてきて、その書類に署名捺印を求められたらしいのだ。その男の言うことには、契約書はすでに父親の同意を得て作成されたものであり、父親自身から、今仕事で家に戻れないから、在宅している息子に代わりに署名捺印してもらってくれと頼まれたというのだ。男は、当たりの柔らかいごく普通の男に見えた。長男は、その契約書の内容などほとんど見ることもなく、疑うことなく署名捺印した。郵便配達人に求められて、書留に判子《はんこ》を押すのと、ほとんど同じ感覚だった。野上の話では、問題の契約書は、現在、警視庁に保管されており、それを見ると、署名欄は父親の氏名になっているが、筆跡は確かに高校生の息子のものだという。

それはともかく、その署名捺印は虚偽の誘導により、未成年の息子によってなされたものだから、もちろん、法的な拘束力などあるはずもなかった。だが、その後頻繁にやって来た男は、恐ろしく強引で、暴力的だった。契約書がある以上、仕事をさせるのは当然だと言い張り、キャンセルするならキャンセル料として、四十五万払えという法外な要求をした。時に大声で恫喝《どうかつ》さえしたという。妻の本多京子は、実家の母親に電話して、「大変なことになってるの。私たちの一生が台無しになるかもしれない事件が起きているのよ」と告白したが、どういうわけかその具体的な中身は話さなかった。

私には、いささか違和感のある話だった。当時、夫は四十五歳、妻は三十九歳だった。高校生の息子以外に、中学二年生の娘もいた。一応の分別ある年齢の夫婦と言える。世間を知らない若夫婦ならともかく、それなりの人生経験を積んだ夫婦が、それぐらいのことでそこまで追い詰められるのが、私には不思議だった。

そもそも、相手の男の要求は、法的にはむちゃくちゃなのだから、消費者生活センターと相談するだけで、十分な対応が可能な事件に思えた。いざとなれば、警察力を借りることだってできただろう。それなのに、特に妻の京子の怯《おび》え方は、尋常ではなかった。実際、その後、この一家三人は、行方不明になったのだから、「私たちの一生が台無しになるかも知れない事件」という京子の認識は間違ってはいなかったと言える。しかし、それにしても、その京子の認識と実際に起こっている事柄の深刻度は、質的均衡を欠いているように見えた。

八月初旬の日曜日、本多夫婦と高校生の息子は、自宅から忽然《こつぜん》と姿を消した。中学生の娘は、偶然、部活の合宿に参加していて、難を逃れた。そして、自分の家族の異変に最初に気づいたのも、この中学生の娘、本多早紀《さき》だった。

早紀は、金曜日から二泊三日で千葉の九十九里浜《くじゅうくりはま》までバスケットボール部の合宿に出かけ、日曜日の午後六時三十分頃、帰宅する予定だった。荷物が重かったため、父親に車で迎えに来てもらうことになっていたのである。本多家の最寄り駅は、日野駅だったが、立川駅からもそれほど離れてはいない。特に、車で行く場合は、立川方面から日野橋を越えて右折し、多摩川沿いに走るとすぐに着く位置だったから、便利さという点では、大差はなかった。に降り立ち、携帯電話で家に電話を入れた。

携帯電話は、中学校では禁止されていたが、ほとんどの生徒はこっそりと隠し持っていた。そして、その日に限って、この携帯電話が彼女にとって非常に役立つことになるのである。

家の電話は長い呼び出し音が続いただけで、誰も出なかった。留守電にもなっていない。胸騒ぎを感じた。母親から、シロアリの駆除をさせろと言って、押しかけてきている変な男の話を聞かされていたからである。何度も電話したが、つながらなかった。結局、彼女は諦《あきら》めて、もう一度中央線に乗り、隣駅の日野で再び降車した。そこから、重い荷物を引きずりながら、徒歩二十分くらい掛けて、自宅まで歩いた。

自宅の前まで来て、ほっとした。リビングに明かりがついていることに気づいたのだ。

携帯を開いて、時刻を見た。すでに午後七時三十分を過ぎていた。やはり、立川で降り、電話を掛けたことで、だいぶ時間をロスしていた。車庫には、車も駐車していた。日曜日に家族が外出するときは、必ず車を使ったから、その車が車庫に納まっているということは、家族が外出から帰ったことを意味しているように思えた。

インターホンのボタンを押した。普通は、持っている合い鍵で玄関を開けて入るのだが、何故かその日はそうしなかった。何となく怖かったのだ。インターホンに応答はなかった。何度押しても同じだった。再び、不安が湧き起こった。やむを得ず、自分で鍵を開けて中に入った。玄関から、リビングをのぞき込むとき、胸の鼓動が早まった。だが、リビングに入ってみると、何の変化もなかった。見慣れた鶯《うぐいす》色のソファーセット。四十インチの大型テレビ。百科事典類とCDセットがガラスケースの中に入っている焦げ茶の簡易書棚。

室内が荒らされた形跡はない。異様だったのは、家の中でリビングの明かりだけが煌々《こうこう》と灯っていたことだ。他の部屋はどの部屋も明かりがついていなかった。彼女は、おそるおそるすべての部屋をチェックした。恐怖で胸がはち切れそうだった。リビングに隣接するキッチン。二階の両親の寝室。自分の部屋と兄の部屋。どの部屋にも異常はなかった。

彼女は、リビングにもどり、途方にくれてソファーに腰を下ろした。一時間、無為の時間を過ごした。やはり、家族三人が何事もなかったように戻って来るのを期待していたのだ。一時間経って、はっと気づいた。まだ、母親の携帯に電話していなかったのだ。やはり、混乱していた。何故そんな当たり前のことが思いつかなかったのか。家族の中で、自分の携帯に番号登録しているのは、母親の番号だけだった。父親も兄も携帯を持っていたが、その番号は知らなかった。知る必要も感じていなかった。

母親の携帯に電話を入れた。だが、電源が切られているようでつながらなかった。絶望的な気分が襲ってきた。もう少しで泣き出しそうだった。それでも、さらに一時間以上待った。すでに午後十時近くになったとき、リビングの固定電話がけたたましく鳴り響いた。飛びつくように受話器を取った。期待と不安が交錯した。女性の声が聞こえた。だが、期待していた母親の声ではなかった。京子の母親、つまり、早紀の祖母だった。

「早紀ちゃん？　お母さん、どうしちゃったの？　お昼にうちに来る約束をしてたのに、来なかったのよ。そのあと何度もあなたのお母さんの携帯に電話したんだけどつながらないのよ」

祖母は何の前置きもなしにそう言った。中学生の孫娘は、泣き声を上げながら、状況を説明した。

三年前に夫を病気でなくし、吉祥寺《きちじようじ》で一人暮らしをしていた祖母は、びっくりして孫娘の所に飛んできた。到着したのは、午後十一時過ぎだった。すぐに孫娘とともに、隣家を訪問した。隣家を訪問したのには、それなりのわけがあった。そういう場合に、話ができる相手は実質的に隣家だけだったのだ。

本多家は、多摩川沿いの一番西寄りの角地にある。西隣の家も、向かいの家も存在しない。比較的近接している家は、裏の家と東隣の家だけだった。裏の家は二人とも九十近い老夫婦が住んでいて、ほとんど交流はなかった。東隣の家は、水田《みずた》という姓の家で、中年の夫婦がやはり二人だけで暮らしていた。妻のほうは病気がちで、その姿を見ることはほとんどなかったが、夫のほうが回覧板や町内会費のことでたまに訪ねてくることがあった。

京子の母親は、一度だけ隣家の主人に会ったことがある。愛想のよい紳士的な物腰の人物だった。娘からも、隣家とは多少の付き合いがあることを聞かされていたから、遅い訪問と知りつつも思い切って訪問したのだ。だいいち、そんな遠慮をしていられる場合ではなかった。応対した隣家の主人は、二人のただならぬ気配を感じ取ったのか、深刻な表情で、その日、朝刊を取りに玄関先に出た午前十一時頃、隣の家族三人が黒い車に乗って出かけていくのを見たと証言した。車にはスモークフィルムが貼ってあって、運転している人間の姿は見えなかったという。奥さんが何だか暗い顔をしていたのが、気にかかったと隣家の主人は告白した。それを聞くと、京子の母親は、躊躇《ちゅうちょ》することなく、警察に通報した。

「そのあと鑑識が入って分かったことだが――」

そこまで言って、野上は言葉を止めた。私もメモを取る手を休めた。ウエイターがコーヒーを注《つ》ぐために近づいてきたのだ。野上のコーヒーカップはすでに空っぽだった。随分長い間、一人で話し、その間《かん》、何度もコーヒーを口に運んでいた。私たちのコーヒーを注ぎ終わったウエイターが去ると、野上は再び話し出した。

「何の変化もないという早紀の認識は、必ずしも正しくないことが判明したんだ。リビングのソファーから血痕が発見されたんだよ。それも複数の人間の――」

「その行方不明の家族の血痕だったのか？」

「ああ、旦那と息子の血痕だってことが、後のＤＮＡ鑑定ではっきりしている。しかし、奥さんの血痕は発見されなかった」

「う～ん」

私は言葉に詰まった。もちろん、いくつか質問したいことはあったが、まず何から訊くべきか、すぐには判断できなかった。私はとりあえず、ごく平凡なことから訊いた。

「当然、警察は、そのシロアリ駆除の男をまっさきに洗ったのだろうね」

「ああ、当然だ。でも、最初は筋のいい事件に見えたこの事件も、意外なことにこのシロアリ駆除の男の方面からは何の進展もなかったんだ。彼を実際に見ているのは、何しろ、行方不明になっている三人だけだからね。中学生の娘は、母親から話は聞いていたようだけど、実際には会っていないんだ。もちろん、契約書に書かれている会社も調べられたが、予想通り、架空会社だった。これはちょっとした裏話だけど、捜査に当たった刑事の中には、このシロアリ駆除の男の存在さえ疑う者もいてね」

「それはまた何で？」

「うん、一つには捜査態勢の問題でもあったんだ。当初、この事件は表面的には、単なる行方不明事件として扱われたから、まあ、家出捜査みたいな態勢だったんだな。従って、主として日野署が中心になっていて、警視庁の一課が出張《でば》って来たのは、もっとあとになってからだ。それでシロアリ駆除の男の話は、この家族の狂言と見る向きもあったんだろうね。実際、京子という主婦が母親に告白した『私たちの一生が台無しになるかも知れない事件』という表現と、そのシロアリ駆除の男の話がどうもしっくり来ないということだったんだ。確かに、そんな詐欺商法はいくらでもあるわけで、それを撃退する方法だって、いくらだってあるわけだろ。それなのに、夫婦がそういう手段も講じていないという印象が、捜査官のなかにあったのは、間違いないね」

そのあたりは、私が抱《いだ》いていた印象と同じだった。だが、リビングで発見された血痕は、これが間違いなく事件であることを物語っているのだ。

「しかし、一ヶ月後、近くの都市銀行から通報があってね。本多洋平と名乗る男が、通帳と印鑑を使って、一千万近くあった定期預金のうち、三百万をおろしていることが判明したんだ。通報があったのは、一家が行方不明になってから、一ヶ月後だったけど、この預金の引き下ろし自体は、事件から二日後に行われていた。それで、警察も一時、少なくとも本多洋平は生きているという判断に傾きかかったんだけど、担当した女性行員の証言は、まったくその推測を覆《くつがえ》すものだった。本多洋平は、身長百七十センチくらいの、筋肉質のがっちりした体型だった。大学時代、ラグビーをやっていて、肩幅の広さが目立つ男だった。ところが、預金を引き下ろしに来た男は、百八十センチ近くある長身で、ひどく痩せていたというのだ。共通しているのは、二人とも眼鏡を掛けていなかったことぐらいだった。実際、その女性行員に本多洋平の写真を見せたところ『似ても似つかないほど違っている』と証言している。年齢的にも、四十五歳だった本多洋平に対して、その男は少なくとも五十は超えているように見えたという」

「その女性行員は、引き下ろしの際、男に何か不審な点は感じなかったのだろうか？」

「感じなかったみたいだね。少なくとも、その場では。あとで考えてみると、ときおり顔を下に向けたり、手で顔を覆うようにしていたのが気になったと彼女は証言したが、それはあくまでも警察から聞かれたあとの話でね。男はマスクもしていなかったんだ。だから、直接対峙《たいじ》していたときは、ほとんど何の違和感もなかったんじゃないか。それにその女性行員に決定的な安心感を与えたのは、その男が預金の一部しか、おろさなかったことだった。しかも、本人確認としてキャッシュカードを提示し、正しい暗証番号まで打ち込んでいるんだ。これは相当に高等な戦術だよ。一千万あれば、全額引き出したくなるのが人情だろ。それなのに、ストイックに三百万しかおろしていない。それにキャッシュカードの暗証番号も知っていたんだから、それを使ってＡＴＭから普通預金をおろすこともできた。

かなりの額の定期預金があったわけだから、相当額の金をおろせたはずだよ。しかし、男はその後もキャッシュカードを使った形跡はない。たぶん、ATMの防犯カメラを警戒しているのだろう。そういう用心深さがある一方では、大胆にも堂々と銀行に現れて、印鑑と通帳を使って、定期預金の一部を引き出している。カメラに永久的に顔を記録されるより、対面による人間の記憶のほうが当てにならないことを知っていたんだね。何だかプロの犯罪者の臭いがするよ」

「なるほど。それで行方不明になった三人のうち、誰かがその中学生の娘に、シロアリ駆除の男の人相やら年齢について話していないのかね」

「それが人相・風体《ふうてい》についてはあまり情報がないんだ。ただ、娘の記憶では、一度だけ母親が問題の男について、『若い男』という言い方をしたことがあるそうだ」

「そうなると――」

「そう、銀行に現れて金をおろした男とも一致しない。その男は、どう見ても、若い男と言えるような年齢ではなかったらしいからね」

私は、自宅近くであった暴行未遂事件の犯人の年齢を思い浮かべた。所詮《しょせん》、人の年齢の評価はあてにならないということなのか。しかし、暴行未遂事件の被害者であった中学生と違って、本多京子は人の年齢について正当な評価ができるはずの大人だった。「若い男」という表現に、それほど、現実との落差があるとは思えなかった。

「それで私に聞きたいことと言うのは？」

私は、周縁的な話に終始して、なかなか本題に入ってこない野上を、再度促すように訊いた。

「当時中学生だった本多早紀は、現在、大学生になっていて、吉祥寺で祖母と暮らしている。我々は、この大学生から、当時の模様を再聴取している。そして、今、彼女は意外なことを言い出しているんだ。その信憑性《しんぴょうせい》を君に判断してもらいたい」

私の脳裏にフィルムの陰《ネガ》のような白い空白が浮かんでいた。気が遠くなるような気がした。胸部を小さな疼痛が刺した。私が事件の中に深く入り込み始めると、決まって起こる兆候だ。本多早紀はいったい何を言い出しているのか。

（五）

その日は日曜日で、私は終日、在宅した。早い夕食を終え、リビングで食後のコーヒーを飲みながらくつろいでいた。隣のキッチンから、妻が洗い物をして、水を流す音が聞こえる。

「そうそう、今日のお昼過ぎ、例の暴行未遂の犯人のことで、刑事がうちまでやって来たのよ」

妻は水音《みずおと》を意識したのか、かなりの大声で言った。そう言えば、その時刻に自宅のチャイムが鳴り、妻が外で誰かと話していたのを聞いた記憶がある。

「刑事って、どこの刑事だ？」

「別に言わなかったわ。警察の者ですって、言っただけよ」

「それで？」

「捕まった犯人、下着泥棒もしてたみたいよ。近所で、盗んでたみたい。それでうちにも被害はありませんかって、訊きに来たのよ」

「何て答えたんだ？」

「たぶん、ないと思いますって、答えたわ。私みたいなオバサンの下着盗んでも仕方ないものね」

「そんなこと分かるもんか。パンツやブラジャーに年齢が書いてあるわけじゃないぞ」

「いやだ！」

妻は、若い女性のような華やいだ声で笑った。それから、さらに言葉を繋いだ。

「お隣のご主人のとこにも刑事が来たらしいわ。お隣なんて、危ないんじゃない。中学生の女の娘《こ》がいるんですもの」

「また、あの主人と話したのか？」

「ええ、だって、あのご主人、しょっちゅう、家にいるのよ。まあ、今日は日曜日だから家にいるのも当たり前だけど、平日もよく姿を見かけるわ。あなたも結構うちにいる職業だけど、あの人のほうがもっと家にいる感じ」

奇妙な循環だった。捕まった暴行未遂犯の話が出るたびに、西野の話が出た。

「お偉《えら》いさんなんだろ。天下りってやつかもしれないよ。そう言えば、君も結婚当初、僕が昼間に家にいすぎることを嫌がってたじゃないか。近所の人に、旦那さん、水商売ですかって、訊かれたって」

「そんなことがあったわね。でも、やっぱりいい商売よ。あなたも隣のご主人も」

水音が止まった。食器が軽くぶつかり合う音が続いた。

「そうかも知れないね」

いつも私たちの行き着く結論は同じだった。私は、新聞を置いて立ち上がった。

二階の書斎に入った。デスク上のコンピューターは、電源が入ったままで、ネット接続の状態だった。マウスを動かすと、警視庁のホームページが出た。事件ファイルをクリック。凶悪事件が並んでいた。「ご協力ありがとうございました」とあるのは、ごくわずかで、あとはすべて未解決事件だ。「日野市一家三人行方不明事件」をクリック。これで三度目のクリックだった。東京都日野市本町《ほんまち》四丁目の自宅から、一家三人が行方不明になっています。何者かによって拉致《らち》された可能性があります。行方不明の人々。本多洋平（四十五歳、当時）本多京子（三十九歳、当時）本多洋介（十六歳、当時）発生日時。平成×

×年八月五日。情報をお寄せ下さい。日野警察署。

何度見ても同じだった。その無機質な文字の羅列から新しい情報を見つけ出すことなど不可能だった。事件発生現場のマップも出ていた。問題は、本多家がかなり孤立した環境にあったことだ。しかし、そのこともそのマップではまったく分からなかった。もう一度その居住環境を反芻《はんすう》した。角地だった。西隣の家はない。正面は多摩川の土手で、向かいの家もない。裏に一軒の家があったが、住民は高齢の夫婦で、ほとんど交流はなかった。唯一、一応の交流があったのは、水田という東隣の家だけだった。しかし、その交流も限られていたに違いない。その家に住んでいたのも、二人だけだった。しかも、妻のほうは、心臓が悪く、床に伏せっていることが多かったらしい。夫のほうが本多家に回覧板なども届けていた。いわゆる主婦同士の四方山《よもやま》話など、本多京子と水田の妻の間で行われる余地はなかっただろう。

本多早紀のことを考えた。早紀は、現在、二十二歳で、都内の大学の四年生だった。大学に通いながら、いまだに、両親と兄を捜し続けていると野上から聞いた。だが、気の毒だが三人が生きている確率はきわめて低いだろう。では、現在の早紀の供述をどう考えるべきなのか。それが野上が私に与えた課題だった。

本多京子は、誰かに性的暴行を受けていたかも知れない。これが現在、警視庁の捜査班の間で波紋を呼んでいる、早紀の新証言だった。しかも、その暴行は、シロアリ駆除の男が姿を現すようになる一ヶ月も前に起こった可能性があるというのだ。京子は、当時三十九歳だったが、容姿的にはかなり整った女性だった。夫とは、同じ証券会社に勤めていて上司と部下の関係だったが、OLとしてその会社に勤めていた頃から、社員の間ではかなり人気のある存在だったという。

私は、大学の図書館でこの事件を報じた週刊誌のバックナンバーを探し出し、夫と共にそこに掲載されていた京子の顔写真をいくつか確認した。いずれも少しピントのずれた写真だったが、その美貌はそれなりに伝わってきた。三十九歳という年齢も、高齢化の進む現代社会では、まだまだ女盛りと言えなくもない。少なくとも、そういう性的暴行の対象になっても少しもおかしくなかった。

早紀の推測の根拠になった出来事が起こったのは、その年の六月の初め頃だった。その日、早紀は午前中から風邪で体調が悪く、中学校の保健師に勧められて早退した。自宅に着いたのが、午前十一時頃、合い鍵で玄関を開けて中に入った。洗濯機が回る音が聞こえていた。浴室の前に置かれた洗濯機にかがみ込むようにしている母親の背中が見えた。その背中が不意に振り向いた。早紀は凍り付いた。今までに決して見たことがない母親の顔がそこにあった。

髪は乱れ、目は充血して吊り上がり、唇が切れて出血していた。明らかに、誰かに殴られたような顔だった。

「早紀ちゃん、どうしたの？」

母親は、不自然な作り笑いを浮かべて言った。

「風邪で気分が悪くて、先生に早く帰りなさいって言われたの」

うわずった声で、そう答えながら、早紀の目は母親の手元に吸い寄せられた。洗濯機の白い台座の上に薄青の洗面器が置かれ、その中に血のついた白い下着が入っていたのだ。洗面器の水は、洗剤で白濁していた。母親が手洗いしていたのは、明らかだった。早紀は、驚愕《きょうがく》の表情を隠し切れなかった。

「生理が始まっちゃったのよ。生理のときってダメね。ぼんやりしてて、玄関で転んじゃったの」

母親は言いわけするように言った。その声は幾分震えているように感じられた。

「お母さん、大丈夫？」

早紀は、小さな声で訊いた。

「大丈夫よ。あなたも具合が悪いんだったら、薬を飲んで早く寝なさい」

母親の声は、普通の声に戻っていた。

当時、早紀はこの出来事を警察に話していない。後年、その理由を振りかえってみると、早紀はそれを夫婦喧嘩のように受け止めていた気がするのだ。その日の朝、早紀は体調が悪かったにも拘らず、バスケット部の朝練に参加するため、かなり早く自宅を出ている。

早紀が自宅を出るとき、父親はまだ家にいた。

両親の夫婦仲は悪くはなかったが、父親はかなり短気だった。早紀は、父親が何度か大声で母親を怒鳴りつけるのを聞いたことがあった。だから、漠然とではあるが、父親が母親に暴力を振るったとしても、それほどおかしくないと感じていたのである。しかし、その推理は、今、考えると矛盾だらけだった。何しろ、早紀が目撃した母親の異様な姿は、暴行を受けた直後に見えた。午前十一時頃だったから、サラリーマンの父親があんな時間帯に在宅しているはずはなかった。そして、何よりも異様だったのは、母親が自分の下着を手洗いしていたことだった。母親は生理だと言ったが、あのときの顔の傷と合わせて評価すれば、それが何を意味しているかは明らかだった。

それに、後年、よく思い出してみると、シロアリ駆除の男がやって来ていた頃、二種類の不快な電話が自宅にかかってきていたように思えるのだ。一つは、明らかにそのシロアリ駆除の男だった。ほとんど母親が応対していたという記憶が残っている。しかし、母親は意外に堂々としていて、少なくとも早紀には怯えているようには見えなかった。ときに、強気に「何でそんなお金を払わなければならないんですか」と言い返しさえしていた。

だが、もう一つ、それとは違う電話がかかってきていた気がするのだ。その電話のとき、母親は明らかに怯えていた。相手が一方的に喋っているようで、母親はほとんど「はい」としか言わず、たまにまとまった言葉を発するにしても、近くにいた早紀にも聞き取るのが難しいような小声で話していたのだ。特に、父親が在宅しているときは、そうだった。母親がそういう応対をする電話は、確かに何本かあった。頻度で言えば、シロアリ駆除の男からかかってきたと推定できる電話の本数と同じくらいあったように思えるのだ。

それなのに、事件当時、早紀は警察から訊かれて、シロアリ駆除の男から脅迫電話が何本かかってきたとしか答えていない。その二種類の電話を同一人物からの電話という前提で、答えてしまったのだ。それは警察の捜査を誤った方向に導いた可能性がある。そして、何よりも重要なのは、母親を怯えさせていたその電話は、間違いなく、一ヶ月前の出来事と関係があるはずなのである。

私は、野上の問いに対する答えを文書で行うことを約束していた。口頭では答えが曖昧になり、論点が伝わらないということもある。いや、それよりも、野上の問いは、即答するにはいささか難解で、とりあえずの答えでさえすぐには思いつかなかったのである。野上の質問は大きく分けて、二つだった。私は、パソコンの画面をネット検索から、ワードに切り替え、文書の作成に取りかかった。

日野市一家三人行方不明事件に関する野上氏の問いに対する回答

〈一〉本多早紀の新証言の信憑性について。また、もし信憑性があるとしたら、彼女が八年も経過してから、それを言い出した理由は何か。

時間の経過と共に過去の出来事に関する記憶は薄れ、その証言がますます信憑性を失っていくのは当然である。しかし、時間の経過にはプラス要素もある。当該の出来事から時間的にも空間的にも遠ざかることによって、冷静で客観的な判断ができるようになることもあるのだ。特に、年齢的な成長が伴っている場合は、そうだろう。その意味で、早紀の現在の供述は無視できないものを含んでいる。中学生であった当時では、気づかなかったこと、あるいはそれと認識できなかったことが、成長と共にその意味が理解されてくることもあるかも知れない。そういう視点から考えると、早紀が今になって新しい証言を開始したことはそれほど不自然ではない。特に、その証言は母親の性に関する問題だったのだから、当時、思春期にあった早紀がその問題を生理的に回避した可能性は否定できない。(この点については、〈二〉で詳述)

ただし、マイナス評価をしなければならない点もある。現在、早紀がもっとも望んでいることは、無事に家族を取り戻すことだろう。それが無理な場合でも、少なくとも生死を含めた家族の消息を知り、事件に一定の結論を出すことのはずである。その思いが強まるにつれて、過去の出来事を実際以上に誇大に解釈することはあり得る。これは嘘を吐くというような単純な事柄ではなく、願望妄想とさえ呼び得るものを含んでいる場合がある。母親が性的暴行を受けたかも知れないという認識は、事件解決につながる新しい視点を提供しているという意味で、やはり早紀の願望を表現しているとも言えるのである。

しかし、上記の二つのプラスマイナスの要素を比較検討し、早紀の新証言の信憑性を考えるとき、その一応の信憑性を肯定することができると私は考える。もっとも、これは私自身が早紀との対面調査を実施していないことを前提とした評価であるから、当然、一定の留保が必要となるだろう。本人の性格評価をしない限り、正確な判断は不可能と言わざるを得ない。

〈二〉中学二年の女子中学生が、自分の母親の性について、どういう意識を持っていたと推定されるか。また、その意識と新証言との関連は？

一般的に言って、中学二年の女子中学生がどの程度の性意識を持っているかは、かなり個人差がある。発達心理学の立場から行われた多数の調査結果が報告されているが、その報告内容は、特に小学校の高学年から中学生にかけては、相当な幅があり、同じ年齢の子供であっても、同一基準で評価できないほどである。しかし、本件の場合、一般の性意識の問題というより、母親に絡む性的問題というポイントが重要であろう。従って、発達心理学というよりは、フロイト的な精神医学の領域とも考えられる。

というのも、新証言によって明らかにされた内容は、いささか古めかしいフロイト学派の学者たちに、格好の論点を与えているように思われるからである。フロイトの言うエディプス・コンプレックスの基本概念は、男の子は性的に自分の母親を奪っている父親に敵意を抱き、同時にコンプレックスを持つというものである。この学説に従えば、ハムレットの「生きるべきか、死ぬべきか、それが問題だ」という、かの有名な科白《せりふ》も、人生の苦悩を表現したものというよりは、特異な性的煩悶《はんもん》を表現していることになる。

つまり、先王を殺して自分の母親を奪っている叔父に対する復讐《ふくしゅう》は、自分の母親を性的に取り戻す行為と考えられるからである。そういう近親相姦《インセスト》に対する恐怖が無意識のうちに、ハムレットに復讐の決意を躊躇させていたというのである。この理論を当てはめると、当時、早紀が当該の出来事を夫婦喧嘩と見なしたことは、早紀の特異な願望を表しているとも解釈できる。その暴行が夫婦喧嘩によるものと見なすのが無理な状況だったにも拘らず、そう見なしたのは、父親を愛している早紀が、無意識に両者の仲違いを願望していたからだと解釈するわけである。これは女性の場合、エレクトラ・コンプレックスと呼ばれることもあるが、親に対する性的願望が基本になっているという点では、本質は男性の場合と同じである。もちろん、子供は、普通は両親が仲がいいことを願うものだが、性という要素が介入してきた途端、無意識の性的願望が頭をもたげ、自分の好きな異性の親を奪っている同性の親に対する憎しみが生まれることはあり得るのだ。

しかし、こういう古めかしいフロイト的な解釈は、すでにその時代的役割を終え、現代ではその正当性に対する、多くの疑義が上がっていることも確かである。実際、本件の場合、そんなフロイト的な精神医学に依存しなくても、思春期の中学生の標準的な反応として、そのことを警察に伝えなかった理由は理解できるだろう。早紀には、そもそも、母親が性的暴行の対象となるという発想がなかった。いや、仮にあったとしても、思春期に特異な性的抑圧から、性的な事柄を故意に隠蔽《いんぺい》しようとする意識が働いたのかも知れない。母親が口にした「生理」という言葉も微妙な影響を与えたはずである。その言葉は、原初的に性と結びつくものだからだ。そういう言葉を口にした母親に対する嫌悪感が、早紀の隠蔽の意識を増幅したことはあり得るだろう。だから、早紀は警察にもそのことを話さなかったのだ。それに、シロアリ駆除の男がやって来るようになったのは、その出来事から一ヶ月ほど経ってからだ。その頃、その出来事の記憶は薄れていた。二つの事柄に関連があるとは思えなかったから、あえて刑事に話すこともなかったと考えることもできる。

いずれにしても、成人となって、そういう性的抑圧感情から解放された早紀が、過去の出来事を客観的に評価して、新しい証言を行うことは何ら不自然ではない。

書き上げると、私はそれを添付メールで野上に送った。送信ボタンを押すとき、一瞬、躊躇した。ふと、情報流出という言葉が浮かんだからだ。だが、これは別に公的文書というわけではない。警視庁に勤めているとは言え、野上はあくまでも個人的な立場で私の見解を求めているというのが、私の認識である。本当はもう一度直接会って、手渡すのが堅実な方法だったが、私はそこまで用心深くはなかった。

（六）

それから三週間ほどが経った。野上からは、メールを送った一時間後に、形式的な御礼の返信が来ただけで、それ以降は連絡がない。暮れも押し詰まり、私も慌ただしい日々を送っていた。それでも新聞報道には気をつけていた。しかし、日野市の事件については、一切、何の報道もなかった。格別な進展はないのだろうか。

もちろん、水面下では何かが進行していたのかも知れない。そうだとしても野上がそれを私に知らせて来るとは思えなかった。彼が私に求めて来たのは、あくまでも被害者家族の心理学的な側面に関するアドバイスだけだ。それは具体的な捜査とは別問題だったはずである。それに、私自身、自分の意見が捜査にどれほど役立つか確たる自信がなかった。野上も、私の報告書など、所詮、机上の空論と感じていたのかも知れない。野上から反応がないのは、まさにそのせいのように思われた。

実践的な捜査の中心にいる現役の刑事が、学者の抽象的な意見をそれほど重視するはずもないだろう。それなのに、なぜ野上が私の意見を求めてきたのか、不思議と言えば不思議だった。高校時代の親友だったというなら、たまたま犯罪心理学の専門家になっていた親友の意見を聞いてみたくなるのも分からなくはない。だが、高校時代の野上は私からはむしろ遠い存在だった。

大晦日の前日、自宅にいた私の携帯に、突然、野上から電話が入った。午後五時半過ぎだった。野上は、私の家の最寄り駅であるＪＲ荻窪《おぎくぼ》駅に来ていた。今から、すぐ会いたいという。それも、私の自宅で、と言うのだ。妻は、その日、千葉県に住む兄夫婦を訪ねていて、夜の九時頃帰って来る予定だった。野上が来てもほとんどもてなしなどできなかった。それを言うと、野上は「何もいらない。三十分だけ仕事の話がしたいだけだ」と強調した。

妻がたまたま留守なのは、かえって都合がいい気がした。野上は、おそらく、私の報告書について、質問があるのだろう。あるいは、例の事件で少し進展があったのかも知れない。私は、駅からの道順を簡単に説明した。道順は複雑ではないが、徒歩二十分くらいはかかる。それを言うと、「ああ、分かっている」と野上は短く答えた。まるで、過去に来たことがあるような口ぶりだった。だが、彼が私の家を訪ねてきたことなどあるはずがなかった。

野上が私の家に到着したのは、電話があってから四十分後だった。通常より二十分多く時間がかかったことになる。刑事は普通の人間より歩くのが速いという前提に立てば、意外だった。だが、いろんな刑事がいるのだ。彼が、散策のように歩いた可能性も否定できなかった。

私たちは、リビングで話した。野上は、荻窪駅に隣接するルミネの一階にある「千疋《せんびき》屋《や》」で買ったと思われるケーキを持参していた。彼が私の家に到着するのが遅れたのは、この買い物のせいだったのかも知れない。

「じゃあ、コーヒーでも入れるよ」と、私が立ち上がりかかると、「いや、何もいらない」と野上は早口に制した。それから、「あまり時間がないんだ。ケーキは、あとで君と奥さんの二人で食べてくれ」と付け加えた。私は、軽く頷き、座り直した。

しかし、急いでいると言った割には、野上はとりとめのない世間話から始めた。

「りっぱな家だね。周りの環境もいい。杉並の典型的な住宅街だね」

初めての家を訪ねた人間の口から出る、社交辞令に聞こえた。だが、近隣が典型的な住宅街であるのは事実だった。すべてが住宅ではなく、たまにアパートやマンションがぽつんぽつんと点在しているのも、ある意味では杉並の住宅街の特徴だった。

「そうでもないさ。この間《あいだ》、近くで女子中学生に対する暴行未遂事件があって、隣のアパートに住んでいる男が逮捕されたんだぜ」

「へえ、そんなことがあったのか」

野上は驚いたように言った。警視庁の刑事で、同じ警視庁管内の事件でも、担当が違えば、知らないのだろう。それに、そんな暴行未遂事件は、野上が専従で担当している事件に比べれば、小さな事件だった。

「まあ、そういう事件は東京のどこにでも起こり得るということだろうがね」

「うん、そうかも知れないね。日本が治安がいいと言っても、所詮は、その程度の治安というわけだ」

野上は、妙に複雑な言い方をすると、リビングの窓から外に視線を逸らした。薄暮のなかに、西野邸の明かりがぼんやり浮かんでいる。私は、野上の端正な横顔を見つめた。その瞬間、高校時代のある出来事を不意に思い出した。

私たちの高校は都立高校の中では有数の進学校だった。従って、基本的には真面目な学生が多かったが、そのなかでは野上はけっして真面目派ではなかった。端正なマスクで女性にもてたという印象があり、そのせいか、どちらかというと硬派とは逆のイメージだった。それから、家庭が複雑で、腹違いの兄と姉がいるという噂があった。そう言えば、高校時代の野上の姓は、今とは違い、確か矢島《やじま》だったという記憶がある。しかし、あまり親しくなかったこともあり、その私の記憶もあいまいだった。何しろそれは三十年近く前の話なのだ。それはともかく、そんな野上のイメージを一変させる出来事が、ある日、突然、起こった。

高校のすぐ近くのバス停で、二人の高校生が女子生徒をからかっていた。からかわれていたのは、私たちのクラスにいた河合《かわい》園子《そのこ》という生徒で、幼い頃の小児麻痺《まひ》が原因で下半身に軽い麻痺が残っている障害者だった。からかっていたのは、私たちの高校ではなく、近くにあった別の高校の生徒だった。彼らは、園子の歩く姿を見て、聞き捨てならぬ内容の罵声《ばせい》を浴びせていた。

たまたまそこでバスを待っていた私は、怒りで体が震えた。私は園子とはほとんど口をきいたことはなかった。しかし、身体的なハンディがあるにも拘らず、ピアノの上手な、知的な少女だった。さわやかで、聡明そうに見えるその表情も、けっして魅力がなくはないと私自身は感じていた。その園子が、理不尽極まる言葉の暴力に呆然《ぼうぜん》として涙ぐみ、ひたすら下を向くことによって、耐えようとしていたのだ。助けてやりたかった。だが、私には度胸がなかった。

からかっている二人の高校は、不良が多いので有名だった。ひ弱な学生が多い私たちの高校では、その制服を見るだけで、震え上がる者もいるくらいだった。やがて、言葉の暴力は、本物の暴力に変化した。二人は、下品な笑い声をたてながら、園子の頭を平手ではたき始めたのだ。

「やめてください」

園子は涙声で、繰り返し哀願した。その目から大粒の涙がこぼれ落ちた。

みんな固唾《かたず》をのんで、見つめているだけだった。しかし、次の瞬間、信じられないような出来事が起こった。学生服姿の長身の男が不意に園子とその二人の悪《わる》ガキたちの間に割り込み、いきなり二人の顔を平手打ちにしたのだ。二人とも後方にふっ飛び、路上に昏倒《こんとう》した。二人は、よろよろと起き上がろうとした。今度は、膝蹴りが顔面を襲った。二人は、再び、後方に崩れ落ちた。

「うせろ」

男は猛烈な剣幕で、怒鳴りつけた。二人は何とか立ち上がった。その顔には恐怖の色が浮かんでおり、足をもつれさせながら無言で走り去った。あっという間の出来事だった。

その男の顔を見て、仰天した。野上だったのだ。あまりにも彼のイメージとはかけ離れた行動だった。彼は身長は百八十センチ以上あり、クラスのなかでやはり背が高かった私と一、二を争う長身だった。しかし、痩せている上、その甘いマスクのせいもあって、とても喧嘩が強そうには見えなかった。しかし、そのとき彼が見せた平手打ちと膝蹴りの威力は半端ではなかった。

バス停には、異様な沈黙が行き渡っていた。だが、私は感動していた。野上に声を掛けて、その気持ちを伝えたかった。同時に罪の意識も感じていた。同じ現場に居合わせながら、私は野上と違って何もしなかったのだ。野上が私に気づいていたかどうかは分からなかった。

「ありがとう」

園子は掠れた声で礼を言った。だが、その短い言葉には感謝の気持ちがにじみ出ていた。野上は軽く右手を上げてその礼に応えただけで、自分に集中するその他の視線を平然と無視し、たまたまそのとき到着したバスに一番最初に乗り込んだ。何事もなかったような態度だった。

バスのなかは込み合っていた。私たちの停留所から乗った者は、誰も座ることができなかった。野上は後方に立ち、私は前方に立ったため、野上の様子は分からなかった。数名を挟んで、私の三メートルくらい前には、園子が立っていた。彼女も、私の存在には気づいていたかどうかは分からない。だが、その表情は、二人の不良高校生に屈辱的な扱いを受けた割には、明るく見えた。よほど野上の行為が嬉しかったのだろう。その内気な表情にも、抑制された喜びが映《うつ》っていた。

私は、逆に野上のことが心配になった。野上に殴られ、蹴り飛ばされた二人のうち、片方がひどい鼻血を出していた。逃げて行くとき、鼻を押さえており、その手から鮮血が迸《ほとばし》り落ちるのが見えた。相手が訴えれば、警察は暴行事件として、対応するかも知れない。そうなれば、事情はどうであれ、野上は傷害事件の加害者ということになるのだ。そうなったとき、私は彼のために証言しようと思っていた。あの悪ガキどもの振る舞いは、当然、鉄拳制裁に値したのだ。だが、私の心配は、杞憂《きゆう》に終わったようだった。その後、野上が訴えられたという話は聞かなかった。

彼があのとき示した正義感が、彼が刑事になった原動力なのだろうか。私は、高校時代、結局、あの出来事について野上と話すことはなかった。その話は私たちのクラスでは意外と広まっていなかった。私たちの高校の生徒たちが、あの場に何人かいたのは確かだったが、園子と同じクラスの生徒は私と野上だけだったのかも知れない。私は誰にも話さなかった。

当事者であった野上と園子も話したとは思えない。あのとき、野上がどういう心境だったのか、正確なところは分からない。私は、三十年近く経った今、それを訊いてみたい気がしないでもなかった。しかし、結局、訊かなかった。野上と私の心理的距離は、今では高校時代以上に隔たっていた。それに、せっかく守ってきた秘密を今更暴露するのは、野暮という気がしないでもなかった。

「お隣は勤め人なの？」

野上の質問にふっと我に返った。不意に湧き出した過去の記憶の泉が、現実の会話のなかに吸い込まれるように消えた。野上の視線は、隣家の明かりに注がれていた。

「ああ、そうみたいだね。でも、どこかのお偉いさんみたいだよ。平日もゆっくり出勤しているみたいだから」

「家族はいるんだろ？」

「中学生の女の子と高校生の男の子がいるみたいだよ。奥さんは見たことがないけど」

「見たことがない？」

野上はつぶやくように訊いた。

「いや、たぶん、亡くなったんだろうと思うけどね」

私は、何故かいいわけをするように言った。

「ふうん、そういうことか」

野上の反応は曖昧だった。関心がないようにも、何かを考え込んでいるようにも見えた。

「君の家の向かいは誰が住んでいるんだい？」

私は、一瞬、沈黙した。野上の顔を見つめた。まるで、私の家の近隣調査に来たかのような質問が続いていた。

「高齢者の母娘《おやこ》だよ。娘さんがお母さんの世話をしている家庭だ。娘さんのほうもすでに七十近いと思うけど」

「やはり、そうか」

「何が？」

「似てると思わないかい？　こういう生活環境が——」

はっとした。野上の言おうとしていることがぼんやりと分かり始めた。日野市で行方不明になった家族の場合も、裏に高齢者の夫婦が、東隣に中年の夫婦が住んでいたのだ。私の家というよりは、西野の家を中心に見れば、そして、表と裏、あるいは東と西を置きかえれば、その生活環境は酷似しているのだ。しかも、西野の家と行方不明家族の家は、家族構成と男女比までが同じなのだ。しかし、彼がこういう形で本題に入って来るとは思わなかった。

「つまり、君はこの近隣の生活環境が日野市の行方不明家族の場合と似ていると言いたいのかい？」

「いや、君の家の生活環境がどうのこうのと言うんじゃない——」

野上は、いいわけがましく言った。それから、さらに言葉を続けた。

「ただ、僕はずっと考えていたんだ。あの日野市の行方不明家族のような孤立した生活環境は、東京でも普通にある環境かどうかかね。それで、今日、君の家に来てみて、周りの家を見渡して、三軒の家が同じように孤立しているように感じたものだからね」

「それで君は近所の家の家族構成を訊いたわけか？」

「ああ、こんな環境だと近所の家族が別の人間と入れ替わっていても、誰も気がつかないこともあるんじゃないかとふと思ったんだ」

ぎょっとした。何故か西野の顔が浮かんだ。別の人間と入れ替わる。恐ろしい概念だった。

「具体的にはどういうことだろう?」

私は、野上を凝視した。口調もついつい強くなった。しかし、野上は逆に、表情を和らげた。

「いや、今のはたとえ話を言っただけだよ。人が入れ替わるなんてあり得ない。それだけ、現代の生活環境は、見かけ以上に孤立していると言いたかっただけだよ」

野上は、一般論のなかに巧みに逃げ込んだように見えた。そんな単純なことを言いたいためにだけ、奇妙なたとえ話を持ち出したとは思えなかった。だが、私はそれ以上の追及は避けて、ストレートに訊いた。

「それで事件の捜査は進展しているのかね?」

「いや、それがどうもはかばかしくないんだ」

野上はため息をつくように言った。だが、その口調もどことなく演技的に聞こえた。

「じゃあ、僕の報告書もあまりお役に立てなかったわけだ?」

「いや、そんなことはない。あれはあれで役に立ったよ」

野上はおだやかに言った。実際、このあと野上は私の報告書についていくつか質問をした。しかし、質問はすべて抽象的な質問で、私の報告書が警察の捜査に具体的にどう役だっているのか、皆目見えて来なかった。私は、その日の野上の訪問の意味が分からなくなった。

（七）

年が明けて、五日ほどが経った頃、自宅の固定電話に警視庁から電話が入った。階下で電話を受けた妻が、二階の書斎までコードレスの受話器を運んで来た。妻にも、野上のことは少し話してあったから、妻は野上からの電話と思っているようだった。私も、当然、そう思っていたが、以前のように携帯に掛けてこないのが少し不思議な気がした。

「高倉先生ですか？」

比較的若い男の声が聞こえた。野上ではなかった。

「そうですが――」

「警視庁の谷本《たにもと》と申します。突然、お電話を差し上げて申し訳ありません。少しお訊きしたいことがあるんですが――野上さんのことはご存じですね？」

「もちろん、知っています」

「去年の暮れ頃、野上さんにお会いになりませんでしたか？」

「ええ、会いましたよ。突然、私の自宅を訪ねてきました」

「ご自宅を？」

相手の声には明らかに驚きがこもっていた。

「ええ、私と野上は高校の同級生ですから」

「はい、それは知っていますが、用件は何だったんでしょうか？」

私は当惑した。この谷本という刑事は、野上が私に何を依頼していたのか、知らないのだろうか。私は、だいたいの経緯を話した。それから、暮れに私の自宅を訪ねてきた野上の用件についてもごく大ざっぱには話した。しかし、説明が難しかった。正直なところ、私にも野上の用件が本当は何だったのか分からなかったのだ。だから、谷本に対する私の説明も形式的な内容にならざるを得なかった。私の報告書に対するいくつかの質問。それが用件と言えば、用件だった。

あの日、野上は急いでいると言ったにも拘らず、結局、私の妻が帰宅する直前まで私の自宅にいた。途中、何度も出前の寿司でも取ろうと勧めたが、彼は頑《かたく》なに固辞した。しかし、報告書に関する二人の会話がほぼ底をついたあとでも、野上はしばらく私の家に残っていた。事件とは何の関係もない、ただの雑談を一時間くらいして、帰って行ったのだ。

「すると、野上さんは何時頃、お帰りになったのでしょうか？」

「正確なところは分かりませんが、たぶん、夜の九時少し前だったんじゃないでしょうか。野上にも訊いてもらえれば分かると思いますが」

私はその記憶にはある程度自信があったが、念のためそう付け加えた。

「それはそうですね」

谷本の反応はあいまいだった。違和感を感じた。そもそもこんな問い合わせ自体が意味がないように思えた。同じ警視庁の刑事なのだから、初めから野上に訊けば、私に電話する必要さえないはずなのだ。谷本は早口に礼の言葉を述べると、いかにもせかせかと電話を切った。

コードレスのスイッチを切って、しばらく考え込んだ。はっとした。偽刑事という言葉が思い浮かんだのだ。そうだとしたら、野上に対して、とんでもなく申し訳ないことをしたことになる。ごく大ざっぱとは言え、私は野上の依頼内容を喋ってしまったのだ。とりあえず、野上に連絡して確かめるしかない。私はコードレスの受話器をデスクの上に置き、引き出しから自分の携帯を取り出した。登録されている野上の携帯番号を呼び出した。つながらなかった。電源が切られているようだった。そのあと、何度か掛けたが、結果は同じだった。私の胸部を圧する暗雲が急速に網膜の奥に広がり始めた。

（八）

翌日から大学の授業が始まった。二コマの授業をこなし、夕方の五時頃帰宅すると、珍しく妻が玄関まで迎えに出てきた。

「ねえ、ちょっとあなたに相談したいことがあるんだけど――」

妻は、私の鞄を抱え込むようにして取りながら、浮かぬ顔で言った。

「また、ルビーの話か？」

私は警戒気味に言った。妻は、以前からチワワを飼いたがっていた。そして、その犬をルビーと呼ぶことに決めていた。だが、私はしぶっていた。別に、犬が嫌いなわけではない。ただ、私は飼っている生き物が死ぬことに耐えられなかった。金魚が一匹死んだだけでも、一週間ほども眠れない人間なのだ。その私が、殺人の研究をしているのだから、おかしな話である。

「違う違う。そんなことじゃないわよ」

妻の表情は真剣みを増した。私たちは、そのままリビングに直行し、リビングテーブルに対座して話した。

「お隣のことよ。少し様子がおかしいの」

妻は間髪を入れずに、話し出した。

「どういうことだい？」

平静を装ったものの、軽い緊張が走った。

「今日の朝、また、キッチンの窓から中学生の娘さんが学校に出て行くところを見たのよ。そしたら、いつものようにご主人が送り出していたんだけど、その様子が変なの——」

「どう変なんだ？」

「一言では言いにくいんだけど、ものすごく怖い目つきで娘さんを睨んでるの」

「親子喧嘩でもしたんじゃないのか」

「うん、でも、そんな感じでもない。すごい冷たい視線なの。まるで自分の娘じゃなくて、他人を見ているような目。それに小さな声で何か言ってたんだけど、その言葉を聞いた娘さんが真っ青になっていくのが、窓越しにさえ分かったわ。何て言ってたかは、まったく聞こえなかったけど」

「そんなすごい目つきだったのか？」

「うん、まったく別人みたいに見えたわ。あのご主人、私たちに対してはとっても愛想のいい人でしょ。だから、私もあんな顔つき見たことがないもの」

「別人か？」

私はつぶやくように言った。野上の言ったことが思い浮かんだ。だが、これだけの情報では、妻が何を相談しようとしているのか、分からなかった。

「それにね、これは自分でも何だか怖くて言いたくないことだけど、高校生の息子さん、最近、姿を見ないと思わない？」

私自身、はっとした。私たちが、ここに引っ越してきてから九ヶ月以上経つが、引っ越してきた当初は、隣家の兄妹《きょうだい》の姿をたまに見かけていた。しかし、ここ二ヶ月くらい、確かに妹の姿しか見ていない気がするのだ。

「そう言えばそうだね。高校生の息子は、いったいどうしちゃったのだろう」

「それにね、これは私の錯覚かも知れないけど、ここ二、三日、夜中に女性の泣き声が聞こえるような気がするの。あなたはどう？　聞いたことない？」

「それはないな。もっとも、最近は夜中でも書斎にいることが多いからね」

かろうじて平静を保っていたが、妻の発言にぎょっとしていた。寝室のほうが西野の家に近く、私は、ここ数日かなり遅くまで書斎にこもって論文を執筆していたから、妻が聞いたという女性の泣き声を私が聞いていなくてもそれほどおかしくはない。

「ねえ、虐待《アビユース》じゃないかしら。もしそうだとしたら、通報の義務があるわ」

妻は強い口調で言った。私がアメリカで研究生活を送っていたとき、妻も一緒に住んでいたから、子供虐待《チヤイルド・アビユース》の話は聞き慣れていた。確かに、アメリカ人は、いとも簡単に通報するのだ。その感覚は、日本人ではまったく理解しがたいところがある。地元の日本人の間で当時話題になっていたのは、ホテルの部屋で日本人の父親と小学生の息子がプロレスごっこをして遊んでいたら、たまたま入ってきたホテルの従業員に虐待と勘違いされ、警察に通報されたため、父親が逮捕されたという事件だった。日本人にとってはあり得ない話だ。

「しかし、それだけじゃあ、あまりに根拠が薄弱だな。ここはアメリカじゃないんだ」

「じゃあ、こういうのはどうかしら。私、あの娘《こ》に話しかけて、それとなく様子を聞いてみようと思うの。あの娘、たまに道端で会って、私が『こんにちは』って言うと、小さな声で返事は返してくれるけど、すぐに視線を逸らして、こそこそ通り過ぎる感じなのね。今度そういうことがあったら、もっと積極的に近づいて、話しかけてみる」

「それもいいが、やり過ぎないようにな。隣同士で、西野氏のところと変なトラブルになりたくはないからね」

「大丈夫よ。私、そういうの得意だから」

確かに、妻は妙な社交性があって、そんなことは波風を立てずに、難なくこなせそうだった。

「それから、西野氏、我々が引っ越しの挨拶に行ったとき、ここにもう十年以上住んでいると言ってたね。それを客観的に確かめる方法はないだろうか？」

妻は、きょとんとしていた。私の発言の意図が分からなかったのだろう。無理もなかった。私自身が自分の考えていることを明瞭には理解していなかったのだ。ただ、何となく、西野がそんなに長くここに住んでいるとは思えなかったのである。

「それはお向かいの田中さんにでも訊いてみると分かるんじゃない。もちろん、娘さんのほうに、だけど。あの母娘《おやこ》もここに長く住んでいるようなこと言ってたわ」

「頼むよ。訊いてみてくれ」

「いいわ。明日、ゴミ出しのときに、娘さんに会ったらそれとなく訊いてみるわ。でも、そんなこと子供の虐待と何の関係があるの？」

「関係はないさ。しかし、西野氏が嘘を吐く人間かどうかは分かるだろ」

妻は、相変わらず納得していない表情だった。ただ、物事を突き詰めて考えることをしない性《たち》の妻は、ここでもそれ以上尋ねることはしなかった。

翌日、西野が嘘を吐く人間ではないことがあっさり判明した。妻に訊かれた田中の娘は、西野一家が間違いなくここに十年くらい住んでいると証言したのだ。しかし、妻は私が頼んだ以上のことを聞き出していた。西野の妻のことだ。確かに西野には妻があったという。それどころか、田中の娘は西野はいまだに妻と同居していると信じ込んでいた。もちろん、田中母娘自身、周囲とは孤立した生活を送っていたから、これは無理からぬ誤解だった。

西野が、現在、妻と同居していないことは、明らかだった。何しろ、引っ越して九ヶ月になる私たちが、その姿を一度も見ていないのだ。しかし、だからと言って、西野の虐待《アビユース》疑惑が深まるということもなかった。妻の不在は、そのことと直接は、関係ないはずである。いや、実際のところ、私が疑っているのは、その種の問題ではなかった。

第二章　連　鎖

（一）

燐子とともに下りのエレベーターに乗った。他に乗客はいない。いつものイタリアン・カフェで食事をした。それが卒論指導のあとの、ルーティーンになりつつあった。私は、幾分、大胆になっていた。燐子の都合を訊くこともなく、食事に誘った。燐子が断ることはなかった。「はい、お腹空《なかす》きました」と燐子はきまって答えた。その返事はごく自然だった。

私たちが食事をしたカフェのあるロビー階が2Fだった。その下の階が、外路につながっていた。「閉《とじる》」のボタンを押し、扉は半分ほど閉まりかけていた。その一瞬、外のフロアーに人影が見えた。咄嗟に「開《ひらく》」のボタンを押した。長身の男が一人で乗りこんできた。右脇に小さな黒鞄を抱えている。ぎょっとした。

男の風体が異様だったのだ。大きな黒のサングラスと白いマスク。黒革のジャンパーに、青のデニムのジーンズ。夜だというのに、サングラスとマスクによって、顔の特徴すべてが封印されているのは不気味だった。わずかに分かるのは、その男が長髪だということだけだ。芸能人かも知れないとふと思った。さらに妙な連想が湧いた。妻に内緒で、愛人とホテルの一室で密会し、こっそりと帰って行く、そこそこに名のあるテレビタレント。そう言えば、そのエレベーターは上階のホテルの客室にも通じていた。思わず苦笑した。

一階に着くと、男は私たちのほうには目もくれず、足早に歩き去った。降りる瞬間、燐子のほうを見た。はっとした。燐子は、エレベーターの奥の壁に背中を貼り付けるようにして、立ちすくんでいたのだ。その表情からは、血の気が引いていた。

私たちは路上に出て、渋谷駅近辺の雑踏のなかを歩き出した。燐子は、しばらく無言だった。だが、やがて我慢できなくなったようにつぶやいた。

「あれ、大和田君です」

「ばかな！」

「本当です。間違いありません」

啞然《あぜん》として、言葉を吞み込んだ。もちろん、大和田はその日もゼミに出席していた。だが、どんな服装をしていたか、思い出せなかった。私も男性の教師だ。女子学生の服装には関心があっても、男子学生の服装にあまり興味を持つことはないのだ。しかし、エレベーターで私たちが目撃した男は、顔の特徴などほとんど言えないほどの完全防御だった。いわば覆面を着けている男を見たようなものなのだ。年齢さえ、まったく分からない。あの姿から、あれが大和田だったと断言する、燐子の根拠も不明だった。

私たちは、近くのコーヒーショップに入った。すでに十一時を過ぎていたが、このまま燐子と別れるわけにはいかない気がした。あれが、もし本当に大和田だとしたら、この事態にどう対処するか善後策を話し合っておく必要を感じたのである。

「君は今日、ゼミに出ていた大和田の服装を覚えているの?」

道路に面した窓側の席に着くと、私は小声で訊いた。店内は、狭い上に席同士が接近していて、隣席のカップルの会話もほとんど聞き取れるような状態だった。

「ええ、でも違う服装でした。ゼミのときは、ジーンズじゃなくて、普通のスラックスでした。上は、白いセーターに赤色系のパーカーを羽織ってたような気がします」

「それじゃあ、彼じゃなかったんじゃないの」

「いいえ、どこかで着替えたんだと思います。それに、ゼミが終わった途端、彼、今日は飲み会はないからね、ってみんなに言って、すぐに帰って行ったんです。彼が、飲み会をやらないのも珍しいと思いません?」

「だけど、それだけじゃねえ」

私はいまだに半信半疑だった。

「いいえ、他にも根拠はあります。あの男、長髪で大和田君の髪型にそっくりでした。服装は変えられても、髪型はすぐには変えられませんからね。それに、大和田君の身長、だいたい先生と同じくらいでしょ。二人ともかなり、長身ですよね」

私は、百八十三センチほどの身長だった。確かに、大和田も上背があり、私と並んで立つと、ほぼ同じくらいだったという印象が残っている。

「さっきの男の人も、先生と同じくらいの身長でした。ずっとうつむき加減だったので、その分だけ少し低く見えましたが、きちんと背筋を伸ばして立てば、先生くらいだったのは間違いありません。それに独特の整髪料の匂いを感じました。それ、大和田君がいつも付けている整髪料の匂いと同じだったんです。今時の男の子で、あんな強い匂いの整髪料付けている子なんかいませんから、私、その匂いが気になって仕方がなかったんです。だから、エレベーターにあの人が乗ってきたとき、その匂いを感じて、はっとしたんです」

燐子が匂いに敏感なのは何となく想像できた。だから、燐子に会うときは、私も研究室で入念に歯を磨き、強い香りのガムを口に入れていた。口臭を防ぐためだ。だが、整髪料の匂いとは意外だった。私も、普段、整髪料は付けている。だが、その匂いが他人にどんな風に受け取られているかなど、考えたこともなかった。私は、燐子の発言に奇妙に萎縮した気分になった。

「それじゃあ、あの男が仮に大和田君だったとしたら、何の目的で？　それとも、偶然、僕たちに会ったと言うのかね」

「私を尾行したんです」

燐子は断言した。私自身、体から血の気が引いていくのを感じていた。

「なんでそんなことをするんだね?」

私の声は上ずっていた。

「私の恋人を確かめるつもりだったんじゃないでしょうか? だから、彼も先生を見て、驚いていると思います」

「ということは、僕と君の関係は勘違いされてしまったということか。あのエレベーターはホテルの客室にもつながっていたんだ――」

急速に語尾が沈んだ。同時に、深い呼気をはき出した。不用意だった。そもそもホテルのロビー階にあるレストランを選んだのが、間違いだったのだ。燐子も一層暗い表情で、押し黙っていた。私の言っていることの意味は分かっているはずだった。目の前が真っ暗になった。噂が噂を呼んで、大学における私の地位さえ危なくなるかも知れない。

大学教授が解雇される事例は、入試問題の漏洩か女子学生に手を出すかだけだ。そして、後者の場合、相手の合意があったかどうかは、日本の大学ではさほど大きなことではないと考えられているのだ。もちろん、私はそもそもそんな行為はしていない。しかし、大和田が今日のことを口外すれば、それは奇妙に信憑性を帯びた噂として、学内に流れるだろう。

「でも、先生、彼、本当に私にセクハラに近いことしてるんですよ」

燐子が再び話し始めた。

「意味不明のメールなんてしょっちゅうだし——。今日のように、尾行するのだって、今までもやっていたかも知れないんです。ただ、今日、初めてバレたというだけで。だから、彼のほうにも後ろ暗いことがあるわけですから、彼がそう簡単に今日のことを他の人に話すとは思えません」

燐子は、自分自身と私を多少とも勇気づけるように言った。燐子の言う通りかも知れなかった。だが、気分は重く沈んだままだ。燐子の言葉が、心理的には逆に作用した面もある。「彼のほうにも後ろ暗いことがある」というのは、私たちにも後ろ暗いことがあることを暗に仄《ほの》めかしているようにも聞こえた。私が、いったい何をしたというのだ。女子学生に卒論指導をして、そのあとに食事をしただけのことではないのか。それにしても、大和田の燐子への「迫り方」がこんな深刻なものであることは予想していなかった。前回、燐子と大和田について話したとき、私はそれを冗談のようにしか受け止めていなかった。

燐子の携帯が鳴った。「メールです」と言いながら、燐子はテーブルの上に置いてあった自分の携帯を手に取った。メールを開くと、燐子の顔色が変わった。

「先生、これ——」

燐子が携帯を私のほうに差し出した。私は、それを受け取り、メールの文言を読んだ。

「明日、食事どう？　僕は、一日中フリー（笑）。時間はお任せします。色よい返事、待ってるよ！　大和田」

不思議だった。さきほどのエレベーターの男が大和田だったとしたら、この能天気なメールは何なのだろうか。私は、ふたたび深いため息をつきながら考え込んだ。

（二）

翌週のゼミ授業は、その年度、最後のゼミだった。一月の中旬以降は、後期試験に入ることになっている。注意深く観察したが、大和田には何の変化もなかった。特に、燐子のほうを窺《うかが》っている様子もない。その日は、学生の発表はなく、私の講義が中心だったから、ゼミはスムーズに進行した。私は、一九六九年に起こったチャールズ・マンソン事件について話していた。

「シャロン・テートが住んでいた住宅は、ハリウッドのシエロ・ドライブという場所だったんだが、ここは高級住宅街と言っても、ビバリー・ヒルズみたいなトップクラスの住宅街じゃない。私も学生の頃、半ば興味本位で事件現場に行ったことがある。もちろん、その時点で、すでに事件後十五年くらいが経っていたけど、事件があった住宅はそのまま残っていたんだ。恐ろしく寂しい場所だったということを覚えているよ。ポランスキー邸から、二百メートルくらい坂道を下ったところにある家が、唯一の近所の家だったんだからね。ポランスキーというのは、シャロン・テートの夫で、ポーランド派の有名な映画監督だ。比較的最近では、『戦場のピアニスト』が有名だね。彼は、事件当時、ヨーロッパに映画を撮りに行っていたため、一人だけ難を逃れたんだ」

言いながら、私は二十五年ほど前、私が留学していた大学のアメリカ人の友人と一緒に目撃した風景を思い浮かべていた。早朝だった。その日のうちに大学のあるサン・フランシスコ郊外まで車で帰らなければならなかったので、宿泊していたハリウッドのホテルを午前五時に出発したのだ。ホテルからシエロ・ドライブまで十分程度だったという記憶がある。夏で夜明けの早い季節だったが、それでも、朝の日差しはなかった。大きな鉄門近辺から、濃い霧が流れ、邸内で鬱蒼《うつそう》と生い茂る樹木の影が不気味に揺れていた。私は、ハンドルを握る友人に頼んで、車を鉄門の前までつけてもらった。

「進入禁止《ノーエントリー》」という立て看板が見えた。私は、助手席から、後ろを振り返って見た。恐ろしく急勾配な坂が一直線に下降し、隣家は遥か下に小さく見えるだけだった。『ヘルター・スケルター』の一節が思い浮かんだ。「シエロ・ドライブ一〇〇五番地は孤立していた。だからこそ、無防備でもあった」確かに外界とは隔絶した場所だと思った。それほど隣家との距離でさえ、離れていたのだ。

「この事件は、最初はまったく事実と異なる報道のされ方をしている。麻薬パーティーの最中に起こった『儀式殺人』というような見方だね。麻薬と酒で興奮状態に陥った連中が、シャロン・テートらを縛り上げ、殺害したという憶測が、新聞や週刊誌で乱れ飛んでいたんだ。殺された男女のなかに、シャロン・テートの昔の恋人だった、ジェイ・セブリングという有名なヘア・スタイリストが含まれていたのもいけなかったんだろうね。まあ、普通に考えれば、夫の留守中に美人女優がかつての恋人を呼んでパーティーを開いていたわけだからね。何となく不倫のイメージがつきまとうだろ。もっとも、招待されていたのは、セブリングだけじゃなくて、コーヒー王の娘アビゲイル・フォルジャーとその恋人、ヴォイティック・フライコウスキーもいたんだけど――」

私は、再び、大和田の顔を見た。「不倫」という言葉にどう反応するか気になったのだ。私と燐子の関係は、「不倫」ではなかったが、あのエレベーターで私たちを見た大和田が、そう思いこんだ可能性は十分にある。だが、大和田の表情には、相変わらず、変化はなかった。むしろ、燐子のほうが緊張した表情をしていた。私は、ほっとしたような、がっかりしたような気分で、さらに話し続けた。

「それに冷蔵庫のなかから、マリファナが発見されていた。まさにお膳立ては揃っていた。しかし、ここで忘れてはならないのは、六〇年代というのは、対抗文化《カウンター・カルチャー》やサイケデリック文化の全盛期で、一般家庭の冷蔵庫にも、普通にマリファナがあるような時代だったということだ。もちろん、アメリカでもマリファナは違法だったが、医学的には、タバコよりも害がないと主張する学者もいるくらいで、ほとんど麻薬という範疇《はんちゅう》にも数えられていなかった。もちろん、今も、日本でマリファナを吸うことは違法だ。だから、そんな行為は厳に慎まなければならないけどね」

私は、笑みを浮かべながらおどけたように言った。最近、大学生のなかに、マリファナを吸って逮捕されるものが多いという報道があるのを意識した上で、多少の教育的配慮をしたつもりだった。一部の学生から、くぐもったような笑いが漏れた。だが、要するに、私の言いたかったことは、六〇年代に家庭の冷蔵庫からマリファナが発見されたからと言って、猟奇的な麻薬パーティーが進行していたと考えるのは馬鹿げているということに過ぎなかった。

「事件の全容は、こういう報道とは全然違っていた。チャールズ・マンソンによって派遣された殺人集団による無差別殺人だったんだ。実際、その殺人集団のメンバーの一人であるスーザン・アトキンスは、自分が殺した人々が『すごく綺麗な人々《リマーカブリー・ビューティフル・ピープル》だった』と供述しているが、同時に彼らが誰なのかまったく知らなかったとも言っている。アトキンスたちが、侵入したとき、シャロン・テートたちは、麻薬パーティーをやっていたどころか、静かに読書していたり、談笑していただけだった。侵入犯たちは、自分たちは『悪魔《デビル》』だと名乗り、被害者たちを縛り上げ、ナイフと銃で殺戮《さつりく》したんだ。シャロン・テートも含めて、五人の男女が殺された。そして、室内の冷蔵庫の扉や、壁に、『無秩序《ヘルター・スケルター》』とか『蜂起《ライズ》』とかいう血文字が書き残されていたんだ。問題は、こういう無差別殺人が起きた背景だね」

私は、そのあと、マンソンが自分に近づく女性たちに対して行っていた、ドラッグとセックスによる支配について語った。それから、当時全盛期の人気を誇っていたビートルズの歌「ヘルター・スケルター」がマンソンによって、どのようにねじ曲げられて解釈されたかを解説し始めた。

「ヘルター・スケルターというのは、イギリス英語ではリバプールの遊園地にある滑り台を指す言葉だった。しかし、アメリカ英語では、『無秩序』という意味があるんだね。マンソンは、ビートルズが自分に対して『無秩序』を呼びかけていると解釈したんだ。マンソンを介して、解釈されたビートルズのメッセージはこうだった。アメリカ国内では、やがて、白人と黒人の間に人種戦争が起こる。勝利するのは黒人だ。しかし、黒人には政権担当能力がないため、優れた白人に委譲されることになる。その優れた白人こそが、マンソン自身というわけだ。これは誰が考えたって、荒唐無稽で馬鹿げた妄想だね。しかし、マンソンは本気だった。そして、そういう無秩序状態を作るきっかけとして、シャロン・テートらの殺戮を命じたというのだ。もっともさっきも言ったように、彼らは初めからシャロン・テートと分かって殺したわけじゃない。マンソンの信奉者たちが、夜な夜なハリウッド界隈を歩き回って、ターゲットを物色していたんだ。そして、そういう行動は、彼ら自身の間で、『気味の悪い徘徊《クリーピー・クロール》』(creepy crawl) と呼ばれていたんだ」

学生たちは、真剣に聴いているように見えた。私のゼミに集まってくる学生たちは、基本的にこういう話に関心があるのだ。だが、喋っている私のほうは、あまり乗っていなかった。やはり、大和田と燐子のことが気がかりだった。そして、それは心理的には、別種の不定形の影のような不安と複雑に絡み合っていたのだ。野上の問題も西野の問題も、相変わらず、進展していなかった。

(三)

ゼミの授業が終わると、いったん研究室に引き上げた。その日は、燐子の卒論指導の約束もしていない。だから、大和田が中心になって開かれる飲み会に出るつもりだった。燐子も、そのつもりなのだろう。大和田の様子を観察しようと、二人で話し合っていた。大和田は、私を飲み会に誘う場合、授業終了後に、ゼミ室の外で声を掛けてくることもあれば、私が研究室に引き上げたあと、電話してくることもある。その日は、ゼミ室の外で声を掛けてこなかったから、あとで電話を掛けてくる可能性が高い。

研究室棟に戻り、十五階の自分の研究室までエレベーターに乗った。エレベーターを降り、右奥の角部屋まで歩いた。私の研究室の前に、見知らぬ男が立っているのが見えた。私のほうを窺うように見ていた。

「高倉先生ですか？」

私が近づくと、男が訊いた。背筋がよく伸びた、肩幅のがっしりした、男性的な顔立ちの男だった。眼鏡は、掛けていない。身長は、それほど高くはなく、百七十センチくらいの感じだった。年齢は、三十の半ばを少し超えたくらいなのか。

「ええ、そうですが――」

「突然、お邪魔してすいません。先週お電話を差し上げた警視庁の谷本と申しますが――」

緊張が走った。再び、偽刑事という言葉が浮かんだ。ただ、そのことは警視庁に直接電話して、確かめてはいなかった。野上には何度も電話を入れていた。しかし、何度掛けても彼の携帯はつながらなかった。私は、身分証明書も兼ねた磁気カードで部屋の鍵を開け、とりあえず彼を中に招き入れた。

焦げ茶のソファーを勧めた。谷本はいかにも警視庁の刑事らしく、礼儀正しく一礼して、座った。しかし、私は警戒心を崩してはいなかった。

「大変失礼ですが、警察手帳をご呈示いただけないでしょうか？」

私も谷本と一緒に腰を下ろしながら、丁重な口調で訊いた。

「分かりました」

谷本は、内ポケットからチョコレート色の手帳を取り出し、それを開いて私のほうに差し出した。上半分に写真が添付され、階級、氏名などが記されている。下半分は、POLICEというロゴが入った、金属製の記章である。明らかに本物だった。疑惑は遠のいた。この警察手帳だけで判断したのではない。谷本のがっちりした上半身は、いかにも剣道や柔道で鍛えている感じだった。そして、真摯《しんし》で礼儀正しい言動も、彼が警視庁の刑事であることを物語っているように思えた。

「ありがとうございました。失礼しました」

私は言いながら、軽く頷いた。谷本は、警察手帳を再び内ポケットにしまった。

「その後、野上君はどうしていますか？」

私は、前置きなしにずばり本題に入った。谷本が、前回問い合わせてきた内容は、野上に直接訊けば、すべて分かる話だった。あれから、時間が経っているから、谷本が当然、そうしただろうと考えていた。

「いや、それが――」

谷本は何かに躊躇するように、口ごもった。不思議な反応だった。胸騒ぎを覚えた。

「実は、今からお話しすることは、絶対に口外しないでいただきたいのですが――」

谷本は意を決したように言った。私は、あいまいに頷いた。

「野上さんは、現在、行方不明になっているんです」

衝撃が走った。だが、私は沈黙したままだった。

「先生のお宅を訪問して以降の足取りが途絶えているんです。あれ以来、彼は警視庁に一度も姿を見せていませんし、連絡もありません。こちらから、電話を含めあらゆる手段で連絡を取ろうとしましたが、いまだに音信不通です」

「彼には、ご家族がいたのではありませんか？」

「いえ、独身でした。十年ほど前に、離婚しています。お子さんは、いませんでした。念のため、前の奥さんにも確認しましたが、前の奥さんはもう何年もの間、野上さんには会っていないようで、何も知りませんでした」

要するに、野上は消えたのだ。彼の身辺に何かが起こったのは、間違いなかった。

「彼が私に事件に関する見解を求めていたことは、皆さんはご存じだったのでしょうか？つまり、警視庁としての了解事項だったのでしょうか？」

「いえ、そうではありません。野上さんが個人的にやっていたことだと思います。現に、そのことは私以外には、誰も知りませんでした。その私でさえ、そのことを知ったのは、野上さんが消息を絶つ前日のことでした。そのとき、野上さんは不意に先生の名刺を私に渡し、『もし、俺に何かあったら、この人に連絡してくれ。事件のことで、いろいろと相談している高校時代の同級生だよ』と言ったのです」

私は、同窓会のときに彼に渡した名刺を思い浮かべた。あの名刺が谷本の手元に移動したのだ。

「そんなことを言ったのですか。奇妙ですね」

「ええ、私もそう思いましたので、しつこく、事情を訊こうとしましたが、彼は『万一の場合だよ』と笑いながら繰り返すばかりで、それ以上は取り合ってくれませんでした」

「しかし、その万一が起こったのですね」

「そうです。彼は捜査班のなかでは、孤立していました。唯一、親しいのは私だけだったのです。ただ、私は彼よりもずっと若い後輩ですから、あまり立ち入ったことを訊く立場には、ありませんでした」

「彼はなぜ孤立していたのですか？　差し支えない範囲で、お話しいただけないでしょうか」

「いや、差し支えるということはないのですが、なかなか説明が難しいのです――」

谷本は、目を軽く閉じて、その説明方法を考えているようだった。真摯な態度に見えた。私は、徐々に自分が谷本を信用し始めているのを感じていた。

野上は、日野市一家三人行方不明事件を担当する専従班の班長という立場にあった。しかし、五人からなる専従班のなかで、この事件の捜査経験ということで言えば、野上が一番経験が浅かった。彼以外の刑事は、すべて事件発生当初から捜査に当たっている刑事だった。そのなかに、捜査一課長の指名により、野上が突然、班長として入り込んできたのだ。

「そういうことはよく起こるのですか？　事件経験の浅い人が突然、捜査班のトップに来るようなことが――」

「やや、異例です。野上さん自らが、捜査一課長にこの事件の担当を志願したそうです。しかし、野上さんが班長となったことは不思議ではありません。五人のなかで、警部という彼の階級が一番上でしたから。警察では、捜査経験や年齢よりも、階級が一番高く評価されるんです」

「ということは、逆に言うと、野上は捜査経験はそれほどなかったということでしょうか？」

「一課が扱う事件の経験という意味ではそうです。彼が麴町署にいた頃は、十年近く暴力団関係を担当しており、警視庁に異動になったときも、最初は組織犯罪対策部に三年ほどおりました。従って、マル暴の刑事としては、大変経験のある刑事とは言えると思いますが、一課の刑事としては、今年でようやく三年目なのです」

「マル暴担当の刑事が、一課の刑事になることも異例でしょうか？」

「それはかなり異例です。マル暴担当の刑事は、むしろ、警備畑に進み、過激派などに関連する公安事件を扱うようになることはよくあることなのですが、一課に来て殺人などを担当するようになることはほとんどありません。そのことが、ある種の噂を呼び、野上さんが孤立する原因になったことは確かです」

「ある種の噂？　それはどんな噂なんですか？」

私のストレートな質問に、さすがに谷本も躊躇したように見えた。何しろ、私と谷本は初対面だったのだ。私には、徐々に信頼関係ができあがりつつあるように思えたが、谷本がどう感じているかはまた、別問題だった。しかし、私はどうしてもその噂の中身が知りたかった。

「いや、それがお話ししにくいことなのは、分かります。しかし、私としては、すべての状況を把握したいのです。その上で、私の持っている情報はすべてお話しします」

たたみ掛けるように言いながら、私は谷本の目をじっと見つめた。谷本は、唇を噛み、軽く頷いたように見えた。

「分かりました。お話しします。その噂というのは、野上さんが行方不明になっている家族と血筋的に近い関係にあるんじゃないかというものでした。あるいは、そうでなくても、その親族に知り合いがいて、その親族から捜査というよりは、捜索を頼まれているんじゃないかというものでした。どうして、そんな噂が出たのか、私には皆目分かりませんでしたが、捜査班の刑事のなかにも、そういう疑いを持っている刑事がいたのは事実です。実際、一人の刑事は一課長に直訴して、真相を解明するように頼んだくらいですから。被害者の中に、血縁関係がある者、もしくは親しい知人がいる場合、当然、その刑事は事件捜査から外されなければなりません」

「それで、その真相は解明されたのですか？」

「はい、結局、根も葉もない噂であることが判明しました。一課長に命じられて、私がその方面の調査を行いました。一課長が、私を指名したのは、おそらく、私と野上さんが親しいことを知っていたからだと思います。万一、そんな調査をしていることがバレた場合でも、私ならその親しさを利用して、何とか彼の怒りを抑えられるんじゃないかと——それはともかく、私の調査でそんな事実はまったくないことが分かりました。それに、私は彼との親しさにつけ込むような形で、正面切って、そのことを尋ねたことさえあったのです。彼は、笑いながら、『そんなことあるはずがないだろ』と答えました。私は、刑事の勘としてそれが嘘だとは思いませんでした」

「そうだとすると、そんな噂が出た原因は何なんでしょうか？」

「まあ、一つには、やはり、彼が志願する形で突然、専従班の班長になったため、多少の反発があったということでしょうね。それに彼は頭が切れた。捜査経験がないと言っても、他の専従の刑事より、分析力が優れていて、弁も立った。実際、いくつかの対立点があったんですけど、捜査会議などでも、この事件を長く捜査している刑事たちも、口では歯が立たず、ことごとくやりこめられていました。もちろん、階級的にも上で、班長でしたから、みんな従わざるを得ないということもありましたけど――」

聞きながら、私は野上と他の刑事の対立点はどこにあったのだろうと考えていた。そして、そのことと野上が私に見解を求めてきたこととどういう関係があるのかも知りたかった。何となく、本多早紀の新証言について、刑事たちの見解が割れているような気がしていたのだ。しかし、そういう捜査内容まで訊き出そうとするのは、まだ時期尚早だった。仮に訊いたとしても、谷本が極秘であるはずの捜査内容を私のような部外者に話すとは思えなかった。私の質問は、もう少し周縁的な部分に限定せざるを得なかった。

「何となく、状況が摑めてきました。しかし、もう一つ不思議なのは、何故、私的なレベルとは言え、野上が私に心理学的な見解を求めてきたかということなのです。実を言うと、私と野上は高校時代それほど親しい関係ではなかったのです。高校卒業後も何十年もの間会うこともなく、去年の同窓会で本当に久しぶりに顔を合わせたに過ぎないのです。その野上が私に極秘であるはずの捜査内容まで知らせて、どうして見解を求めてきたのか、どうにもしっくり来ないのです」

私は、捜査内容という言葉をあえて使って、私がすでにある程度、捜査の進捗状況を野上から聞いていることを知らせた。おそらく、もっとあとの段階で、谷本ともそういう話をせざるを得ないことの暗示だった。だが、谷本は巧みに私の議論の矛先をかわしたように見えた。

「しかし、野上さんは、前からあなたのことはよく知っているようでしたよ。いつだったか忘れましたが、警視庁の食堂で彼と一緒に昼ご飯を食べているとき、たまたまあなたがテレビのニュース番組で、ある事件の分析を喋っているところを見たんです。そしたら、野上さん、嬉しそうに『あれは俺の高校時代の同級生なんだ』って、言ってましたから。あなたのほうで親しいとは感じていなくても、彼のほうでは結構親しみを感じていたということもあるんじゃないでしょうか。私も、野上さんが失踪する前日、あなたの名刺を渡されたときは、ただ、あなたが彼の知り合いの大学教授としか思いませんでしたが、あとになって、ああ、あのときテレビに出ていた人だなと思い出したんです」

確かに、人間の人間に対する感じ方には微妙な齟齬《そご》がある。特に、それが遠い過去の記憶に結びついているときはそうだ。野上が、私が彼に感じている以上に、私に懐かしさを感じていてくれたとすれば、私も嬉しかった。

「そうですか。ところで、彼が最後に私の家を訪ねてきたときの様子ですが――」

私は、話題を転換した。谷本は、私の疑問に誠実に答えてくれたように見えた。今度は、私がお返しをする番だった。もちろん、知っていることはみんな喋るつもりだった。そのとき、室内の固定電話がけたたましく鳴り響いた。おそらく、大和田からの飲み会の誘いの電話だろう。私はやむを得ず、会話を中断して、窓際のデスクに置かれた受話器を取った。女の声が聞こえた。すぐに、燐子だと分かった。

「先生、今日、飲み会はないそうです。大和田君、そう言って、帰って行きました」

少し意外な展開だった。だが、大和田がまたもや燐子を尾行する可能性があった。

「そうか。でも、私のほうで少し話したいことがある。今、研究室にはお客さんが来ているので、三十分くらいどこかで時間をつぶしてくれないか。こちらの用が終わったら、すぐに君の携帯に電話を入れるよ」

「分かりました」

燐子の電話が切れた。

「申し訳ありません。お約束があるんですね」

谷本が私のほうを見つめながら、恐縮するように言った。

「いや、今のはゼミの学生で、このあとゼミ論のことで、話をすることになっているのですが、少し待たせておけばいいですから」

人間、後ろめたいときは、余計な説明をするものだ。そう考えて、思わず苦笑がこみ上げてきた。今日、私が燐子に会うのは、ゼミ論のことではなく、大和田について話すためなのだ。だが、すぐに谷本に対して野上のことをどう話すか考え始めた。知っていることはすべて話すつもりだと言っても、私が何を知っているか自体、判断が難しかったのだ。

(四)

「待たせたね」

新宿西口近辺のファミレスで、燐子に声を掛けた。燐子は入り口近くのテーブルに座っていたので、すぐに見つけられた。彼女も着いたばかりのようで、ピンクのコートを脱ごうとしていた。しかし、私を待つために、大学で少なくとも一時間以上、時間をつぶしているはずだ。腕時計を見た。すでに夜の八時を過ぎている。

「ともかく腹が減った。何か食べようよ」

ウエイトレスがメニューを持って近づいてきた。見たことがあるウエイトレスだ。大学に近いファミレスだったので、ゼミ生数名と何度か入ったことがある場所である。だから、私と燐子が二人だけでいれば、勘違いされる危険がないとは言えなかった。しかし、堂々としていれば怪しまれることもないだろうと思っていた。ゼミ帰りの教師と学生がそこで食事をしていても、別におかしくはない。たまたま、その日は、他のゼミ生の都合で、一対一になってしまったといういいわけは有効だろう。私は、それとなく周りのテーブルを見渡した。同じ大学の学生や教師らしき者は、見当たらなかった。しかし、私は、そんなくだらないことに神経を使う自分自身に嫌気がさしていた。

私は、シーフードカレーと生ビールを注文し、燐子はカニピラフとウーロン茶を頼んだ。燐子の顔色はよくなかった。大和田のことなどで、心労が重なっているのかも知れない。

「今日の大和田君の様子はどうだった？」

ビールとウーロン茶が運ばれて来て、ウエイトレスが去ると、私は間髪を入れずに訊いた。

「いつも通りでした。でも、大和田君、ゼミで会うときはいつも、いつも通りなんです」

燐子は、妙にややこしい言い方をした。私はふと燐子を見つめた。その日は、白いニットのワンピースに、ショートパンツというスタイルだ。タイツもレギンスもなく、素足にパンプスだ。外に出るときはコートを着るとは言え、真冬の服装としては寒そうだった。その素足が、妙に刺激的だ。

「この前のメールでの誘い、断ったの？」

「というか——無視しました」

「返事もしなかったということ？」

「ええ、でも、大和田君、今日私と会っても平然としてるんです。そんなことがなかったかのような態度なんです。まるで、そういうメールを出していることに自分でも気づいていないみたいな——」

「そうだとしたら、不思議な男だな。そのくせ、君を尾行なんかしているわけだ」

「不思議というより、気味が悪いです。今日の先生の授業で出てきた言葉が、あるでしょ。ほら、マンソンの信奉者たちが、夜な夜なハリウッドの高級住宅街を歩き回っていたって話。creepy crawl《クリーピー・クロール》でしたっけ。あれどんなニュアンスの言葉なんですか？」

「まあ、creepy《クリーピー》のもともとの意味は、虫が這いずり回るような、という感じなんだろうね。それが転じて、気味が悪いという意味になったんだろう。crawl《クロール》も文字通りは、水泳のクロールでも分かるように、『這う』ということだけど、名詞としては、『散歩』って意味でも使える単語なんだ。だから、『気味の悪いお散歩』って、感じなのかな。まあ、似た意味の動詞を基に、形容詞と名詞の組み合わせを作る、一種の言葉遊びだね。でも、マンソンの信奉者たちがハリウッド近辺を歩き回って、殺すターゲットを探していたことを形容する言葉としては、ぴったりだね。それも連中、自分たちでそう呼んでいたんだよ」

「ぴったりですよ。大和田君の行動って、まさにそれなんです。絶対、直接には言ってこないですから。私、最初に大和田君のことを先生に言ったとき、『迫ってくる』って言葉を使ったけど、よく考えてみると、その表現はあまりふさわしくないことに気づいたんです。彼、いつもメールを使って暗示的に変なことを言ってくるだけで、直接『付き合ってくれ』って言ったことは一度もありません。それに、あの尾行。私の周辺を虫のように這いずり回っている感じで、本当にクリーピーなんですよ」

思わず、笑った。クリーピーという表現の、見事な応用だった。だが、私には彼の言動はそれほど気味が悪くは感じられなかった。というか、大和田のような人間がそういう言動を取ること自体が何かしっくり来ないのだ。彼が燐子を尾行しているという事実も、いまだに半信半疑だった。私にとって、真に気味が悪いと感じられるのは、むしろ、私の身辺で進行している出来事のほうだった。日野市一家三人行方不明事件。野上の失踪。西野の虐待疑惑。その三つの事柄には直接の関連はないのかも知れない。しかし、それらはイメージとしては、三つどもえに絡みあいながら、得体の知れない気味の悪さを紡ぎ出しているように思えた。

「そろそろ行こうか」

食事も終わり、一休みしたタイミングで、私は伝票を摑みながら言った。いつもの自己規制が働いていた。女子学生と二人でいるとき、長居は禁物だった。特に、今の状況ではそうだ。それに、大和田のことを延々と話し続けても、何の結論にも到達しないのは明らかだった。

外に出て、雑踏の中をＪＲ新宿駅方面に歩いた。雑踏と言っても、東口に比べればたいしたことはなかった。地下の「動く歩道」が見えるあたりに来たとき、人の流れが一瞬、途切れる瞬間があった。燐子の顔色は相変わらずよくない。私はふと立ち止まって訊いた。

「顔色がよくないね。大丈夫？」

「ええ、大丈夫です。ちょっと気分が悪いだけですから。今日は、女の子の日なんです」

返事のしようがなかった。そんな大胆な発言をする燐子に、私の知らない一面を見たように思った。それとも、私はすでに異性とさえ思われていないのか。しかし、ともかく、燐子の顔色の悪さの理由が氷解した。無言のまま、ふと後ろを振り返って見た。大和田の尾行を警戒しているふりをしたのだ。この間《ま》の悪さを別の話題に転嫁して、帳消しにしようとする意識が働いたのかも知れない。しかし、内心では、大和田が私たちの後ろにいるはずはないと思っていた。

（五）

爆竹の鳴るような音が微かに聞こえた。それから、窓外の闇に、一条の赤い炎が走ったように見えた。私は、コンピューターの書きかけの論文画面から目をそらし、書斎の柱時計を見上げた。午前一時二十分。どこかでたき火をやっているような時刻ではない。私は、デスクから立ち上がり、道路に面した窓側に行き、外を眺めた。はっとした。眼前の住宅から、めらめらと炎が燃え上がっているのだ。混乱した頭のなかで、ふと位置関係が分からなくなった。最初、西野の家が燃えているように錯覚したのだ。しかし、考えてみると、燃えているのは、隣家ではなく、私の家の正面にある家だった。田中母娘《おやこ》の家だ。

炎の爪は、凶相を剝き出しにして、私の家の軒下まで迫りそうな勢いに見えた。私は咄嗟に書斎を飛び出し、隣の寝室に飛び込んだ。

「康子《やすこ》、起きろ。火事だぞ」

妻の名を呼びながら、肩を揺すり起こした。

「えっ、うちが？」

「ちがう、前の家だ。田中さんのとこだ」

妻は、飛び起きると、パジャマ姿のまま、窓際に走った。

「大変だわ。田中さんのとこ、二人ともお年寄りよ。早く助けに行かなくっちゃ」

「俺が行く。君は、一一九番通報してくれ」

「気をつけて」

妻の叫ぶような声が後ろから聞こえた。

玄関を飛び出した。隣家が目に映った。室内の明かりは見えず、静まりかえっていた。西野もまだ火災に気づいていないのか。そうだとしたら、西野にも知らせなくてはならない。場合によっては、彼に救助を手伝ってもらわなければならないのだ。

「西野さん、火事ですよ、火事ですよ」

大声で二度叫んだ。そのまま、正面の家の前まで走った。

一階が燃えていた。火元は明らかに一階だった。車椅子生活を送る母親は一階で就寝している可能性が高い。その母親を介護する娘も普通は、母親のそばで眠ることだろう。咄嗟にそう思った。かなり絶望的な状況に見えた。しかし、火勢は、私の書斎から見た印象とは違って、それほど激しくはなかった。少なくとも、私の家や西野の家に延焼するには、まだ時間がかかりそうだった。二階のほうも、煙っているものの炎そのものは確認できない。外門のインターホンを鳴らしながら、叫んだ。

「田中さん、大丈夫ですか」

反応はない。私は、激しくインターホンを鳴らし続けた。

だが、やはり反応はなかった。内側に手を入れて、外門の留め金を跳ね上げた。敷地内に入った。玄関に近づくと強い熱気を感じた。この熱さは、予想以上だった。必死で玄関の扉を叩いた。

「大丈夫ですか」

扉の取っ手を摑んで、開けようとした。三回ほど同じ動作を繰り返した。施錠されていた。

「大丈夫ですか」

再び、扉を激しく叩いた。応答はない。

扉の隙間から熱気が吹き出してきた。同時に、二階のほうからも爆竹のような音が聞こえた。上方を見上げた。炎が闇の天空に向かって、音をたてて吹き上げていた。火が二階に回ったのは間違いなかった。身の危険を感じた。

「あなた、大丈夫」

後ろを振り返って見た。パジャマの上からコートを引っかけた妻が、叫んでいた。

「ダメだ。扉が開かない。それに熱くて耐えられない」

「無理しないで。戻ったほうがいいわ。もうすぐ、消防隊が来るはずよ。彼らに任せたほうがいい」

引き返した。

路上に戻って、妻と一緒に、火勢を増す田中邸の炎を呆然と見つめた。周辺で人声が聞こえ始めた。アパートのほうから何人かの人々が駆けてくる足音が聞こえた。すぐに数名の男たちが私たちの周りに集まってきた。

「中の人は逃げたのですか?」

学生風の若い男が私たちに尋ねた。

「分からないんです。主人が助けに入ろうとしたけど、もう火が回っていて無理なんです。お年寄り二人だから、心配だわ」

妻が、半泣きの声で答えた。男たちは、息を呑むように沈黙した。そのとき、遠くで消防車のサイレンが聞こえ始めた。その音はあっという間に近づいてきた。

私たちから五、六メートル離れた位置で、この火災を見つめる男の姿に気づいた。炎の明かりが男の横顔を微妙に映し出した。金縁の眼鏡のフレームが、炎に照らされて闇の中で点滅していた。西野だった。私は、西野のそばに駆け寄った。

西野は、紺の厚手のコートを着ていた。コートの胸元から、白いセーターがのぞいている。セーターとコートの間にブレザーかジャンパーのようなものを着ているかどうかは分からなかった。だが、いずれにせよ、火災に気づいてからゆっくりと着替えて外に出てきたような服装だった。私は、そのときになって、不意に寒さを感じた。火災に気づいたとき、ジャージ姿で、暖房の効いた書斎で論文を執筆中だったから、そのままの姿で飛び出して来たのだ。履き物など、素足にサンダルを突っかけているだけである。

「ひどいことになりましたね。田中さんたちが心配ですよ」

私は、挨拶抜きで西野に話しかけた。

「大丈夫ですよ。この火の勢いだと、私たちの家にまで延焼することはありませんよ」

唖然として、言葉を失った。恐ろしく冷酷な言葉に聞こえた。西野は田中母娘《おやこ》の安否には、一切、言及しなかった。私の言葉の意味をほとんど理解していないような答えだった。

思わず、西野の顔を見つめた。ぞっとするほど冷たい表情だった。その目は濁った光を発しているように見えた。情性欠如《じょうせいけつじょ》。私は何故か、被告人の責任能力について言及する判決文の定型語句を思い浮かべた。「被告人の著しい情性欠如には、精神病質をうかがわせるものがあり――」だが、こういう場合、たいてい、責任能力自体は認定されるのだ。そういう情性欠如は、精神病質の証左とは言えても、精神病そのものを証明するものではないと結論づけられるのである。

要するに、情性欠如とは、恐ろしい性格の歪みを指す言葉であり、凶悪な犯罪者に特有な性格と考えられているのだ。平たく言えば、他人の不幸に対して、一切の同情心を抱くことができない性格。それが情性欠如だ。そのときの西野は、まさにその言葉で形容するにふさわしい人物に見えた。

けたたましいサイレンと共に、一台目の消防車が到着した。降りてきた消防士の一人に妻が駆け寄った。

「急いでください。中にお年寄りが二人ほど残っている可能性があるんです」

消防士はうなずき、邸内に走った。だが、私と同様、玄関の所からすぐに引き返してきた。再び、妻が駆け寄り、「入れないいんですか?」と叫ぶように訊いた。

「放水しながらでないと無理です」

消防隊員も叫び返した。だが、他の隊員たちは、取水栓を探すのに手間取っていて、放水はすぐには、始まらなかった。

私たちは、じりじりしながらその作業を見守った。そのうちに、次から次へと消防車が到着した。それに比例するように、野次馬の数も膨れあがった。放水が始まった頃、夜中だというのに集まってきた人々の数は、三十名を超えているように見えた。その頃から、消防隊員による規制が始まった。私たちは道路の反対側に押しやられた。その結果、私と西野の家の前に、鈴なりの人が並ぶようになった。しばらく、私から離れていた西野が、再び近づいてきた。

「それにしても、寒いですな。私はもう家に戻ります。火は、そのうち、消えるでしょう」

そう言い残すと、西野はさっさと自分の家に戻って行った。玄関から入って行く西野の背中を複雑な心境で見つめた。彼の家のどの部屋にも相変わらず明かりが点《つ》いていない。西野の子供のことを考えた。この火事騒ぎにも気づくことなく、二人の子供は眠り続けているのだろうか。二人の子供についての、得体の知れない不安が、田中母娘《おやこ》の安否と重なった。

（六）

朝になって、消防署と警察の合同チームが火災現場に集まり、現場検証が行われたようだった。そして、その最中に、荻窪署の刑事が一人で私の家を訪ねてきた。私は妻と共に応対した。玄関の中での立ち話だった。私も妻もほとんど眠っておらず、頭はぼんやりしていた。昨晩は、被災者らが救急車で搬送されるところまでは確認していた。だが、すでにそのとき火災が発生してから相当の時間が経っていたから、二人が助かるとは思えなかった。

刑事は最初は、形式的な事実確認の質問から始めた。消防署に通報したのは、妻であること。私が田中邸に駆けつけたときの火勢がどの程度であったかということ。私が、玄関の前まで行って引き返したこと。その際、玄関を開けようとしたが、施錠されていて開けることができなかったこと。私は自分の行動を順番に話した。

「すると、ご主人が玄関から中に助けに入ろうとしたとき、確かに鍵はかかっていたんですね。間違いないですか？」

私が一通りのことを喋ったところで、刑事がもう一度確認するように訊いた。単純な失火による火災と考えると、不思議な質問だった。昼間ならともかく、夜の就寝中に起きた火災なのだから、玄関が施錠されていたのは、当然だろう。私はふと、不吉な想像を巡らせた。

「ええ、間違いありません。扉を開けようとして、何回かドアのノブを強く引っ張ったのを覚えています。それでも扉は開きませんでしたから」

「そうですか」

刑事は落胆したように声を落とした。人の良さそうな恰幅のいい中年の刑事で、どちらかというと、自分の気持ちがそのつどそのつど、顔に出るタイプだった。

「普通の火災じゃないんですか？」

私は探りを入れるように訊いた。

「いや、それはまだ調査中ですから――」

刑事の顔に明瞭な動揺の色が浮かんだ。

「田中さんたちは、どうなったのでしょうか？」

妻が訊いた。確かに私たちは、まだ二人の安否を確認してはいなかった。

「残念ながら、お二人とも亡くなりました」

予想通りの返事だった。しかし、あらためてその不幸な結果を聞かされてみると、ショックは大きかった。妻もうち沈んだように、下を向いた。私は田中母娘とはめったに顔を合わすことはなかったが、妻は娘のほうとはちょくちょく喋る機会があったから、私以上にショックを受けているはずだった。

「ところで、あそこに住んでいるのは、お二人だけだったのでしょうか？」

「ええ、そうみたいですよ。もう十年くらい娘さんがお母さんの介護をなさっていると聞いています」

妻の返事に刑事は大きく頷いた。それから、不意に質問を切り上げ、帰って行った。帰る間際に、火災発生時、妻の通報のあと、八件ほど火災通報があった記録が残っているため、その全員から確認を取らなければならないといいわけがましく付け加えた。

刑事が帰ったあと、妻は寝室で仮眠を取った。私は論文の締め切りがあったから、書斎にこもって朦朧《もうろう》とした頭のまま、執筆を続けた。結局、私と妻が再び、顔を合わせたのは、夕食のときである。その頃、私の論文もあらかた完成していた。

火災のことは、夕刊に出ていた。キッチンで妻が夕食の準備をする音を聞きながら、私はリビングでその記事を読んだ。それほど大きな記事ではないが、かと言ってベタ記事というわけでもない。詳しいことが判明しない段階で書かれた記事のようで、事実だけが簡潔に書かれていた。短い記事だが、その見出しはけっして小さくはなかった。

杉並区の火災で3名死亡

私の目は見出しの数字に吸い寄せられた。二名ではなく、三名となっているのだ。火災の原因については、一切書かれていない。当然、妻と夕食を食べるとき、そのことが話題になった。

「何かの間違いじゃない。新聞が書き間違えたんじゃないかしら」

「それはないと思うよ。仮にも大新聞がそんな単純なミスを犯すはずがない」

妻の意見を一蹴しながら、私の頭は妙な想像で膨れあがっていた。近頃、頻繁に報道されている年金の不正受給を思い浮かべたのだ。田中母娘のどちらかの夫が死亡していたにも拘らず、生きていることにして、その年金を不正に受け続けていたが、偶然の火災で夫の遺体が発見され、その不正受給が発覚したというストーリーである。だが、もちろん、私は妻に対してそんな妄想にも似た推測を口にすることはなかった。

夕食を摂りながら、NHKのニュースを見た。事件の大きさから考えて、それほど前のほうで報道される事件とは考えていなかった。だが、不意を突かれた。政治関連のトップニュースのあと、二番目のニュースとしていきなりこの事件が報道されたのだ。しかも、アナウンサーの口から意外な事実が、伝えられた。

　今日、午前一時頃、杉並区の住宅で火災が発生し、3人の遺体が発見されました。3人ともほとんど煙を吸い込んでおらず、頭を拳銃で撃ち抜かれた痕があるため、警察は放火殺人と断定、捜査を開始しました。

私も妻も仰天していた。私にしてみれば、まったく想像外の事柄というわけでもなかった。しかし、実際に、殺人事件と報道されているのを聞くと、全身が緊張した。ニュースは、現場からのレポートに移った。私の家の近辺の光景が映し出された。女性レポーターの後ろに田中邸が見えている。

「これ生中継？」

妻が、甲高い声で叫んだ。同時に、食事を中断して、玄関から外を見に行った。妻が戻ってきたのは、その十分後くらいである。

「本当にやってたわよ。ＮＨＫだけじゃないわ。いろんなテレビ局や新聞記者が来てるみたい。私たちの家の前も、そういう連中でごった返しているわ」

妻は興奮状態で言った。しかし、妻がそう言ったとき、テレビニュースはすでに別のニュースに変わっていた。そのとき、インターホンのチャイムが鳴った。私が受話器を取った。新聞記者だった。恐ろしい取材攻勢の始まりだった。

（七）

その日、私たちは二十件を超える、新聞社やテレビ局の取材を受けた。夕方以降に突然のように報道関係の取材合戦が始まったのは、その時刻に警察が、これが単なる失火による火災ではなく、放火殺人であると発表したせいだろう。私たちは、インターホン越しか、電話インタビューしか受け入れなかったが、聞かれることはほとんど似たり寄ったりで、同じことを果てしなく繰り返さなければならなかった。インターホンのチャイムが鳴る音はさすがに、午後十一時を過ぎた頃には収まった。しかし、電話は鳴り続けた。たまらず、しばらくの間、受話器を外すしかなかった。

風呂に入って、寝室のベッドに倒れ込むように入ったのは、結局、十二時近くだった。

「ねえ、疲れているとき悪いんだけど、少しだけ話していい？」

隣のベッドで掛け布団をかぶって仰向けになっていた妻が訊いた。仮眠を取っていたとは言え、普段は私よりずっと早く就寝する妻は、当然、眠いはずだった。

「ああ、いいよ」

私も仰向けになったまま、眠い目を擦りながら答えた。

「昨日も今日も、この騒ぎであなたに話す時間がなかったんだけど、私、隣の中学生の娘《こ》と少しだけ話したのよ。昨日の午後四時頃、家の前の道路で学校帰りのあの娘に偶然会ったの。だから、私、積極的に話しかけてみたの。始めから変なこと訊けないから、『学校でクラブ活動は何やってるの』って訊いたわ。そしたら、『音楽部です』って言うから、今度は『楽器は何やってるの』って訊いてみたの。『ピアノです』『すごいわね』って会話になって——それで、彼女少し私に対して、固さが取れてきたように感じたから、思い切って、『お父さんも、昔、楽器か何かやってたのかしら？』って、ちょっと強引にこじつけて訊いたの。そしたらね、彼女、しばらく、ためらうように黙り込んで、それから小さな震えるような声で、『あの人、お父さんじゃありません』って言ったのよ。びっくりしたわ。そう言いながら、あの娘、何かを訴えるような目で私を見ているように思ったの。だから、私も『えっ』って感じで、その意味を尋ねようとした瞬間、西野さんの家の玄関が開いて、ご主人が突然、顔を出したの。私を見ると、『ああ、どうも』って、いつも通り愛想よく挨拶したけど、その目は笑っていなかったわ。というより、恐ろしく冷たい、何か人をぞっとさせるような目だったのよ。娘さんなんか、もう蛇に睨まれたカエルって感じで、何も言わず、すごすごと家の中に入って行ったわ」

その話を聞いて、私は田中邸の火災を見つめる西野の冷たい視線を思い出した。あのときの彼の冷たい言動については、まだ、妻には話していなかった。それこそ、私のほうもマスコミの取材攻勢に追われて、妻に話す時間がなかったのだ。しかし、私は、すぐにそのことを話すのは避けて、もう少し客観的な状況を確認しようとした。

「それで、君はそのときご主人とも少し話したのか？」

「いいえ、挨拶の言葉を交わしただけで、何も話さなかったわ。いつもは、結構雑談をしてくる人なのに、そのときばかりはさっさと娘のあとについて、家の中に戻ったのよ。それにしても、平日のあんな時間帯にご主人が家にいたのには、驚いたわ。よく家にいる人だとは思っていたけど——」

「『あの人、お父さんじゃありません』か——」

「どういう意味かしら？」

「分かり切ってるじゃないか。あの二人が父娘《おやこ》関係じゃないという意味だよ」

そう言いながらも、私自身、その意味を確信しているわけではなかった。

「でも、比喩的な意味でも解釈できるんじゃないかしら。例えば、あんな嫌な人、お父さんって思いたくありませんって、いうような」

「それは中学生の言葉遣いとしては、難解すぎるよ。やっぱり、文字通りの意味だと思うよ」

「じゃあ、本当にお父さんじゃないとしたら、事情があって叔父さんとでも一緒に住んでいるということかしら」

「さあ、それは何とも分からないね」

「でも、とにかくあの娘《こ》、ああいう発言をしたのは、私に助けを求めたとも取れる。そうなら何とかしてあげなくっちゃいけないと思ってあなたと相談しようと思ってた矢先に、近所でこんな大事件が起こっちゃったのよ」

「そうだったのか」

私はため息をつくように言った。すでに眠気は吹っ飛び、体内に得体の知れない緊張感が満ちていた。

「ねえ、変なこと言うようだけど、私が田中さんの娘さんに、お隣のご主人について訊いたことと、今度の事件、何か関係があるんじゃないかしら。だって、私が田中さんと話したのは、つい最近のことよ。その直後に今度の事件が起こったと言ってもいいくらいだもの」

「まさか、隣のご主人が今度の事件に関係しているとでも言いたいんじゃないだろうね」

「そうは言ってないわ。でも、何だか得体の知れない符合を感じるのよ」

それは私もそうだった。だが、具体的な根拠と言われると、予兆という言葉でも使って、説明する他はなかった。

「ねえ、この間、ケーキを持って、うちを訪ねてきてくれたあなたの同級生、警視庁の刑事になってるんでしょ。その人に相談してみたら？」

私は野上の失踪についてはまだ、妻には話していなかった。事態がはっきりするまでは、谷本との約束を守って、妻にも話すべきではないと感じていたのだ。妻は、おおらかな性格でどんなことにも過敏になるタイプではなかったが、それでも今、私たちの周辺で集中的に起こっている出来事は、女性の忍耐心を超えているように思われた。だが、こんな状況になっては、もう話さざるを得ないと判断した。

「それがね、野上についても妙なことが起こっているんだ」

私の話を聞いているうちに、妻の顔が次第に青ざめていくのを感じた。私たちはどうやら黒い疑惑の迷路の中に、沈み始めているようだった。

（八）

翌日から、新聞やテレビで、事件についての夥しい報道合戦が始まった。しかし、ワイドショーが行う推測的な報道はともかく、どの報道も基本的には、似たり寄ったりだった。要するに、田中邸の一階で、三名の人間の遺体が発見され、三人とも頭部に銃弾が撃ち込まれていたという、基本情報は共通していたのだ。田中母娘《おやこ》の氏名は公表されていた。ただ、残りの一体が誰なのか、今のところ不明であるという。

室内には、明らかに物色された痕があった。しかし、預金通帳や現金がなくなっているかどうかについては、警察は言明を避けていた。火元は、普段、母と娘が寝室として使っていた部屋だった。三体の遺体が発見されたのも、この部屋である。焼け焦げた畳には油が染みこんでいて、灯油による放火であるのは間違いなかった。田中家は、基本的には、ガス暖房設備が整っていたが、極度に寒さに弱い母親のために、娘が石油ストーブも用意していたことを、出入りのガス会社の社員が証言していた。身元の分からない死体の問題を除外して考えると、現場は典型的な強盗放火殺人の様相を呈していたのだ。

私たちは、その後、警視庁捜査一課の刑事たちの訪問を二度ほど受けた。しかし、質問は通り一遍のもので、最初にやってきた荻窪署の刑事の質問と重複するものも多かった。警視庁の捜査一課が出張ってきたのは当然に思えたが、彼らが私と野上の関係を知っているようには見えなかった。少なくとも、彼らの質問には、それを臭わせるものは、一切含まれていなかったのだ。私のほうも、その点については何も喋らなかった。私は、谷本のことを思い浮かべた。彼から連絡があるはずだと思っていた。ただ、彼は日野市の事件の専従班に属していたから、直接はこの事件を担当しないのかも知れない。だとしたら、もう少しプライベートなやり方で、私に連絡を取ってくるかも知れないと、私は考えていた。

私の予想は的中した。事件発生から五日後、大学の研究室にいた私の携帯に谷本から連絡が入ったのだ。私は、同窓会の日に野上と交換した名刺に、手書きで私の携帯番号を書き加えたことを思い出した。あれが谷本の手に渡っているとしたら、野上がしたのと同様に、彼も私の携帯に電話してくるのは当然だった。結局、私たちはその日の午後四時頃、再び、私の研究室で会うことになった。

再び訪ねてきた谷本は前回の訪問より、暗い表情に見えた。私は、すぐに野上のことを考えた。

「高倉先生、今日は悪いお知らせをしなければなりません」

勧められてソファーに座った谷本は一気に切り出した。

「野上のことですか？」

私は覚悟を決めたように訊いた。谷本は力なく頷いた。

「ということは、彼はもう生きてはいないのですね？」

「おっしゃるとおりです。野上さんの死亡が確認されました。彼の遺体が、例の火災現場から発見されたのです」

「なに！」

そう言ったきり、一瞬、絶句した。やがて、私はうわずった声で訊いた。

「ということは、報道でもあった身元の分からない遺体というのは、野上だったのですか？」

「そうです。まったく意外な結末でした」

意外過ぎた。私自身、漠然と野上がもうこの世に生きていない気がしていたが、田中母娘《おやこ》とともに発見された遺体が野上だとは想像だにしていなかった。私の頭は混乱の極致にあった。寂寥感《せきりょうかん》がこみ上げた。一人の同級生が死んだのだ。親友ではなかった。だが、これから親友になれるかも知れない男だった。

「どういうことなんでしょうか？」

「もちろん、詳しいことはまだ分かりません。しかし、警察にとって極めて具合の悪いことになっているのは確かです。被害者の母娘の頭部を撃ち抜いた弾は、野上さんが携帯していた拳銃から発射されたことが、分かったのです。そして、野上さんの頭部を撃ち抜いた弾も同じでした。その上、その拳銃は野上さんの死体のすぐそばに落ちていたのです」

「じゃあ、野上が二人を撃ち殺したあと、自殺したということですか？」

「状況的にはそう見えます。いや、捜査に当たってる捜査官の何人かは、実際、そういう判断に傾きかかっています。しかし、私はそんなことは信じていない。野上さんはそんな人じゃない。それは、私が一番よく知っています。ただ、私の意見が少数派の意見であることは認めないわけにはいきません」

「ちょっと待ってください」

私は思わず大声を出した。あまりにも理不尽な話に思えた。そもそも、野上と田中母娘にどんな接点があったというのだ。接点がなければ、殺害する動機もないはずだ。私はそんな趣旨のことを言った。谷本は私の反論に大きく頷いた。

「おっしゃることは、よく分かります。誰もが最初はそう思うはずです。しかし、野上さんが窃盗目的で田中邸に侵入したと考えると、彼と田中母娘に必ずしも接点がある必要はなくなります。つまり、その日、あなたの家を訪問したとき、あなたの正面に高齢者の母娘が住んでいることを聞かされた野上さんは、難なく金が取れると考えた。実際、野上さんの背広の内ポケット近辺から灰の固まりのようなものが発見されていますが、科捜研の分析でそれが、田中邸から奪ったと思われる、現金の紙幣や預金通帳と印鑑であったことが判明しています」

動揺した。その事実は、野上の犯行を決定づける動かぬ証拠に思えた。しかし、同時に大きな矛盾を感じた。

「しかし、それにしても、首尾よく金や預金通帳を取れたのに、何故彼が自殺しなければならないんですか。まったく、矛盾していますよ」

「そうです。そこが問題なんです。しかし、彼の容疑が濃厚と考えている捜査官たちの推定はこうです。彼は単に、窃盗に入るつもりだった。二人の高齢者の母娘と接触すること なく、金品を奪えると考えていた。おそらく、二人が間違いなく就寝しているはずの時間 帯を選んで侵入したはずだと言うのです。ところが、運悪く、二人のどちらかに、あるい は両方に気づかれてしまい、やむなく射殺してしまった。最初は、単なる窃盗のつもりが、 極刑もあり得るような殺人に発展してしまったわけです。その心理的圧迫に、野上さんは 耐えられず、結局、自殺の道を選んだというのです。拳銃で自殺したのなら、拳銃を握り しめたまま死体が発見されると考えられがちですが、鑑識の話では、反動の強さ次第で、 あるいは弾が当たった位置によって、銃が手から離れ落ちることも、それほど稀ではない そうですから、これも自殺を否定する根拠には必ずしもならないようです。拳銃からは、 野上さんの指紋しか発見されませんでした。死ぬ前に放火したのは、意味がないと言えば ないけれど、要するに、この世から消えてなくなりたい気持ちだったと考えれば、分から なくもない。先生ご自身が証言されていますように、玄関の鍵はかかっていたのだから、 野上さん自身が内側から鍵を掛けたと考えるのが自然です。別の犯人がいた場合、どうや って家を密室状態にして脱出したかが問題となります。もちろん、鍵を持っていれば、そ んなことはたやすいのですが、一本の鍵が火災現場から発見されています。玄関の鍵でし た。鍵はもう一本あった可能性がありますが、それはまだ発見されておりません」

納得できなかった。容易に、心理的矛盾を指摘することもできた。火をつけるにしても、自分の犯罪を隠蔽する目的でそうするなら分かるが、田中邸から奪ったと思われる現金や貯金通帳を身につけたままなのは、まるで犯人は自分であると言わんばかりではないか。それに、逃走後にまったく別の理由で自殺したように装ったほうが、少なくとも強盗殺人犯という汚名から逃れるためには、効果的な方法だったはずである。だが、興奮状態に陥った自殺者の行動が予測不可能なことも事実だった。傍目《はため》からは、どんなに矛盾しているように見える行為でも、心理的にはある種の整合性を示していることもあり得るのだ。

「それに、状況証拠的にも、彼に不利なことが三点ほどあります。一つは、彼が経済的に困窮していたことです。実際、彼は複数の金融会社から、五百万を超える借金をしていたことが分かっています。どうして、そんなに金が必要だったのかは分かりませんがね。もう一つは、彼が拳銃を携帯していたことです。昔と違って、今は、警視庁の刑事だからと言って自由に拳銃を持ち歩ける時代ではありません。非常に厳格な規則があります。ただ、彼は拳銃の取扱責任者という立場にあった。大きな部署全体の管理責任者という者は別にいるのですが、これは普通は管理職がなる名目的なものでして、現実に貸与記録をつけて、拳銃が入っている金庫の鍵の管理を行うのは、この取扱責任者なのです。従って、彼は自由に拳銃を取り出せる立場にあった。高齢の女性二人しか住んでいない家に押し入るのに、拳銃など必要ないと見る向きもありますが、犯罪を犯すものは、結果的にそれを使わずに済むことを願いながらも、念のために何らかの凶器を持って行くのはあり得ることです」

「もう一点は？」

「それはやはりあなたの証言と関係があります。先日、私と最初に話したとき、あなたは野上さんが自分の近隣のことを訊いたのを不思議に思ったという趣旨のことをおっしゃいましたね。あなたからしてみれば、彼が捜査している日野市の行方不明事件との関連で彼がそんなことを訊いたとお考えになったのでしょうが、日野と荻窪は位置的にも離れているわけですから、それはあまり意味のある質問に思えませんよね。従って、日野市の事件は口実で、本当は彼が窃盗の目的で、あなたから近隣の状況を聞き出したがっていたという解釈は確かに不可能ではありません。要するに、あなたの家を訪問したことが、結果的に後の強盗殺人の下見のような役割を果たしたという考え方ですね」

「でも、それなら彼が十二月末に私の家を訪問してから、すぐに行方不明になっている意味が分かりませんね。事件が起きるのは、それからほぼ二週間後ですから、彼が姿をくらます意味はない。むしろ、何者かに――」

「いや――」

谷本は、早口に私の言葉を遮った。故意に私と反対の立場に立って、事件の要点を整理しようとしているという印象があった。

「そうとも考えられますが、彼がかなり激しい借金の取り立てを受けていたことも確かなのです。現に、事件が起きる前の二週間の間に、金融会社の社員と思われる男から、警視庁の捜査一課に何度か電話があって、彼が借金を返そうとしないことを激しく非難したそうですから」

つまり、こういうことか。私の家を訪問した野上は、三軒の家が意外に孤立しているのを見て、犯罪には好立地の条件を備えていると感じた。警視庁のプロの捜査官なのだから、そのあたりの感覚は敏感だろう。金に困っていた野上は、窃盗の誘惑に駆られた。それで日野市の事件にかこつけて、それとなく近隣の住民について私に質問してみた。私は、西野と田中母娘《おやこ》のことを話したが、どう考えても、田中邸のほうが窃盗犯にとっていい条件を備えていたはずだ。

しかし、いくらいい条件を持つ家を見つけたからと言って、高校時代の同級生がすぐ近くに住む場所で、そんな犯罪に及ぶことが心理的にあり得るだろうか。しかも、野上が消息を絶ったのが、私の家を訪ねてきた、去年の十二月三十日だったとすれば、この強盗殺人が発生するまでに二週間以上が経過しているのだ。その間《あいだ》、彼はどこかに身を潜め、借金の取り立てから逃れていたとでも言うのか。

死亡推定時刻のことを考えた。別の犯人が、すでに殺していた野上の死体をあとから田中邸に放り込み、火をつけて偽装したと考えることも可能だと思ったからだ。すでに司法解剖は行われているだろう。そのことを谷本に確かめた。野上の死亡推定時刻は、一月十三日午後十一時十五分から十五日午前一時十五分の間だった。随分幅があった。火災発生が十五日の午前一時前後と推定されていたから、野上がほぼ火災発生時に死亡した可能性も残していたが、それよりも二十六時間も前に死亡した可能性さえあるのだ。

「他の二人の被害者の死亡推定時刻は？」

「ほぼ同じです。火災による遺体の損傷がひどく、胃の内容物も少なかったため、死亡した三人の死亡推定時刻に明瞭な差をつけるのは難しかったようです」

田中母娘は高齢者で、食が細いと推定されたから、胃の内容物が少ないのも頷けた。しかし、野上の胃にも、ほとんど内容物が残っていなかったという。私は野上が、ろくに食事も与えられず、どこかに監禁されていたのではないかと思った。それに、火災による遺体の損傷だ。火災の中で焼けこげ、異常に体温が上昇している遺体では、直腸の温度による鑑定方法も有効ではなかったのかも知れない。悪条件が重なっていた。従って、死亡推定時刻にこんな大きな幅ができたのだろう。要するに、この死亡推定時刻は概算に過ぎず、実質的な意味はほとんど喪失しているように思われた。

だが、死亡推定時刻の精度というよりは、三人が死んだ順番のほうがもっと重要だった。仮に、野上のほうが田中母娘より少しでも早く死亡していれば、事件の構図は根本的に崩れるのだ。さすがに谷本もそのことは十分に理解していて、三人の死亡推定時刻がほぼ同じ数字を示している司法解剖の結果をひどく悔しがった。だが、客観的な数字の力はどうにもならなかった。私は、話題を変え、もう少し大きな、警察全体の動きについて質問した。

「しかし、新聞やテレビニュースでは、今、あなたがおっしゃったことは一切、報道されていませんね。やはり、警視庁は具合が悪いので、本当の情報は出さないでいるのでしょうか？」

「いや、必ずしもそういうわけではありません。ただ、非常に慎重になっているのは、確かです。警視庁が荻窪署に置いた捜査本部では、捜査官たちに厳しい箝口令《かんこう》が敷かれています。考えてもみてください。もし、今のことが本当だとしたら、つまり、警視庁捜査一課の現役の刑事が、罪もない高齢の一般市民二名を強盗目的で射殺して、家に放火したことが真実なら、これは警視庁始まって以来の大不祥事ですよ。警視総監の首が飛ぶだけでは済まず、警察庁長官や国家公安委員長の首だって危なくなる。それだけに、捜査は慎重に極秘裏に行われなければならないのです。私を始め、何人かの刑事はその解釈には納得していません。先生もおっしゃるように、あまりにも矛盾点がありすぎる。だから、情報を隠すというのではなく、あくまでも慎重に徹底的に調査する必要があるのです。実を言うと、今日、私が野上さんのことであなたと話をすることに、反対する捜査官もいたのです。これまでの経緯から言って、あなたの協力が重要なのは、みんな分かっているのですが、あなたに協力を求めるということは、必然的に極秘情報を民間人のあなたに教えざるを得ないことを意味しています。特にあなたは犯罪心理学者として著名な方ですから、マスコミとの接点もある。正直に申し上げると、それを懸念する声もありました。しかし、マ捜査一課長が刑事部長に最終的な判断を仰いで、あなたにはすべて本当のことを話して、協力を得ようということになったのです」

それを聞いて、私は自宅に火災発生時の状況について聞き込みに来た警視庁の刑事たちの態度が腑に落ちた気がした。今、思い出してみると、彼らは、火災が発生した家の正面の家に聞き込みをしないのはあまりにも不自然だから、仕方なく形式的な質問だけしているという態度に感じられたのだ。当然、彼らも、私の家が特別な意味を持つ家であることは分かっていた。だが、あの時点では、私にどう対応するかの基本方針がまだ定まっていなかったため、お茶を濁すような質問しかできなかったのだろう。

「谷本さん、私も学者の端《はし》くれとして、社会的責任をになっていると自負していますから、警視庁の極秘情報に関して守るべき最低のモラルは分かっているつもりですよ。私の口からマスコミに情報が漏れることは一切ないとお考えになって下さい」

「ありがとうございます。私自身は、先生ならそう言っていただけると信じておりました。刑事部長も捜査一課長も腹は据わっています。明らかにされる真実が、警視庁にとって致命的であってもやむを得ないと考えております。二人とも、真実の解明が最優先であると言明しておりますので、先生にはぜひ全面的なご協力をいただきたいのです」

谷本は、警視庁内部にあった私に関する懸念を詫びるように言った。この男は信用できるという、初対面のときの思いが、一層深まった。それに野上のことを考えた。高校時代の同級生が、死亡後とは言え、冤罪の汚名を着せられていいはずはない。それを晴らし得るのは、まさに私以外にないように思えた。

「分かりました。どんな協力も惜しみません。ただ、そのためには、事件の原点に帰る必要があると思います」

「原点と申されますと、私たちが捜査している日野市の事件ですね」

「そうです。以前も申し上げましたように、高校時代、私と野上はあまり親しくなかった。少なくとも、俺、おまえと呼び合うような仲じゃありませんでした。それにも拘らず、彼は警察の捜査情報を漏らしてまでも、私の意見を求めてきた。しかし、私の回答自体は、所詮、学者の机上の空論で、彼にとってあまり重要な意味のあるものではなかったはずです。もちろん、彼は事件の経緯を詳しく話してくれましたから、彼が私の意見に多少の興味があったことは否定しませんが、私は、基本的には彼は私に接近するために、私の見解を求めてきたのだと思っています。高校時代、あまり親しい関係ではなかったということもあり、彼にはやはり、私に接近するためには、同級生という以上の口実が必要だったのではないでしょうか。そして、問題はなぜ彼が私に近づく必要があったのかということです。当然なことですが、私は日野市の事件とは何の関わりもない。にも拘らず、彼は私の見解を求めるためではなく、事件捜査の上で、私に近づく必要があったと考える他はないのです」

「そのことなんですが――」

谷本は、私の発言を予想していたかのように、大きく頷きながら、黒の鞄からA４判の冊子を取り出した。手に取ってみて、驚いた。私の高校の同窓会名簿だったのだ。三ヶ月前に私の所にも送られてきた最新版である。それは四年に一度改訂されて、私たちの元に送られてきた。黄色い付箋が挟まれているページを開いた。中段あたりに、私の氏名と住所・電話番号が書かれている個所があった。住所の部分に赤いサインペンで下線が引かれていた。

「野上さんが住んでいたマンションのデスクの中から発見されました」

「この赤いサインペンの書き込みは？」

「おそらく、野上さんのものでしょう。これは重要な証拠品ですから、下線とは言え、私たちが何かを書き加えることはありません」

「そうですか。これを彼が書いたとすると一つ気になることがありますね。私の住所のみに線が引かれていることです。氏名や電話番号には、下線がない」

「どういうことでしょう？」

「普通、こういう場合、氏名に下線を引くのではありませんか。私と連絡を取りたいという意味なら、本能的に氏名に下線を引くんじゃないでしょうか。だいいち、住所の部分は氏名に比べて長いから、全部に線を引くのは効率が悪いでしょ。そのくせ、住所の次に来る電話番号の前で、赤の下線はぴたっと止まっている。私というより、この住所の所番《ところばん》地《ち》にこそ何か意味があったのだとは思いませんか？」

「なるほど、気が付きませんでした。すると、野上さんはこの住所のほうに興味があった。つまり、この住所の近くに住む誰かに、もしくは何かに関心があったということでしょうか？」

「その可能性はあるでしょうね」

「そうなると、被害者たちとも知り合いだった可能性が出てきますよね」

すぐにそれは違うと思った。だが、谷本がそう考えるのは無理もなかった。私が、まだ、西野に関する情報を開示していなかったからだ。正直、のど元まで出かかっていた。だが、まだ、早いのだ。私の疑惑はいまだに曖昧模糊としたもので、客観的な証拠は何もない。今の段階で谷本に喋ってしまえば、それは恐ろしく根拠のない主観的な妄想のように映るだろう。私は、暗示的な答えに留めた。

「いや、近所はあそこだけではありませんよ。あの付近の家の所番地は、みんな似たようなものですから――」

谷本は曖昧な表情で私のほうを見た。私が何かを隠していると思ったかどうかは分からない。ふと、西野の顔が浮かんだ。あの家で起きていることにも立ち入るしかないと思った。それが、ただの子供虐待《チャイルド・アビユース》に過ぎなかったとしても、である。

第三章　仮　面

（一）

微かに扉をノックする音が聞こえた。私は眠りにおちる寸前だった。夢と現《うつつ》の境のようなまどろみのなかで、その音は糸を引くように私の耳孔《じこう》に浸透し、その薄い鼓膜を振動させた。ベッドの上に上半身を起こした。我ながら俊敏な反応だった。やはり、近隣の火災以来、全身が刃物の先端のように、敏感になっていた。壁の柱時計を見上げた。すでに午前一時を回っている。耳を澄ました。もう一度ノックの音が聞こえた。玄関だ。間違いない。だが、チャイムを鳴らさないのは何故だ。

隣のベッドで眠る妻を揺り起こした。声は出さなかった。妻の目が開き、ぎょっとしたように私を凝視した。私は、右手の人差し指を唇にあてた。すこし間を置いたあと小声で囁いた。

「下に誰か来ている。様子を見てくるから、何かあったらすぐに一一〇番するんだ」

妻は慌ててベッドから起き上がり、私のベッド下の隙間に差し込んであった剣道用の竹刀を無言で差し出した。私に剣道の心得があるわけではない。剣道部にいたゼミ生が、昔、護身用にとくれたのだ。私は頷きながら、それを手に取り、室外に出た。

「気をつけて」

緊張のあまり掠れたような妻の声が後ろから聞こえた。

できるだけ音を立てないように階段を降りた。すぐに玄関の踊り場に出た。息を凝らした。明瞭なノックの音が聞こえた。距離的に近づいたから音が大きく聞こえたというだけではない。明らかに、ノックの力は強くなっていた。

「誰？」

右手に竹刀を構えながら、小さな声で訊いた。その自分の声が静寂を切り裂くように、周囲の冷えた空気に浸潤《しんじゅん》した。

「助けてください」

震えるような少女の声だった。ピンと来た。私は右手に竹刀を構えたまま、使い慣れない左手で扉のチェーンを外そうとした。だが、チェーンはうるさい音を立てるばかりで、なかなか外れない。結局、私は、竹刀を床に置き、両手を使ってチェーンを外し、二重ロックの鍵を解除した。もう一度、竹刀を手に取った。用心深く、左手で少しだけ扉を開いた。

　刺すような冷気が流れ込んだ。扉という遮蔽物によって、断片的に切り取られた闇の空間には何も見えなかった。私は、もう少し扉を開いた。髪の短い少女の顔が見えた。男の子のような印象だった。実際、制服のスカートが目に映らなければ、男の子と勘違いしたことだろう。しかし、よく見ると、目鼻立ちは結構整っている。その目にうっすらと涙が浮かんでいるのが分かった。扉を大きく開け放った。その一瞬、一陣の風が吹き上がった。思わず、右手の竹刀を振りかざした。少女の後ろに薄ら笑いを浮かべる西野が立っているように思ったのだ。

　だが、錯覚だった。少女の後ろでは、玄関の入り口近くで白く咲いているサザンカの花が夜の闇の中で微かにそよいでいるだけだった。振りかざした竹刀をおろした。

「西野さんの娘さん？」

　私は小声で訊いた。少女は頷いた。その目からどっと涙があふれ出た。

「入って」

　肩を抱くようにして、私は少女を招き入れた。

「まあ、どうしちゃったの？」

　私の背後から妻の声が聞こえた。振り向くと、妻も二階から降りてきていた。その右手に携帯電話を握りしめている。何かあったとき、固定電話のある位置に戻る時間を節約するためだろう。私に代わって、妻が少女の肩を抱き、リビングのほうに連れて行った。私は、再び、玄関の扉を二重ロックした。チェーンも差し込んだ。

私もリビングに行った。明かりが煌々と灯っていた。まずいと直感的に思った。本当は消したかった。こんな夜中にリビングの明かりを点《つ》ければ、西野に娘の所在を知らせるようなものだ。しかし、ここで消灯すれば少女にあらたな恐怖を植え付けるように思えて、できなかった。実際、少女は椅子に座って泣きじゃくり、妻のどんな質問にもまともに答えられない状態だった。

「泣いているばかりじゃ分からないよ。ちゃんと答えようよ」

私は元気づけるつもりで、強い口調で言った。

「いいの。あなたは黙ってて」

少女の横に座る妻にたしなめられた。それから、妻は少女に向かって優しく言った。

「大丈夫よ。ここへ来たらもう絶対大丈夫だから、落ち着いて話すのよ。その前にジュースでも飲む？」

やはり、妻に任せたほうが良さそうだった。私は、隣のキッチンに行き、パックのオレンジジュースをグラスに注ぎ、それを持って、リビングに戻った。

ジュースのグラスを妻に渡した。そのグラスは、妻の手から少女に渡った。少女は一気に飲み干した。長い間、水分を摂っていないような飲み方だった。

「もっと飲む?」

妻が訊いた。少女は首を横に振った。

「お腹空いてるんじゃない? 何か作ろうか?」

少女はもう一度首を横に振った。徐々に落ち着いてきている感じだった。

「それじゃあ、ゆっくりでいいからオバサンの質問に答えてね。あなた、この前、私と道で会ったとき、『あの人お父さんじゃありません』って言ったのを覚えているわね」

妻はゆっくり話しながら確認するように、少女の目をのぞき込んだ。少女はこっくりと頷いた。

「じゃあ、あの方《かた》誰なの? 親戚の叔父さん?」

「全然知らない人です」

少女は震える声で言った。

仰天した。妻も同じ思いなのか、一瞬、言葉を失ったように黙りこくった。それから、自分の驚きの気持ちを強いて抑制するように、さらにゆっくりした口調で訊いた。

「全然知らない人とどうして一緒に住んでいるのかしら。その辺の事情をオバサンに教えてくれないかな?」

妻の問いに、少女はまるで数学の難問でも突きつけられたかのような、極度の当惑の色を浮かべた。何かを言おうとしているのは分かった。だが、口元が痙攣《けいれん》したように歪むばかりで、音声としては一言も発せられなかった。

だが、妻は辛抱強く待った。少女が話し出した。

「ある日、学校から帰ってきたら、あの人がお母さんと一緒に居て――」

妻は、促すように頷いた。その瞬間、インターホンのチャイムが鳴り響いた。思わず、妻と顔を見あわせた。少女の体が小刻みに震え出した。恐怖が再び全身に取り憑《つ》いているようだった。

「あなた出て」

妻が早口の小声で言った。私は頷くと、すぐ近くのインターホンの受話器を取った。

「誰だ？」

私は、あえて丁寧語を使わなかった。こんな真夜中にチャイムを鳴らす人間に対する、当然の対応だった。

「夜分遅くにすいません。隣の西野です」

恐縮しきった西野の声が聞こえた。だが、妙に明るい、聞きようによっては、威圧的な声でもあった。

「西野氏だ」

私は、いったん受話器を切ってから、早口に言った。

「いないと言って」

妻は故意に主語を省いて言った。

「私たちは二階に行くわ」

妻は、少女の肩を抱くようにして、立ち上がっていた。

私は、妻と少女が階段をのぼり始めた頃、もう一度インターホンの受話器を取った。

「どういうご用件でしょうか？」

「娘がお邪魔してると思うのですが――夜分、お騒がせして申し訳ありません。すぐに引き取らせていただきますから」

よどみのない口調だった。言葉の端々に不可視の圧力を感じた。

「娘さんなどいらしていませんよ」

私はかろうじて平静を装って言った。笑い声が聞こえた。例の奇妙に甲高い笑い声だった。

ぞっとした。

「そんなはずはないでしょ。私は、娘があなたの家に入っていくところを、家の中から見てるんですよ」

今度は明らかに怒気のこもった声が聞こえてきた。

「いいえ、来ておりません。こんな真夜中に迷惑ですよ」

私は投げ出すように言うと、受話器を戻した。近隣との良好な人間関係など構っていられなかった。こんなことになった以上、多かれ少なかれ摩擦は避けられなかった。狂ったようなチャイムの連続音が響き渡った。私は、応答しなかった。それでも連続音は止まなかった。たまらず、チャイムの電源を切った。

玄関に回った。廊下に投げ出されていた竹刀を持って身構えた。玄関の扉の向こうに、西野の気配を感じていた。案の定、扉を激しくノックする音が聞こえ始めた。

「いいかげんにしてください。警察を呼びますよ」

私はついに叫んだ。

「呼べばいいでしょ。あなたのしてることこそ、未成年者略取《りゃくしゅ》だろ」

大声で怒鳴り返してきた。不意を突かれた気分になった。未成年者略取か。こういう際の法律用語の効果を知り尽くしている感じだった。

実際、私の家に助けを求めてきた少女が、本当に西野の娘なら、西野の言っていることはあながち間違いではないのだ。

「だがね、あの娘《こ》はあなたは父親ではないと言っている。全然知らない人だと言ってるんですよ」

「ばかな。あの娘はノイローゼ気味なんだ。中学生の小娘の言うことを信じたら、赤恥を掻くぞ」

扉越しのやり取りはもどかしかった。私も興奮していた。こちらのほうから扉を開け、相手の胸ぐらを摑んで罵声を浴びせたい気分だった。だが、それが一番危険なことくらい分かっていた。私と西野を隔てる、さして頑丈でもない扉が、私の身体的危険をかろうじて免れさせている防護楯であることぐらい分かっていた。

扉をノックする音が猛烈に激しくなった。家全体が地震のように振動した。それから、不意に静かになった。だが、次の瞬間、信じられないことが起こった。ロックされていた鍵が回り始めたのだ。最初は上鍵が回った。次に下鍵が回った。二重ロックはたちまち解除された。西野は、私の家の合い鍵を持っていたのだろうか。そうとしか考えられなかった。鈍い軋《きし》み音と共に、扉が開き始めた。だが、チェーンのおかげで、それは四分の一程度開いたに過ぎなかった。とても人が通れるような隙間ではない。

西野の顔がのぞいた。心筋が痙攣した。まったく別人のような顔がのぞいていた。お前は一体誰なんだ。金縁フレームの眼鏡はなかった。口ひげだけは同じだったが、目は細く吊りあがり、口元は二重顎のように締まりなく弛《たる》んでいた。不気味な表情だった。オシャレな西野の面影はない。その印象の刹那《せつな》の断片が、私に誰かの顔を思い起こさせた。だが、それが誰の顔であるのか、完全に思い出す前に私の記憶はすぐに途切れた。

暗闇の中で、金属が光った。西野の右手に包丁が握られているのが見えた。

「この野郎、早く開けやがれ」

西野はやくざのような口調で怒鳴った。普段の品のいい言葉遣いからすると、まさに豹変《ひょうへん》だった。包丁を握った手が室内に侵入し、チェーンに触れた。咄嗟に、竹刀でその手を打ち付けた。手が引っ込んだ瞬間、咄嗟に、もう一度扉を閉めた。再び、二重にロックをかけた。しかし、彼が合い鍵を持っている以上、その行為は無意味に反復されるだろう。

「康子、警察呼んで」

私は大声で二階に向かって叫んだ。

「もう呼んでるわよ」

妻の大声が二階から聞こえてきた。その声は、扉の外にいる西野にも聞こえたことだろう。上出来だと思った。妻は独自の判断ですでに一一〇番通報していたのだ。

扉のそばから、西野が離れていく気配を感じた。足音が遠ざかった。全身から力が抜けた。同時に、汗が噴き出してくるのを感じた。しばらくの間、竹刀を握りしめたまま、玄関の扉を凝視していた。

パトカーのサイレンが聞こえ始めた。それは急速に大きくなった。パトカーが私たちの家の前で停止したようだった。

「もう大丈夫よ。パトカーが来たわ」

二階から、階段の中程まで降りてきた妻が、背中から声を掛けてきた。私は、はっと我に返ったように、キッチンに入り、窓越しに外を眺めた。パトカーの赤色灯が見えた。中から警察官二名が出てきた。男が駆け寄っていくのが見えた。西野だった。西野が何かを喋っていた。しまったと、一瞬、思った。

玄関を激しくノックする音が聞こえた。

「警察です。開けなさい」

不吉な予感を感じた。まるで、被疑者の家に捜索令状を持って、乗り込んできた警察官の口調だった。私は、チェーンを外し、ロックを解除して、扉を開け放った。二名の制服警官が立っていた。

「隣の娘さんが来てるだろ」

その内の一人が詰問した。

「ええ、二階にいます」

そう言いながら、私が詳しく説明をしようとしていた矢先、妻が少女を連れて降りてきた。少女は怯えきった表情で、全身を硬直させているように見えた。

「はい、こちらに渡して」

もう一人の警察官が言った。

「ちょっと待ってください。この娘《こ》、助けを求めて、私たちの家に逃げてきたんですよ」

妻が抗議した。

「いや、詳しい事情は、あとで訊くから。とにかく、隣のご主人が娘さんをあなたがたに略取されたと訴えているんだから、我々としてはまず、あなたがたから事情を訊く必要がある。すぐに着替えてもらって、署のほうにきてもらうからね」

最初の警察官が、有無を言わせぬ強い口調で言った。外では、パトカーのサイレンが鳴り響き、次から次へとパトカーが到着しているようだった。私は、わけが分からなくなった。

（二）

そのあとは、まさに被疑者のような扱いだった。私たちは少女から切り離された。切り離される際、私たちは口々に激しく抗議したが聞き入れられなかった。少女はただ呆然としているように見えた。少女が警察によって、どこへ連れて行かれたかは分からない。西野の元に、連れ戻された可能性すらあった。私と妻は荻窪署に連行され、別々に事情を訊かれた。

私から事情を訊いたのは、顔に険のある荻窪署の中年の刑事だった。真夜中の尋問だった。

「だから、あの娘を西野さんの所に戻すのは危険なんです。明らかに虐待が行われているんです」

一通り事情を説明したあと、私は強い口調で言った。

「しかし、その程度のことじゃね。第一、証拠がないよ」

刑事の口調は、まるで西野を庇《かば》っているように聞こえた。確かに証拠はなかった。「全然知らない人です」と答えた少女の発言もすでに伝えていたが、そのあとの説明を聞いていなかったため、今の段階ではその発言も意味不明というしかなかった。妻が夜中に聞いたという女性の泣き声も、証明のしようがなかった。

「それに、外見的にも暴行のあとはないんだ。今、荻窪署の女性警察官が中心になって、あの娘《こ》から事情を訊いているが、彼女自身、虐待を受けていたとははっきり言っていない」

「私たちから、切り離されたあと、彼女と西野さんは接触したんですか？」

「ああ、一時間ばかり、家に戻したよ。本当は、事情聴取は、日をあらためてにして欲しいと言われたんだが、署のほうでも独自の判断があったから、一応、今日は署のほうで身柄を預かることにしたんだ」

「じゃあ、その一時間の間に、何か脅しを掛けられたんですよ。警察に虐待されていると言ったりしたら、大変なことになるぞというような――」

「それも推測だよな。それに、あのご主人、我々の事情聴取に対しても、丁寧に協力的に答えてくれましたよ。我々があの娘を預かることについても、それが警察の判断ならやむを得ないという態度だったね」

「じゃあ、彼女の事情聴取が済んだら、彼女を西野さんの元に戻すつもりなんですか？」

「いや、それは我々の判断することじゃない」

「どういう意味です？」

「今日、彼女が我々から事情を訊かれていると言っても、そんなに深く細かい内容を訊くわけじゃない。相手は中学生だし、こんな夜中にあれこれ訊いたら、それこそ人権問題だよ。明日、と言っても、今日かな、児童相談所のほうに連れていかれて、そこで本格的に事情を訊かれることになるんだ。彼女を父親の元に戻すかどうかは、児童相談所の判断が大きいんだな」

刑事の言っていることは、そもそもおかしかった。少女は、西野は父親ではないと言っているのだ。その点を無視して、「父親の元にもどすかどうか」と表現すること自体が、事の本質を理解していないように思えた。だが、児童相談所が介入してくるとなれば、少女の身体的危険はとりあえず遠のくかも知れない。私は、軽い安堵《あんど》を覚えた。もちろん、その判断がどういうものになるか分からなかったから、まだまだ予断は許さなかったけれど。

「そんなことより、我々が確認しておきたいことは、あんたたちが少女を家の中に入れることになった事情なんだよ」

刑事は幾分身をかがめ、その大きな目をぎょろつかせて、私を凝視した。

「だから、真夜中に不意に玄関をノックする音が聞こえて、扉を開けてみたら彼女が立っていたと、さきほどから申し上げているでしょ」

「ところが、西野さんの言ってることはまったく違うんだな。彼はあんたらが無理矢理に彼女を家に連れ込んだと言っている」

「だったら、なぜ私の妻が警察に一一〇番通報したりするんです。やましいところがないからそうしたんでしょ」

「それも違うんだな」

「どう違うんです？」

「彼が言うには、その電話を掛けたのは彼の妻だと言っているんだ。通報内容はうちの主人が隣に住む人に襲われていますというものだったらしい」

「ばかな！」

啞然《あぜん》とした。しかし、確かに、慌てていた妻の一一〇番通報は短い文句だったに違いなく、妻の言葉がこの刑事の言うとおりだったとすれば、どちらとも取れる言い回しではある。それに、妻の携帯電話は、通常、非通知になっているはずなのだ。固定電話から掛ければ、警察の通信指令センターはどこからの電話か分かるが、非通知の携帯からの電話は、即座には分からないのかも知れない。もちろん、普通は、オペレーターが妻に住所・氏名を確認したはずだが、妻がどう対応したかは、この時点では不明だった。

「西野さんには奥さんなんかいないと思いますよ。あなたがたは、奥さんに会ったんですか？」

「いや、それは会ってないがね。長い間、病気で伏せってるって言うから、すぐに会わせろっていうわけにもいかんだろ。それに携帯からかかってきた一一〇番通報も、職権で電話局に問いあわせれば、誰の携帯電話からかかってきたものか分かるんだな」

「じゃあ、すぐそうしてくださいよ」

「警察が必要と判断すればそうする。だが、今のところ、そんなことはたいしたことじゃないから」

もう一度、啞然とした。西野に妻があって、いまでもあの家に居住しているかどうかが、むしろ、最大の問題なのだ。それをこの男はたいしたことではないと判断している。こんな愚鈍な刑事と話すのが、つくづく嫌になった。

「警視庁の谷本さんと話をさせてもらえませんか」

私は唐突に言った。

「谷本さん？　捜査一課の谷本さんか？」

刑事は顕著に反応した。その口調から、谷本と面識があることがはっきりと分かった。

田中母娘《おやこ》の事件が起こってから、警視庁捜査一課の刑事たちが荻窪署を頻繁に訪れていることが想像された。谷本もその内の一人かも知れない。

「あんた、大学の先生と言ったね。どこかで見た顔だな」

刑事は、私の顔を無遠慮に見つめながら言った。だが、その間《ま》の抜けた態度から、この刑事が田中母娘の事件に関連する重要極秘事項について何も知らされていないことは、容易に想像された。私に関連する情報を知っているのは、警視庁捜査一課と署長など荻窪署の上層部、および捜査の本当の中核にいる一握りの刑事だけだろう。この刑事は、ただ、私がテレビなどでコメントしている姿を思い出しかかっているだけなのだ。こういうことはたまにあった。見知らぬ人から声を掛けられることもある。私は、そういうとき、相手の記憶が完全に回復しないのを祈るのだが、このときばかりは、刑事の記憶が早く行き着くべき所に行き着くことをひたすら願った。

（三）

「あれじゃあ、虐待で殺される子供が出るのは当然だわ」

妻は、カンカンに怒っていた。彼女に事情を訊いた刑事の態度が許せなかったらしい。

私のほうは怒りを通り越して、半ばあきらめ気味だった。それに冷静に考えてみれば、虐待の確たる証拠が摑めていない以上、警察がどちらにも味方しない中立的な立場を取るのもやむを得ないところがあった。
ともかくも、私たちは明け方になって、取り調べに近い事情聴取から解放された。そして、その解放は私が谷本の名前を出したことと無関係ではないと感じていた。私は谷本からの連絡を待った。谷本にはすべてを喋るしかないと決意していた。前回会ったとき、西野に関して話さなかったことが悔やまれた。私は、今では、漠然とではあるが、野上は私の家を中継地点として、西野の家を内偵していたのではないかと思い始めていた。西野の妻について話したとき、野上の反応は奇妙だった。そして、私の近隣の住環境が日野市一家三人行方不明事件の起こったあたりと酷似しているという野上の発言は、今更ながら重要に思われてきた。

いや、それよりももっと気になったのは、「こんな環境だと近所の家族が別の人間に入れ替わっていても、誰も気がつかないこともあるんじゃないか」という野上の発言だった。あれは今から思うと、私の隣家で起こることをまるで予言していたかのような言葉だった。「あの人、お父さんじゃありません」「全然知らない人です」私は少女の言葉を何度も反芻していた。だが、問題は野上がどのような捜査過程を経て、私の近隣に辿《たど》り着いたかということだった。しかも、彼は自分の同僚にもそのことを話すことなく、単独捜査を行っていたのだ。彼が何故単独捜査にこだわったのかも、事件を解く鍵に思えた。

同窓会名簿の赤いサインペンで下線を引かれた私の住所が脳裏に浮かんだ。あれが意味していることは何か。初めからあの住所があったのではない。野上が日野市の事件を追ってきた結果として、あの住所に辿り着いたのではないか。その辿り着いた住所のごく近くにたまたま私が住んでいたのだ。そうだとすれば、野上が私の家を訪問したくなる気持ちも分からなくはなかった。

しかし、当面の問題は、相変わらず、隣の住民であり続ける西野とどう折り合いをつけて、その日を過ごすかということだった。私は、大学で午後から後期試験の監督をすることになっていた。ただ、妻を一人家に残して出かけるわけにはいかなかった。私は、警察に対して、二つのことを訴えていた。夜中に西野が私の家に押しかけてきたとき、彼は間違いなく包丁を持っていたのだ。傷害未遂あるいは、最低でも脅迫罪が成立するはずだった。だが、西野は、包丁を持ち出したこと自体を否定していた。警察もその事実を確認していない。彼がいつまた、凶器となる刃物を持ち出して、私や妻を脅してくるかも知れない。日野市の事件との関連はともかく、彼が異常者で危険な人物であるのは、間違いないように思われた。

それに鍵の問題があった。私は、このことも私から事情を訊いた刑事に何度も訴えた。だが、まともには取り合ってもらえなかった。刑事は扉を挟んでの激しい攻防のとき、何かの拍子に鍵のロックが解除された可能性は否定しなかったが、それが即、西野が合い鍵を持っていることを意味しないという。あの刑事にかかると、この事件に関するすべての立証責任は、私のほうにあるようだった。しかし、私が谷本の名前を出したあとは、私の近隣へのパトカーの巡回頻度を増すことだけは約束してくれた。

午前十一時頃、妻と一緒に自宅を出た。妻には、いったん、目黒《めぐろ》にある実家に行ってもらうことにした。それから、夕方、荻窪駅で待ち合わせて、妻と一緒に自宅に戻るつもりだった。本当は、私も妻もしばらくの間、自宅を離れたほうがよかったのかも知れない。しかし、心の片隅に、あの少女が万一、児童相談所によって、西野のもとへ戻されたとき、私たちが隣にいてあげたほうがいいという心理が働いていた。

妻は、私と一緒に電車に乗ったとき、田中母娘《おやこ》と西野の事件をあげ、不幸な事件が立て続けに起こったことを嘆いた。さすがにその二つの事件が明確に関連しているとまでは考えていないようだった。だが、私たちは二人とも西野の異常な言動を目の当《ま》たりにして、その可能性を完全には排除していなかった。いや、私にはむしろ、田中母娘の事件、西野の事件、そしてさらには日野市の事件は、結局、一つの中心に向かって収斂《しゅうれん》していく不気味な渦の軌跡のように思われていた。

結局、その日は何も起こらなかった。西野の家はひっそりと静まりかえっていた。少女が戻った痕跡もない。ただ、夜になると、西野の家には、煌々と明かりが灯った。私と妻は絶えず、彼の動向を警戒して、隣家の物音や明かりの点滅にまで気を配った。期待していた谷本からの連絡もなかった。その代わり、夜の八時頃、児童相談所の職員と名乗る女性から電話があった。電話の声でまだ若い女性と感じたが、感じのよい人物だった。荻窪署の刑事たちとは違い、私たちに好意的な雰囲気だ。今の段階で、少女を父親の元に戻すつもりはないと明言した。

同時に、少女がおそらくショックのせいで、筋道をたてて話すことが難しい状態であるという見解を示し、私たちに協力を求めた。特に、少女は私の妻のことを随分頼りにしているという。西野が押しかけてきたとき、少女を抱くようにしていた妻の姿を思い浮かべた。あれ以来、二人の間に、心が通い合っているのかも知れない。私は、翌日の午後、妻と一緒に児童相談所を訪れることを約束した。児童相談所が本当に必要としているのは、私の妻だけかも知れない。しかし、私も少女に会いたかった。あわよくば、野上についての情報を聞き出したかったのだ。私は、野上が西野の家を訪問した可能性を考えていたのである。

(四)

杉並児童相談所は、駅を挟んで、私たちの住む地域とは反対の、南側にあった。駅から徒歩十分くらいの場所である。私の家からは歩けば、三十分くらいかかる。私も妻もペーパードライバーで、車を所有していなかったので、環八でタクシーを拾って出かけた。

所長室と隣接する小さな応接室で、所長と若い女性職員と面会した。所長は、温厚そうな初老の男だったが、最初の挨拶を交わしただけで、すぐに別件で席を外した。

「すいません、常勤の所員は、所長と私しかいないものですから、所長も私もいろいろな案件を抱えていますので」

女性職員が申し訳なさそうに言った。ショートカットの、目の澄んだ綺麗な女性だった。年齢は、二十代の後半くらいだろうか。彼女が私たちに電話してきた職員らしい。電話での印象と同じで、感じのよい人物だった。渡された名刺には、広中涼子《ひろなかりようこ》とある。

「わざわざおいでいただきありがとうございます。警察の方《かた》から、一応の状況は聞いているのですが、もう少し詳しいことをお二人から訊かせていただきたいと思いまして。西野澪《みお》さんもある程度話はしてくれています。ただ、正直、よく分からないことも多いものですから、お二人にそれを補足するようなお話を伺えたらと思います」

涼子の言葉で、私たちは初めて少女のフルネームを知った。西野澪。問題は、私たちの知る西野が本当に、「西野」であるかどうかだ。

「澪さんって言うんですか、彼女。この建物の中にいるのですか？」

妻が訊いた。

「ええ、今、別室で、警視庁の刑事さんから事情を訊かれています」

「警視庁の刑事？」

私は思わず訊き返した。これが単なる虐待事件とそれに絡む近隣トラブルと考えられているなら、警視庁が出張ってくるような事件ではない。谷本の顔が浮かんだ。

「あ、そうでした。その刑事さん、高倉さんのご主人のことも知っておられるそうですね。私が今日の午後こちらに来られることを申し上げたら、是非お会いしたいとおっしゃって、澪さんへの聴取が終わったら、こちらにいらっしゃると思います」

やはり、谷本だった。彼もこの事件に注目しているのだ。田中母娘《おやこ》の事件と、この事件がどこかで通底しているという勘が働いているのかも知れない。希望が湧いた。ふっと気持ちが明るくなるのを感じた。

「分かりました。その方《かた》とはあとでお会いしましょう。ところで、澪さんは、どの程度のことまであなた方《がた》に話しているのでしょうか？　そして、その発言にはどの程度まで信憑性があるとお考えになりますか？」

「そうですね。それを明瞭に申し上げるのはなかなか難しいです。でも、私の推測も交えて申し上げれば、澪さんが父親から何らかの虐待を受けていた可能性はあると思います。ただ、それは肉体的虐待というよりは、心理的虐待だったような気がしています。暴行された痕跡はまったくありませんし、食べものや水も最低量は与えられていたようなのです。しかし、それにも拘らず、彼女は、父親に対して、極度の恐怖心を抱いています。確かに、あなたがたが警察にお話しなさっているように、彼女も『あの人はお父さんじゃありません』『全然知らない人です』と繰り返しています。ただ、いくら話を聞いても、それ以上のことは、いっこう明らかになってこないのです。実は、昨日、彼女の中学校の担任の先生からも電話で話を聞いたのですが、彼女、もともとはとても快活で、成績のよい子だったそうなんです。ですが、ここ数ヶ月でみるみる元気がなくなってきて、部活もほとんど出席しなくなり、成績も下がってきたようです。小学校の頃から、ピアノを習っていて、将来、ピアニストになりたいって夢を話していたこともあるそうですが、そのピアノも、どういうわけかやめちゃって、そのピアノの先生の所にも、通っていないようなんです。私も彼女と話してみて、事件と無関係な話をしているときは、非常に頭がよい子であるのが分かります。でも、こんどの一件に話が移ると、とたんに話が支離滅裂になってしまうんです。私の印象では、何だか部分的なマインド・コントロールを掛けられている、あるいは、同じことかも知れませんが、マインド・コントロールが半分しか解けていないみたいな——」

鋭い観察だった。まさに彼女の言う通りだと私も感じていた。「あの人、お父さんじゃありません」という発言は、間違いなく、マインド・コントロールが半分解け掛かっていることを示していた。だが、同時に、それ以上のことをうまく説明できないのは、やはりもっと深く強固なマインド・コントロールが、彼女の内面で依然として作用していることを窺わせた。

「おっしゃることはよく分かります。私と妻も彼女が私の家に逃げてきたとき、その『全然知らない人』とどうして一緒に住むようになったかを聞き出そうとしていた矢先、西野さんが押しかけてきて、騒ぎが大きくなってしまい、結局、聞きそびれてしまったのです。彼女、今でもそのへんのことは詳しく言わないんですか？」

「まったく言わないわけではないんです。でも、断片的でまとまりのない話し方の上に、その内容がちょっと突飛というか――」

「どういう風に突飛なのでしょうか？」

「まあ、彼女の話を強いて、整理して話すとこんな感じなんですね。ある日、彼女が学校から帰ってくると、家の中には母親と兄と、全然知らない中年男がいたというのです。父親は、この頃から姿が消えていて、その後も一度も見ていないと言っています。ただ、奇妙なのは、母親も兄も、この中年男のことを初めから父親として扱い、まるで以前から父親がその男であったかのように振る舞っていたといいます。彼女が、『この人お父さんじゃないわ』と言った途端、その男から猛烈に怒鳴られたというのです。母親も必死の形相で『何言ってるの？　お父さんに決まってるじゃないの』って、言ったそうです。兄は、ただ暗い表情で押し黙っていたようです。こういうことが、何回か起こる内に、彼女も『この人お父さんじゃないわ』と言うのが、次第に怖くなってきて、その男が本物のお父さんであるかのように振る舞うようになった。そのうちに、兄が男と一緒に外出し、兄はそれっきり戻ってこなかった。男は、戻ってきて、今まで通り、一緒に暮らし続けた。ただ、このあと母親がどうなったかについては、いくら訊いても、彼女、押し黙るだけなんです。じゃあ、どうして男から逃げ出す決意をしたかを訊くと、どうもお隣の奥様、つまり、高倉さんの奥様と話をするようになって、この人なら助けてくれるかも知れないと思ったことがきっかけだったようなのです」

彼女が、父親に、いや、父親と称する人物にマインド・コントロールをかけられているのは確かだった。この場合の、マインド・コントロールの基本要素は、恐怖体験、脅迫、狭い空間の三つだろう。彼女は自分の家の中で、何か恐ろしいこと、たぶん、家族にまつわる恐ろしいことを体験したのではないだろうか。そのことで脅迫された。そして、彼女は父親と称する人物と長い間、狭い空間の中で過ごさざるを得なかった。ひょっとしたら、彼女の居住空間はあの家の中でもさらに狭い部分に限定されていたのかも知れない。唯一、例外だったのは中学校に通うことが許されていたことだ。

どうしてそれが許されていたかは明確には分からないが、彼女を中学校に通わせ続けることによって、事件の発覚を遅らせる効果があったことは確かである。身体的暴行の痕がないことも、西野の計算を窺わせた。そんな痕跡を残せば、発覚の恐れが高まるのは百も承知だったのだろう。そんな愚かなことを行わずとも、彼女の口を完全に封じることができるようなある種の「システム」を西野は綿密に作り上げていたのではないか。そして、彼女が外で秘密を暴露する危険と自分のマインド・コントロールの力を秤《はかり》に掛け、西野は犯罪の発覚を遅らせる効果のほうを選んだのだろう。

「正直申しまして、私たちも迷っているのは、西野さんがお父さんではないという澪さんの主張を信じていいのかということなんです。普通に考えると、いきなり知らない人が家族に入り込んできて、父親だと主張し、母親や兄もその人を父親だと認めて振る舞うなんてことは、おかしいですよね。実を言うと、昨日は、西野さんご自身もここにお呼びして、所長と私で面談したんですが、西野さんのおっしゃることもある意味では筋が通っているんです。母親が病気がちになってから、澪さんはたびたびおかしなことを言い出すようになって、専門医に診せようと思っていた矢先、今度のことが起きたと言うんです。兄も勉強が嫌いで高校を中退して働きたいと言うから、それを認め、今、浅草近辺の自動車工場で住み込みで働いているそうです。このことは彼が通っている高校にも西野さん自身から届けが出ていることを確認しました。ただ、高校側の話では、息子さんは結構勉強のできる生徒だったそうで、その意味では西野さんの発言と矛盾するのですが。それに、息子さんの勤め先の連絡先も、教えてくれませんでした。息子を今度の騒動に巻き込みたくないの一点張りでした。でも、西野さんは終始落ち着いていらっしゃって、発言内容に小さな矛盾点はあっても、それなりに筋が通っているので、私たちも本当に迷ってしまうんです。虐待についても、暴力は振るったことはないけれど、あまり突飛なことを言い出すものだから、つい大声で怒鳴ってしまったことは何度かあることを認め、今ではそれを深く反省しており、今後はそういうことは一切しないようにするともおっしゃっていました」

「でも、私たちの家に押しかけてきたときの、あのご主人の興奮の仕方は、すごかったですよ。大声でどなり、扉を叩き、包丁まで持ち出して、中に入ってこようとしたのです」

妻が、たまりかねたように言った。私も妻の援護射撃をするつもりで、さらに付加的な説明をした。

「本当に、あの豹変ぶりはすごかったですよ。あの人は、普段は、愛想がよくて私たちと偶々《たまたま》会うときでも、非常に感じよく話しかけてくる人でしたが、あのときの形相は今でも忘れられないほどすごいものでした。完全な狂気でしたよ。従って、私たちは澪さんのほうの発言を信じますね。もちろん、現在、彼女はひどい混乱状態にあるため、話はいくつか辻褄《つじつま》が合わないところはあるでしょうが。ともかく、今の段階では絶対に彼女を西野さんの元には返さないでいただきたい」

「はい、それは、いたしません。警察の方《かた》にも止められていますので。でも、何とか澪さんから西野さんの身元について、私たちにも納得のいく説明をしていただけるといいのですが――」

涼子は口ごもるように言葉を止めた。そのとき、涼子の背後にある扉が開く音が聞こえた。肩幅のがっしりした男が入って来るのが見えた。男は、私のほうを見て、軽く会釈した。谷本だった。

（五）

谷本と一緒に外へ出た。妻は、涼子と一緒に澪と話すことになった。涼子の判断で、男性に対する恐怖心が根強い澪に対しては、女性だけで雑談風に話すのが、一番効果的だということになった。実際、谷本の話では、彼の事情聴取でも、はかばかしい供述は得られなかったらしい。

私と谷本は住宅街を散歩しながら、言葉を交わした。一時間ほど情報を交換し、再び、児童相談所に戻るつもりだった。冬の外気は冷たかった。私たちは、コートの襟を立てながら歩いた。道を歩く人々の数はまばらで、私たちの会話が聞き取られる可能性は低かった。少なくとも、喫茶店などで会話するよりは安全だろう。児童相談所で私と谷本が話すのは、涼子と私の妻が同じ空間で澪と話していることを考えると、私には、心理的に気詰まりだった。私のほうから外に出ることを谷本に提案したのである。

「ということは、野上さんは西野というあなたの隣人を内偵するために、あなたの家にやって来たとお考えなのですね」

私から、事の顚末《てんまつ》を聞き終えた谷本は、落ち着いた口調で言った。さすがに察しがいい。

「まあ、確信はありませんが、彼の発言が隣の家で起こることを予見していたと感じられることを思うと、そんな気がしてならないのです」

「家族が別の人間に入れ替わるか——」

谷本は私の右横を歩きながら、つぶやくように言った。一台のタクシーが私たちを追い抜いて行った。

「コンピューター犯罪で言う、『なりすまし』という概念に似ていますね。ネット上で他人になりすます代わりに、現実の生活の場で、それを実践する。ただ、そうだとしたら、その異常性は、外部の人間をだまして、別人になりすましながら、内部の家族に対しては脅迫や恫喝によって、人格を支配し、その『なりすまし』を既成のものとしていくということでしょうか」

適切な解説だと思った。まさに、西野に対して、私が想像していることはそんなことだった。彼は、コンピューター・ウイルスのように西野家に侵入し、その家族をことごとく食いつくしたのだろうか。だが、客観的な証拠がないのだ。

「私はそんな風に想像しています。もちろん、証拠がないのは、分かっていますが、西野邸を家宅捜索すれば、何かが出てくると思うのです。でも、それはやはり無理でしょうね」

「確かに、今の段階では、裁判所から家宅捜索の令状を取るのは難しいかも知れない。ただ、先生の想像は分かる気がします。言いにくいことですが、澪さんの両親は、ひょっとしたらもうあの家の中で殺されていると——」

「いや、私は母親は、監禁状態ながら生きているのではないかと考えています。それが澪さんが本当の供述ができない原因じゃないかと——警察に通報したのは、自分の妻だと主張しているのも、実際に、澪さんの母親が家に居るからではないでしょうか。あの男はすぐにバレるような嘘をつく男ではありません。今のところ、妻は病気だと言いつくろっているようですが、警察が強く彼女との面会を求めれば、出してくるんじゃないでしょうか。もちろん、彼の意向に沿うような発言をするように脅迫した上ででしょうが」

「いや、荻窪署の調査ですでに一一〇番通報は先生の奥様の携帯からなされていることが判明していますから、そんな主張は今更通用しないでしょうね。しかし、その嘘はいわば小さな嘘でしてね。それを口実にして彼の家に家宅捜索を掛けるほど、十分な根拠とは言えない。当日、興奮状態で、そう思いこんでいたといういいわけは不可能ではありませんからね。実際、先生がおっしゃるように、澪の母親がまだあの家の中で生きているとすれば、その事実は彼のいいわけの信憑性を高めることになるわけです。だが、それはともかく、我々はどうも証拠を飛び越えて、先走った思考に捕らわれている気がしています。西野さんは、本物の西野さんであるかも知れないのです。そうではないという確証が得られるまでは、やはり、そういう前提で議論を進めるべきだと思うのですが——」

谷本の言うことは正論だった。だが、それは先走る私を諌《いさ》めているというよりは、自分自身への戒めの言葉として言っているようにも感じられた。私も、あえて谷本に反論するつもりはなかった。

「ところで、日野市の事件では何か新しい進展はあったのでしょうか？」

「いや、残念ながら。だが、進展ということではないのですが、野上さんの元の奥さんが警視庁の私の所に訪ねてきました。別に、何か新しい情報を持ってやって来たわけではないのですが、野上さんが行方不明になっていることを知って、やはり心配になったみたいですね。しかし、申し訳ないが今の段階では彼女にもほんとうのことを言うことはできないというのが、上の判断でしたので、私も決定的なことは言えませんでした。彼女が今現在も、野上さんの妻というなら、こちらの対応も少し違ったと思うのですが、正式に離婚しておりますので、法的にはまったくの第三者ということになりますから――」

谷本は語尾を落とした。苦しい胸中を察してくれと言っているようにも聞こえた。それは確かに、あまりに非人間的な対応とも言えたが、身内以外の人間には生死に関する真相を教えないという形式論理に従えば、あながち非難することもできなかった。

「野上君の元の奥さんというのはどんな方《かた》なんですか？」

私はさりげなく話題を変えた。実際、野上がどんな女性と結婚していたのか、興味はあったのだ。

「音楽家のようですよ。私は、そんな高級な分野にはまったく不案内なのですが、クラシックのピアニストとしては、かなり有名な人らしいですよ。足がやや不自由なようで、軽く引きずっていましたが、ああいう体にハンディのある人のほうが、我々凡人と違って、芸術的感性は鋭いのでしょうね」

谷本の言葉にはっとした。過去の記憶が蘇った。

「その方《かた》の名前は、ひょっとしたら、河合園子さんではありませんか？」

「ええ、確かに河合園子さんとおっしゃるんです。ご存じなんですか？」

谷本も意外そうに聞き返してきた。私が個人的に河合園子を知っているとは考えなかったようで、彼女がそれほど有名なピアニストだったのかという詠嘆が込められていた。だが、私も谷本と同じで、ピアニストの名前などほとんど知らなかった。そう言えば、園子が音大に進学したことは風の噂に聞いていた。だが、そんな一流のピアニストになっていたとは知らなかった。しかも、かつて野上と結婚していたとは。例のバス停の事件が、頭をよぎった。

「彼女も私たちの高校の同級生なんです」

私はできるだけ抑揚を抑えて言った。谷本の目に微妙な関心の色が走った。

私たちは、しばらく無言のまま歩き続けた。いつの間にか、駅前の雑踏が近づいていた。

私たちは、再び、歩く方向を変え、児童相談所に戻り始めた。

（六）

児童相談所に戻ったのは、予定通り、私たちが外に出てから一時間くらい経った頃だった。正面玄関から入ってすぐの小さな事務室には、誰もいなかった。私と妻がやって来たときは、受付にアルバイトらしき若い女性がいて、応接室まで案内してくれたのだが、席を外しているようだった。私と谷本は、事務室の前の通路をすり抜けるようにして、奥の応接室に向かった。涼子と妻は、二階の会議室で澪と面談しているはずである。

扉をノックした。形式的なノックだった。初めから誰もいないだろうと思っていた。案の定、応答はなかった。私は扉を手元に引いた。ぎょっとした。扉のすぐうしろに、若い女性が俯せに倒れているのが見えたのだ。女性の腹部に黒ずんだ血が滲んでいる。涼子かと思った。だが、違った。事務室にいた若い女性のようだ。棒立ちになる私の横から、素早い動作で、谷本が駆け寄った。

「大丈夫か。しっかりしろ」

谷本は女性を抱き起こした。女性は目を開けた。顔色はそれほど青くはない。その目から涙が、あふれ出た。

「所長が――」

掠れた声で言った。だが、意識はしっかりしている。隣接する所長室の扉が半開きになっていた。私は、女性の介抱は谷本に任せて、所長室に飛び込んだ。六畳くらいの狭い部屋の中央に白髪の男が仰臥《ぎようが》していた。所長だった。フローリングの床は血の海だ。女性の傷より深手なのは明らかだった。所長に意識があるようには見えなかった。

「谷本さん、所長も刺されています。こっちは血の海ですよ」

大声で叫んだ。

返事の代わりに、携帯で緊急連絡する谷本の声が隣室から聞こえた。

「至急。至急。一課の谷本です。杉並児童相談所で重大事件発生。急行願います。救急車もお願いします。負傷者は、今のところ、二名。緊急対応しますので、いったん切ります」

それから、私のほうに大声が響いた。

「先生、二階に行きますよ」

はっとした。妻の顔が思い浮かんだ。妻も涼子も、それに澪も襲われた可能性がある。混乱した頭では、そんな単純なことも考えられなかったのだ。

「すぐに救急車が来る。傷は深くはないから、大丈夫だ。動かずに待つんだ」

部屋を飛び出す際、谷本はもう一度女性に向かって叫んだ。谷本の後に続く私と女性の目が合った。俯せの姿勢のまま、顔をあげて、不安そうにしていた。だが、二階の三人の安否を確かめないわけにはいかない。

二階の会議室に飛び込んだ。床上に女が蹲《うずくま》っていた。応接室の若い女性同様、腹部から血を流していた。私たちが入る物音で、顔をあげた。妻だった。

「康子、どうしたんだ」

妻を抱き起こした。

「あなた、急いで。あの娘《こ》、取られちゃった。広中さんも、包丁で脅されて連れて行かれたのよ。車を運転させられるみたい。まだ、出て行ってからそんなに時間が経っていないから、その辺にいる可能性があるわ」

私と一緒にかがみ込むようにして、妻の言葉を聞いていた谷本が立ち上がった。

「先生、奥さんのそばにいてあげてください。すぐに救急車が到着します」

谷本が走り出ていった。二人の追跡は、彼に任すしかないと思った。

妻の状態は、それほど重傷には見えなかった。だが、腹部を刺されている以上、予断は許さなかった。ハンカチを取り出し、傷口に当てた。応接室の女性のことも気になったが、体が一つである以上、そこを離れるわけにはいかない。

「犯人は、間違いなく西野なんだな?」

「うん、たぶん」

「たぶん?　顔は見なかったのか?」

「見たわ、はっきりと。でも背格好は隣の主人とそっくりだったけど、顔は全然違って見えたのよ。眼鏡も掛けてないし、口元が妙にだらしなく、のっぺりした印象で、別人みたいに見えた。怖かったわ」

私は、玄関の扉を挟んでやりあった西野との攻防を思い浮かべた。扉の隙間からのぞいた不気味な西野の表情。妻の描写は、そのときの西野の表情を髣髴《ほうふつ》とさせた。あれが西野の本当の顔だったのかも知れない。私たちが普段見ていた顔のほうが、変装された、偽の仮面だったということか。あらためてぞっとした。

「それにしても、君が連れ去られなかったのは、幸運だね。傷もたいしたことはない」

私は、妻を励ますように言った。

「車の運転ができなかったからね。ペーパードライバーだって言っちゃったのよ。広中さんは、普通にできるらしいし。それに、彼女のほうが若くて、綺麗だったから」

「何をくだらないこと言ってるんだ」

私は、苦笑しながら、言った。

だが、妻は真剣に言い返してきた。

「冗談じゃないわ。私たちを脅している間、あの男の彼女を見る視線がおかしかったのよ。だから、心配なの。澪さんも広中さんもどうなっちゃうのかしら」

私は黙った。心配なのは、私も同様だったが、こうなった以上、運を天に任せるしかない。二人を追いかけていった谷本が、運良く西野を捕捉できるのを祈るばかりだった。

「西野澪から何か聞き出せたのか？」

「ダメだったわ。事情を聞き始めて、すぐに西野が侵入してきたの」

私は、思わずため息を漏らした。だが、気を取り直して質問を続けた。

「いつ刺されたんだ」

「彼らが出て行く寸前よ。澪ちゃんが哀願するように私のほうを見たから、私思わず、あいつの手にしがみついたら、ずぶって——勇気あるでしょ」

妻は、自虐的に微笑んだ。私はおそらく、妻は一階の応接室で起こった出来事を知らなかったのだろうと思った。知っていれば、恐怖が先に立って、そこまで無謀なことはしなかっただろう。

「ありすぎだよ」

私がそういった瞬間、パトカーと救急車のサイレンが聞こえ始めた。

（七）

妻は、阿佐谷にある総合病院に搬送された。重傷だったが、幸い命に別状はなかった。全治二週間というのだから、重傷の中では、一番軽い部類に入るだろう。受付の事務員も、同程度の負傷だった。しかし、所長は救急車で搬送中に死亡した。西野はあのまま、澪を連れて逃走しており、一週間経った今でも二人の行方は分かっていない。

当然、テレビや新聞は大騒ぎしていた。単独の事件としても、けっして小さな事件ではなかったが、何しろ、今度の殺傷事件は田中母娘《おやこ》の家で起こった放火殺人と、空間的にも時間的にも恐ろしく近い間隔で起こったのだ。二つの事件の関連が取りざたされるのは当然である。しかし、どのマスコミも確たる情報は摑んでいないようで、憶測的報道に終始していた。野上のこともマスコミの俎上《そじょう》にはまったく上がっていない。その意味では警視庁は完璧に情報を管理しているようだった。ただ、西野が本当は澪の父親ではなく、赤の他人であるにも拘らず、父親になりすましていたのではないかという推理がすでに一部の週刊誌に登場し、その衝撃の波紋が広がり始めていた。

これも谷本や私がマスコミにリークしたことによるものではない。警察が事件経緯を説明するなかで、マスコミの間に自然と醸成《じょうせい》された推理に起因するものであろう。「あの人お父さんじゃありません」「全然知らない人です」現在行方不明となっている澪の発言が捜査本部によって断片的に発表されていたのだ。実際、関西地区に住む西野の兄がマスコミのインタビューに答えて、弟とは一年に一度年賀状のやりとりがあるくらいで、ここ三年ほど顔を合わせていないと証言していた。東京に住む弟は、二年ほど前、五十六歳のときに勤めていた大手の鉄鋼会社をリストラされていた。その後、求職活動中と聞いていたため、何となく連絡しにくかったということもある。ただ、その間に一度だけ、事務的な用で、弟の家に電話を掛けたことがあるが、弟の妻が出て、弟は外出中だと言われた。たいした用でもなかったので、もう一度電話を掛けることもせず、そのままになってしまったという。

西野の妻のほうは、一人っ子だったが、仙台に両親が住んでいた。両親の証言では、三ヶ月に一度程度電話があったので、安心していた。もちろん、夫と離婚したという話も、病気という話も聞いていない。ただ、もう六ヶ月以上、連絡はないが、もともと頻繁に連絡があるわけでもなかったので、両親とも特に気に留めていなかったという。

新聞やテレビは、こぞって西野家の他の親戚からもあらたな話を聞き出そうとしていた。だが、親戚関係と言っても、現代社会ではその関係は思いのほか希薄で、西野の兄や妻の両親から得られた以上の情報など望むべくもなかった。

私はモザイクのように複雑な絵柄のジグソーパズルを組み立てる気持ちで、隣家で起こったかも知れない事柄を時系列に並べてみた。私たちが引っ越してきたのは、今からおよそ十ヵ月ほど前である。そのとき、初めて顔を会わせた西野は、もうすでに本物の西野ではなかったのではないか。あくまでも私の推理だが、彼は西野家に侵入する前に、澪の父親、つまり本物の西野氏を殺害していた。そして、母親と兄と澪を監禁状態に置いた。

やがて、兄も外に連れ出され殺害された。肉体的抵抗が可能な男性を消してしまえば、あとは非力な女性だけを監禁支配するだけでいい。ただ、事件の発覚を防ぐために、澪には通学など日常通りに振る舞わせた。彼女が警察に通報することはないというよほどの自信と確証があったのだろうか。

この間《かん》、西野邸を野上が訪ねてきた可能性が高い。なぜ彼が訪ねてきたのか、その経緯は不明だ。だが、野上も拳銃を奪われ、監禁状態に置かれた。そして、偽物の西野は田中母娘《おやこ》の家に押し入り、二人を殺害、その前後に野上も殺害し、彼の犯罪に見せかけた。もしこういったことがすべて本当なら、超人的な犯罪能力だった。しかし、何一つ、これを裏付ける証拠は見つかっていない。

事態は複雑だった。西野と名乗る男が本当に西野なのか、そもそも不明なのだ。私が彼のことを西野と呼び続けているのは、今の段階ではそうとしか呼びようがないからである。警察による住民票などの調査から、私の隣人が西野昭雄《あきお》という氏名で十年以上前に住民登録していたのは確認されている。そして、私たちが十ヶ月ほど前、引っ越しの挨拶に出かけたとき、渡された名刺にもその氏名が記されていたのだ。しかし、警察の調べで「オリエント協会」という組織は存在しないことが判明していた。

いずれにせよ、西野の兄にとっても、西野の妻の両親にとっても、状況は深刻だったにちがいない。自分たちの弟、あるいは娘婿《むすめむこ》は殺人鬼であるか、そうでなければ、すでに殺されているかも知れないのだ。澪や西野の妻、それに澪の兄の安否も心配だった。ややこしい言い方だが、もし西野が西野でなかったなら、彼が何故あれほどの危険を冒してまで、澪を取り戻すことにこだわったのかも、重大な謎だった。やはり、彼女は私たちが想像する以上に、さまざまなことを、つまりは事件の根幹に関わる事実を知っていたのではないか。そう考えると、彼女を奪い返されたことが、返す返すも悔やまれた。

一方、広中涼子は、予想外なことに、途中で解放されていた。妻の不吉な予想は、当たらなかったことになる。それはともかく、西野と澪は、JR中野駅前のロータリーで降車し、西野の車のハンドルを握る涼子に対して、西野は奇妙に丁寧な口調で、「ご迷惑を掛けました。今から、一時間後に警察に通報してください」と言い残して、悠然と澪を連れて、駅構内に消えたという。その二人の後ろ姿は、普通の親子のようにしか見えなかったと、涼子は後に証言した。

もちろん、涼子は西野のそんな指示には従わなかった。だが、その指示がまったく効果がなかったわけではない。少なくとも、五分程度は、車の中に残っていたのだ。車を降りるときの西野の態度は、あまりにも冷静だった。そのため、涼子はその言葉に強い警戒感を抱いて、何か罠《わな》があると考えてしまったようだ。

この時点では、涼子も所長室で起こった殺傷事件は知らなかった。所長と受付の職員は二階に上がって澪と会おうとする西野を阻止しようとして刺されたのだが、一階の所長室と二階の会議室は離れていて、その騒動の物音は涼子や私の妻の耳には届いていなかったらしい。あるいは、西野は所長室ではほとんど大声を出さずに振る舞ったのかも知れない。しかし、涼子は、私の妻を刺した西野の凶暴性を目《ま》の当たりに見ていたから、恐怖心がなかったはずはなく、西野の言葉によって、心理的に動きを封じられた面がある。西野は心理の魔術師なのだ。涼子は西野と澪が姿を消して、五分後、はっと我に返ったように車から飛び出し、中野駅の駅員に警察への通報を頼んだ。

西野の車、トヨタプラッツが、捜査本部によって、徹底的に調べられたのは言うまでもない。鑑識活動によって、複数の血痕が車内に残されているのが判明した。その内の一つは、明らかに西野自身のものだった。涼子と妻の証言で分かったことだが、西野は会議室に乗り込んで来たときから、包丁を握る右手から出血していたらしい。おそらく、所長と受付職員を刺したときに自傷したものだろう。それが新しい血痕として車内にも点在していたのだ。問題は、それ以外の古い血痕だった。しかし、それは量的にも微量で、時間的にも相当前のものと推定され、DNA鑑定は不可能だった。だが、西野がたびたびその車で外出しているのは、私も妻も見ていたから、その複数の血痕の存在は、澪の両親や兄の安否に暗い影を投げかけたことは事実である。

すぐに、西野邸の家宅捜査も行われていた。だが、その結果は意外だった。私と、そしておそらくは谷本の予想にも反して、そこからは澪の両親も兄の姿も発見されなかったのだ。それどころか、事件の痕跡を示すものは、二階の一室に血液反応が認められた以外は、ほとんど残されていなかった。いったい、澪の家族はどこに消えたのだ。特に私にとって意外だったのは、母親を発見できなかったことだった。私は、澪の様子からして、少なくとも母親は生きているのではないかと思っていた。たぶん、西野邸で、監禁状態にあるのだろうというのが私の推理だった。半分行動の自由を許されながら、澪が他人に助けを求めなかったのは、マインド・コントロールもさることながら、母親を人質として取られていたからではないかと考えていたのだ。

私は一週間の間、自宅には戻らなかった。青梅《おうめ》街道沿いにある、地下鉄丸ノ内線の南阿佐ヶ谷駅近くのホテルに滞在していた。近くの病院に入院している妻を頻繁に見舞わなければならなかったという実質的便宜もある。しかし、その病院は私の自宅からも、タクシーを拾えば、十分程度で着いてしまう場所なのだ。私が、しばらく自宅から遠ざかった本当の理由は、しつこく取材を申し込んでくるマスコミを避けるためだった。

マスコミの騒乱は異常だった。私が犯罪心理学者として、テレビなどに顔を出していたことが、その騒乱を助長する要因の一つだったことは否定できない。新聞やテレビはともかく、週刊誌レベルでは、興味本位の無責任な記事が跳梁跋扈《ちょうりょうばっこ》していた。中には、私を名探偵に見立てて、なりすまし殺人鬼と名探偵の対決とおもしろおかしく書き立てているものもあった。穴があったら入りたいとは、こういう気分のことを言うのだろう。考えてみれば、名探偵どころか、私はことごとく西野に出し抜かれていたのだ。今度の事件について、私自身があげた得点は一つもなかった。なりすまし殺人という概念も、野上から暗示を与えられたもので、私自身が推理発見した事柄ではない。

澪が私たちに助けを求めてきた夜も、パトカーが到着したときの私の対応は最低だった。西野はすぐにパトカーの警官に駆け寄り、私たちの略取誘拐を主張したのだ。その結果、西野を逮捕できなかったどころか、西野に主導権を奪われ、私たちが警察から不愉快きわまりない事情聴取を受けるはめになったのである。

西野に対するあれだけの疑惑を感じながら、それを谷本に伝えるタイミングが遅れたのも失敗だった。伝えていれば、警察は西野に対する監視を強めたかも知れない。そうなっていれば、少なくとも澪を奪い返されることはなく、時間の経過とともに、マインド・コントロールが解けていく澪から、決定的に重要な証言を引き出すことができたはずである。

要するに、私が犯罪心理学の専門家と言っても、それは所詮理論だけの話で、実践的にはまったく無力な存在であることがはっきりしたのだ。問題は、マスコミがそのことに気づいていない点だった。気づいていないと言えば、野上のことも日野市の事件との関連も、マスコミは依然としてまったく気づいていないのだ。そして、それが発覚したとき、マスコミの騒乱がどの程度常軌を逸したものになるか、私には想像も付かなかった。

（八）

あたりを見渡した。マスコミの存在は確認できなかった。依然として、田中母娘《おやこ》の家の前には、一台のパトカーが停止し、その向こうには黄色の規制線が張られていた。西野の家は、しんと静まりかえり、闇の中に沈んでいる。寒風が吹き抜けた。私は、思わず、左手で紺のコートの襟を立てた。右手では、旅行用のキャリーバッグを引きずっている。

私が家を空けてすでに十日が経過していた。その間、下着などの着替えを取りに戻ろうとも思ったが、結局、病院近くの西友で買って間に合わせた。妻の着替えなどは、阿佐谷に住む妻の妹が面倒を見てくれているため、その日まで帰宅せずに済んでいたのだ。だが、さすがに一度家に帰って、さまざまな整理をする必要があった。さいわい大学は入試期間だったので、授業も会議もほとんどない。ただ、大学などから届いているはずの書類やメールを確認したかった。研究に必要な書籍は、研究室にもあったから、私は何度かホテルから研究室まで直接通っていた。

玄関の鍵を開けた。それからもう一度、郵便受けに戻った。たまっている新聞と郵便物の山を取り出し、両腕に抱えた。キャリーバッグはひとまず玄関の敷石の上に置きっぱなしにした。私は荷物を抱えたまま、右手の小指をドアノブに引っかけるようにして、扉を開けた。むっとするような異臭が鼻をついた。抱えていた新聞と郵便物が、手から滑り落ちた。不意に鼓動が打ち始めた。半開きの扉から中をのぞいた。闇の中に壊れた石像のような物体が放置されていた。デパートの倉庫の中に置かれているマネキンのようにも見えた。だが、細部は分からなかった。そのことが私の知覚を奇妙に鈍麻させた。

不安は、明瞭な恐怖へとは変化しなかった。私は、玄関の踊り場に体の半身を滑り込ませ、窮屈な格好のまま左壁上の電灯スイッチを押した。すべてがあからさまに映し出された。悲鳴が響き渡った。私自身の声だった。凍り付いたような人間の目が私を凝視していた。喉仏《のどぼとけ》付近から、大量の血液が噴き出し、黒い腫瘍の固まりのように凝固している。顔面には、すでに乾ききった血が、何かの模様のように飛散していた。女の顔だ。だが、その顔は性別を超えて、人間の物体という即物性を喚起した。後方によろめきながら、私の視線は、その物体のそばに無造作に転がる肉棒を掠《かす》め捉えた。脚だ。切断された、一本の人間の脚だ。わけが分からなくなった。不意に密度が増したような異臭を一層強く意識した。私は鼻を押さえながら、再び、玄関の外に飛び出した。

足をもつれさせながら、キャリーバッグの放置された位置まで戻った。屈《かが》み込み、バッグの中から携帯電話を取り出そうとした。その一瞬、吐き気が襲ってきた。私はうつむき、しゃがみこんだ。黄色の粘液が顎の皮膚を濡らした。ぐっとこらえて顔をあげた。私の視界の隅を田中邸の前に停車していたパトカーから降りてくる制服警官の姿がよぎった。私は何かを大声で叫んだ。何と叫んだのか、自分でも分からなかった。警官がこちらを振り向いた。私は、もう一度大声で何かを叫びながら、警官のほうに走り出した。

そのあとは、すべて無声のフィルムのように進行した。だが、私の記憶はところどころが途切れている。パトカーが立て続けに何台か到着した。けたたましいサイレンが鳴っていたはずだが、その音を私は記憶していない。私の家の玄関に殺到する制服警官たち。中をのぞき込んだ警官たちの口から一斉に発せられた驚愕と恐怖の声。やがて、私はパトカーの中に押し込まれ、制服警官から事情を聞かれた。何と答えたかほとんど覚えていない。唯一の救いは、今度はその日の比較的早い段階で、谷本が顔を出したことだ。谷本は、自分でも現場を見たあと、やがて押しかけてきたマスコミから私を隔離するように、別の刑事が運転する乗用車に私を乗せて、現場を離れた。

後に分かったことだが、殺されていたのは、澪の母親である西野信子《のぶこ》だった。座椅子に上半身をロープで縛られた状態で、私の家の玄関の床上に放置されていたのだ。直接の死因は、鋭利な刃物で喉仏を切られたことによるものだった。その脇には、明らかに遺体の胴体から切断されたと思われる片脚が無造作に投げ出されていた。そして、検死と司法解剖の結果、恐るべきことが判明した。生体切断だったのだ。つまり、西野信子は、生きたまま、片脚を鋭利な刃物で切り落とされたのである。

死体の腐乱状態から死後十日から十一日程度と推定されたから、西野が児童相談所を襲う直前まで生きていたことになる。おそらく、児童相談所を襲う前に、死体を投げ込んだのだろう。明らかな見せしめだった。私に対する脅しにも挑発にもなっていた。私は澪が物理的な自由を与えられていたにも拘らず、外部の人間に家の中で起こっていることを通報できなかったのは、単純なマインド・コントロールによるものだけではなく、何か強い恐怖を植え付けられていたせいではないかと考えていた。その恐怖の原因が、この母親の片脚の生体切断だったとすれば、合点が行くのだ。

不気味な情景が思い浮かんだ。ひょっとしたら、西野は母親の片脚を一気に切断したのではなく、少しずつ切り刻みながら澪に対する脅しとしてそれを利用したのかも知れない。私の妻が聞いたという泣き声は、澪の声ではなく、脚を切り刻まれて泣き叫ぶ母親の声ではなかったのか。戦慄《せんりつ》した。それにしても、澪の母親が澪が私の家に助けを求めてきた段階でもまだ生きていた可能性が高いことを考えると、何とも言えない気持ちになった。あのとき、警察が西野の家を急襲していたら、澪だけでなく母親も救出できたかも知れない。またもや、後手に回ったのだ。すべてがあとの祭りだった。

その日、私は荻窪署で谷本たちから事情聴取を受けたあと、密かに谷本と共に、自宅に戻った。本当は私の家は警察関係者以外のすべての人間が立ち入り禁止となっていて、所有者の私でさえ入ることができなかった。だが、谷本に頼み込んで、警察関係者と同じ扱いで一時的に中に入れてもらったのだ。事件が発覚したのが、午後七時くらいで、私たちが自宅に舞い戻ったのが、夜の十二時近くだった。マスコミの姿はほとんど消えていた。一部のテレビ局のスタッフが夜のニュースの現場中継を終えて後片付けをしているところだったが、谷本と一緒に中に入っていく私に気づいた様子はなかった。もちろん、私はこの事件がどう報道されているのか、関心はあったが、その日はとてもテレビニュースなどを見ることができる状況ではなかった。

私が家に戻ることにこだわったのは、パソコンのメールを見るためだった。私は、携帯のメールは普段、あまり使用していない。仕事上のやりとりは、ほとんどパソコンのメールだった。私は西野からメールで私に何らかのメッセージが届いている可能性を考えていたのだ。私たちが引っ越しの挨拶に出かけたとき、私たちは名刺交換しており、私の名刺には私のメールアドレスが記されていたはずである。澪の母親の遺体を私の家に放り込んだのは、明らかに私に対する脅迫と挑発だったが、同時に強い自己顕示欲を感じさせる行為でもあった。まさか、本気で私に罪を着せようという発想があったとは思えない。

私の勘は的中した。私は谷本と共に、書斎に入り、彼の目の前でメールを開いた。十日間も家を空けていただけあって、百通を超える着信メールがあった。半数は宣伝メールか迷惑メールで、実質的なメールをチェックするのには、それほど時間はかからなかった。ふと気になる件名に気づいた。「プレゼント」とあるのだ。差出人の名前はない。本文を開いた。

高倉先生
隣人の西野です。プレゼントはいかがでしたか？　奥様に怪我をさせてしまったお詫びの印です。でも、元はと言えば、あなたたちがいけないんですよ。余計なことには首を突っ込まないことです。これ以上、調子に乗って名探偵を気取っていると、今度は本当に奥様の命をいただくことにもなりかねませんよ。くれぐれも自重することをお薦めします。
西野拝

私たちは息を吞むように顔を見合わせた。妻の顔が思い浮かんだ。妻の入院する病院には毎日顔を出しているが、妻の身辺に変化はなかった。このメールが差し出された日付と時間を見ると、児童相談所事件の翌日の午前中だった。後の調査で、立川にあるネットカフェから出されていることが判明した。それからすでに一週間くらいが経っているわけだから、西野がもう一度本気で私の妻を襲おうと考えているとは思えなかった。しかし、谷本はすぐに捜査本部に電話を入れ、妻の身辺警護を頼んでくれた。

「思った以上に恐ろしい相手ですね。犯罪を楽しんでいる感じさえする」

谷本が憤懣《ふんまん》やるかたないという口調で言った。確かに、その通りだった。できたら、もう関わりたくない相手だった。だが、澪に対する責任が私の肩に重くのしかかっていた。せっかく私たちの家に助けを求めてきた澪を救い出せなかったという思いは、私の心の中で、次第に罪の意識に変化し始めていた。どうしても澪を救い出したかった。

「そうですね。それにしても、澪さんのことがこのメールのなかに一行も出てこないのは、不気味ですね」

「ええ、彼女が危害を加えられていなければいいのですが――」

谷本の言い方は、婉曲《えんきょく》に過ぎた。明らかに、彼女が殺されている可能性を示唆しているのだ。確かに、逃走する西野にとって、人質の役割を終えた彼女は足手まといでしかなかった。

第四章　血　縁

（一）

携帯電話が鳴っていた。だが、私はいつものようにすぐには覚醒しなかった。昨夜はさすがになかなか寝付かれず、明け方になってようやく浅い眠りに落ちたのだ。それからどれくらい眠ったのか、見当がつかなかった。薄目を開けて、室内を見渡した。窓側のカーテンの隙間から、弱い冬の日差しが差し込んでいる。私は、自分が居る場所が自宅ではなく、京王プラザホテルの二十階であることをぼんやりと意識した。自宅での寝泊まりは、二、三日控えて欲しいと警察から要請されていた。もちろん、そんな要請がなくとも、とてもそんな気にはなれなかっただろう。もう一度阿佐谷のホテルに戻ろうとしたが、すでに満室だった。やむなく、新宿の京王プラザに部屋を取ったのだ。自宅からは遠ざかるが、大学は西新宿にあったから、ある意味では便利な場所である。それに、できるだけ自宅から遠ざかりたいという本能が働いてもいた。

枕元の携帯を取って、受信ボタンを押した。

「はい、高倉です」

我ながら寝ぼけた声だった。

「あ、先生ですか」

躊躇するような若い女性の声が聞こえた。一瞬、誰なのか分からなかった。私は一呼吸置いて、沈黙した。

「影山です――」

燐子だった。燐子の声さえ、すぐには認識できないほど疲労困憊《こんぱい》しているのだ。

「ああ、君か。こんなに朝早くどうしたの」

「えっ、先生、もう十一時ですよ」

燐子に言われて、ベッドに取り付けられた時計の針を見つめた。

確かに、すでに十一時になろうとしていた。

「ああ、そうか、もうそんな時間か」

私はため息をつくように言った。

「先生、昨日は大変だったですね。みんな大騒ぎしてますよ」

「そうだろうね。テレビなんか大騒ぎしてるんだろうな。もっとも、こっちは昨日はテレビなんか見る余裕もなかったけどね」

「テレビもそうですが、大学でもすごい話題になってますよ。ゼミ生もみんな心配してます。大和田君なんか、変に興奮していて、ゼミ生みんなに先生を応援に行こうなんて、メール出してるんです。あれじゃあ、本気で先生のところに行くかも知れませんよ」

「大和田は結構だよ。それより君に来て欲しいな」

こんな危険な言葉が思いもよらずスムーズに出た。やはり、私も異常な興奮状態に陥っていて、善悪の弁別機能が低下しているのだ。

「いいですよ。私も何かお手伝いができることがあるかも知れないと思って、お電話したんです」

燐子は何の屈託もなく言った。意外な言葉だった。

「助かるよ。実は、少し手伝ってもらいたいことがあるんだ」

不意に正気に戻ったように、私は危険な文脈を穏やかな方向に修正した。その実、特に、燐子に手伝ってもらいたいことがあるわけではなかった。

私たちは、結局、私の宿泊するホテルの一階にあるコーヒーショップで会うことになった。以前に、野上と待ち合わせた場所だ。またもやホテル内の場所を選ぶことに、躊躇はあった。だが、他にいい場所が思いつかなかった。それにそのコーヒーショップは、路上に面する位置にあったから、客室につながるエレベーターとは、無関係に出入りができる。

「十二時半に、そのコーヒーショップに行けばいいんですね」

「ああ、そうしてくれ」

「少し遅れるかも知れませんよ」

「かまわない。昼飯でも一緒に食おうよ」

私たちの交渉はあっという間に成立した。すぐに電話を切った。燐子に会えると思うと、元気が出た。やはり、燐子は私にとって特別な学生だった。特に、今のような異常な心理状態にあるときは、必要なのだ。だが、その燐子も、あと一ヶ月で私の元を離れていく。

ベッドの上に上半身を起こした。あらためて、ツインの部屋であるのを意識した。チェックインのとき、シングルを希望したが、たまたま空いていたので、サービスでベッド二つの部屋を提供してもらったのだ。スペースもシングルの倍以上ありそうなぜいたくな部屋である。

二つのベッドの間に無造作に投げ出されているキャリーバッグが目に留まった。ベッドの上に座ったまま、それを手元に引き寄せた。ジッパーを開いて、中をのぞいた。郵便物の束が見えた。それが私のバッグに入っている経緯ははっきりしなかった。あの死体を見たとき、私はそれらの郵便物を新聞と共に玄関の敷石の上にばらまいた記憶がある。それが再び、私のバッグのなかに収まっているのは、ひょっとしたらあの混乱状態の中で、私はそれを拾い集め、無意識のうちにバッグのなかにしまい込んだのかも知れない。本来、それは警察が保管すべき証拠物ともなり得るものだったが、いくつかの偶然が重なってそれは警察の精査をすり抜けたのだ。

私は、ホテル備え付けの浴衣のままで、郵便物を一つずつチェックし始めた。たいした意味も感じていなかった。燐子との約束の時間が来るまでの時間つぶしという感じだった。たいていは宣伝か、大学からの業務通知の類《たぐい》だった。矩形《くけい》の白い封書が目に留まった。結婚式などの通知に使われるような封筒だった。裏書きを見た。はっとした。「河合園子」とあるのだ。

封を切って、中身を取り出した。四つ折りにされたコンサートのプログラムと一枚のチケットが出てきた。プログラムを開いた。右上のスペースに園子直筆のメモ書きがあった。「ご無沙汰しています。よろしければ、私のコンサートにおいで願えないでしょうか。コンサート終了後、楽屋をお訪ね下さい。ぜひお伝えしたいことがあります。河合園子」

プログラムそのものを見た。河合園子ピアノリサイタル。いくつかの曲名が書かれている。ほとんど知らない曲だ。だが、たまたま最後に記されている曲だけは知っていた。練習曲作品一〇第一二番ハ短調「革命」。別名「革命のエチュード」として知られる、ショパンのピアノ独奏曲だ。ルイス・ブニュエルの映画『哀しみのトリスターナ』を思い出した。病《やまい》で片脚の切断を余儀なくされたトリスターナが絶望のあまり、狂ったようにこの曲を弾く場面があるのだ。その場面が印象的で、クラシック音楽などにはほとんど関心のない私でさえも、この曲は知っていた。私は脚が不自由だった園子とトリスターナのイメージを重ね合わせた。私は、およそ三十年ぶりに会うことになるかも知れない園子があの曲をどんな風に弾くのか、さまざまな想像を巡らした。

コンサートは、二月二十三日の午後六時からだった。明後日《あさって》だった。危ないところだ。この郵便物を取り出すタイミングがもう少し遅れれば、私は園子に会う機会を逸したことだろう。園子が私に何を伝えようとしているのかは不明だった。だが、それが野上に関する極めて重要な何かであることは、直感的に感じ取っていた。

（二）

私と燐子が着いた席は、偶然、私と野上が日野市の行方不明事件のことを話し合った場所と同じだった。私たちがそこを選んだのではなく、案内係に、そのテーブルに案内されたのだ。何かの因縁を感じた。

燐子も私もナシゴレンを注文した。そのコーヒーショップのナシゴレンは私の好物だった。それに激辛の豆板醬《トウバンジヤン》をたっぷりかけて食べるのが、私の好みだ。燐子は、その私の食べ方を見ただけで、顔をしかめ、身を竦《すく》めた。辛い物が特に苦手だったのだ。だが、そんな反応も、燐子の側に、私に対する親しみが生まれつつあることの暗示にも見えた。

「君は、昔、ピアノを習っていたと言ったね」

「小学校から高校を卒業するまで習ってました。たいして上手《うま》くはなりませんでしたけど――」

「『革命のエチュード』って曲、知ってる？」

「ええ、ショパンの曲でしょ。ピアノの独奏曲ですよね」

「君もあの曲ぐらい弾けるの」

「無理ですよ。昔ならともかく、今では――」

言いながら、燐子は大さじのスプーンで、豆板醤の入っていないナシゴレンを口元に運んだ。その一瞬、いつもより濃いめのルージュが唇の上でぬめりのような光沢を発した。ナシゴレンの上にのせられていたフライドエッグの黄身《きみ》の断片が、こぼれるように、燐子の唇近辺に広がり、付着した。燐子は、それに気づいていない。その口元は妙になまめかしかった。

ジーンズのショートパンツに黒のタイツ。胸元がかなりV字に開いた紺のセーター。その日の燐子の服装だ。店に入ってコートを脱いだとき、すぐにその胸元の開きに気づいた。今、正面から見つめると、うつむき加減に食事をする燐子の胸元はさらに開き、白い胸の微かな隆起さえ見えていた。思わず、視線をそらした。

「演奏は難しいの？」

「ええ、とっても。練習曲《エチュード》なんてタイトルが付いているけど、ピアノ独奏曲の中では、もっとも難易度の高い曲なんです。ちょっと素人じゃ難しいですよ。十九歳のブーニンがショパン・コンクールで優勝したときに弾いた曲としても有名ですけど」

「今度河合園子の演奏会で、あの曲が弾かれるんだ」

「えっ、先生、河合園子のピアノがお好きなんですか？　先生がクラシック音楽まで詳しいなんて知りませんでした」

「いや、犯罪研究を生業《なりわい》にしている僕がクラシック音楽に詳しいわけないだろ。ただ、河合園子は僕の高校時代の同級生でね。それで、チケットを送ってくれたんで、出かけようと思ってるんだ。プログラムを見たら、『革命のエチュード』が出ていて、あの曲だけは何となく知ってたんだ。河合園子って、そんなに有名なのかね？」

「もちろんですよ。ピアノ奏者の中では、日本で五指に入るくらいです。それにしても、彼女の演奏会に本人からチケットをもらって行けるなんて、うらやましいな。私も行きたいです」

　私は焦った。チケットは一枚しかなかった。それに、そのあとで園子との間で交わされる会話を考えると、燐子を連れて行くことなど不可能だった。

「ごめん。今度はチケットが一枚しかないんだ。その代わり、次回は河合園子に頼んでチケットを二枚送ってもらうことにするから」

言ってから、思わず、息を呑んだ。デートに誘っていると思われても仕方のない言葉だった。だが、そんなつもりはなかった。ただの口のスリップだ。燐子はにっこりと微笑んだだけで無言だった。私に対する、燐子の反応には、絶えずこういう曖昧さが漂った。

「奥さん、大丈夫ですか？」

燐子は不意に話題を変えるように、真剣な表情で訊いた。彼女も、新聞やテレビの報道で、今度の一連の事件に関する基本情報は知っているはずである。

「ああ、今は入院中だけど、あと数日で退院できるんじゃないかな。傷は思ったほどたいしたことはなかったんだよ。まあ、不幸中の幸いかな。ただ、精神的なショックからどう立ち直るかが、問題だろうね」

「そうでしょうね。本当にお気の毒ですね」

燐子と私の視線が合った。微妙な瞬間だった。二人とも大和田にかけられたかも知れない不倫の嫌疑を意識していたはずだ。妻の入院中、私が美しい女子学生とシティーホテルのコーヒーショップで、昼食を共にしているのは事実だった。この行為に必然性を持たせるためには、私が事件のことで何か頼み事をする必要があるのだ。だが、何も思いつかなかった。

「ところで、大和田君は近頃、どうだい？」

私は、やむを得ず、定番の話題に頼った。近頃、卒論のことを除けば、大和田のことが私たちの話題の主要テーマだった。

「相変わらずです。変なメールは一杯来ます。そのメールの内容も、ますますエロくなっていますよ。でも、もう慣れっこになっちゃって、あんまり深刻に考えないようにしているんです。どうせ卒業まであと一ヶ月ちょっとでしょ。卒業してしまえば、顔を合わせることもありませんから」

「彼も困ったもんだ」

深いため息をつきながら言った。実際、大和田のことを考えると情けなかった。そんなことに精力を使うより、他にやることがあるだろうと言いたかった。

「大和田君のことはもう、どうでもいいです。私、好きな人がいますから。その人のことを考えていると、少し明るい気持ちになれるんです」

燐子の顔が輝いた。私は、逆に、軽い落ち込みを感じた。ということは、燐子はすでに、以前にも話していた「好きな人」と、良好な恋人関係に入ったということだろうか。

「じゃあ、この前、話していた人と上手く行き始めたということだね」

私は、平静を装って訊いた。顔では笑っていたが、確定的な返事は聞きたくなかった。

「いいえ、状況は変わってません。相変わらず、その人、私が好きなことにさえ、まったく気づいてくれません。きっと、ずっとこのままだと思います。私、結局、その人とは別の人と結婚することになると思うんです。絶対そうなります。でも、それでもいいんです」

「それは一体誰だね。僕の知ってる人？」

思い切って訊いた。燐子の口調が何か暗示的に聞こえたのだ。軽い気持ちを演出して訊いたつもりが、語尾が微かにうわずった。燐子ははにかんだように笑った。頬が幾分紅潮していた。返事はなかった。

そのとき、私の胸元の携帯が鳴った。やむなくそれを取り出し、受信ボタンを押した。

「あなた、大丈夫？」

妻の声が聞こえた。私は、立ち上がり、燐子をテーブルに残したまま、入り口のレジ近くまで歩いた。

「ああ、大丈夫だよ」

「ひどいことがうちで起こったのね」

「警察から聞いたのか？」

「ええ、谷本さんが病院まで来て、説明してくれたわ。それに他の刑事が交代で私の警護もしてくれているわ」

「そうか。ともかく、詳しいことは今日、そっちに行って話すよ。今、京王プラザに泊まってるんだ」

「そう、何時頃来れるの？」

「夕方になると思う。その前に、いろいろと事務的なことを処理しなければならないんだ」

言いながら、また、嘘を吐いている自分を意識していた。燐子との昼食に二時間くらいは見ておきたかったのだ。

「そう、じゃあ、待ってるわ。気をつけてね」

妻は何の疑いも持たず、電話を切った。燐子の座るテーブルに戻った。もはや、燐子の「好きな人」について話す機会を失っていた。事件のことを話し始めた。燐子も、犯罪研究のフィールドワークと感じているのか、私の話を熱心に聞いている。ときに、質問まで挟んだ。しかし、私が彼女に何を手伝って欲しいかは、最後まで訊かなかった。それが、私が彼女を呼び出す口実に過ぎなかったことは、彼女も分かっていたのかも知れない。それを言うなら、燐子のほうも、私のところにやって来る口実として、私の仕事を手伝うことを仄《ほの》めかしたとも解釈できるだろう。淡い期待を感じた。だが、すぐに打ち消した。あり得ないのだ。私は、もうとっくに、そんな恋の煩悶から置き去りにされた年齢だった。

（三）

クセのある高音の主旋律が執拗に反復される。私が覚えていたのは、その旋律だけだ。

その度に、園子の白いドレスが波打った。何か不吉なことが起きそうな予兆、あるいは嵐の前触れの表現とでも言うべきか。奏者がピアノの鍵盤に不安と苛立ちをたたきつけるような激しい旋律。ピアノの技術については分からなかった。だが、私の全身には負の高揚感が満ちていた。

五反田《ごたんだ》の「ゆうぽうとホール」で、「革命のエチュード」を聴いていた。夢の中の光景のようにも感じていた。私の席からは園子の表情の細部は見えない。ただ、最初に舞台に登場したとき、その独特の歩行が、過去の記憶を呼び覚ました。違っていたのは、園子が制服姿ではなく、純白のイブニングドレスを身につけていたことだけだ。

拍手が沸き起こった。聴衆は総立ちだった。私も立ち上がって、拍手した。場違いなところに来たという違和感はいつの間にか消えていた。笑顔で聴衆に応える園子の表情は、一芸に秀でた人間だけが身につけている自信と謙抑《けんよく》がほどよく解け合い、凛とした静謐《せいひつ》をたたえていた。高校時代の園子の顔を思い浮かべた。内気で哀しみに満ちた表情はもはやなかった。それは間違いなく好ましい人間の変化に思えた。

ホールの裏手に回った。正面玄関からは、帰りを急ぐ人々の群れが、外の闇に吐き出されていた。私は私の通行を妨げるように目の前に置かれた木製の白い案内板を見つめた。「関係者以外は、立ち入り禁止」。だが、楽屋はその通路の奥にあるようだった。私の前を三人の若い女性が通りすぎ、躊躇することなく、その通路の中に入っていった。その内の一人が花束を抱えていた。手ぶらの自分を意識した。そんな慣行には疎《うと》かった。今更、花束を用意する術《すべ》もない。問題は、どうやってその通路の奥の部屋にいるに違いない園子と連絡を取るかだ。私は、当惑の表情を浮かべて、その場に立ちつくした。

通路の奥から、胸にネームタグを下げた女性が出てきた。明らかにこの演奏会の実施スタッフだ。

「すいません」

私は恐る恐る声を掛けた。

「河合園子さんにお会いしたいんですが、楽屋はこの奥でしょうか？」

女性は、穏やかな笑みを浮かべて立ち止まった。

「失礼ですが、ご本人とお約束されているのでしょうか？」

「ええ、演奏終了後、楽屋に来るように言われています」

「お名前は？」

「高倉と申します」

「少々お待ち下さい」

女性は、軽く会釈すると、元来た通路を引き返していった。五分ほど待った。先ほどの女性が再び姿を現した。

「どうぞ、こちらにおいで下さい」

私は、女性のあとについて、「立ち入り禁止」の通路を進み始めた。胸の鼓動が高まった。

（四）

室内に入った。広い部屋だった。壁際には、華やかな花輪や花束が並べられていた。戸口からかなり離れた奥のソファーで、園子がさきほど見かけた三人の女性たちと談笑していた。

「先生、それではまた」

女性たちは私の姿を見ると、口々に挨拶の言葉を交わし始めた。

「今日は、どうもありがとう」

園子もにこやかな笑みを浮かべて応えていた。女性たちは、戸口に立つ私にも軽く会釈して、出て行った。

「先生、高倉様をお連れしました」

私を案内してくれた女性が言った。園子が私のほうを見た。私は、園子が立つ方向に歩みよった。園子の表情が明確に分かる位置まで近づいた。成熟した女性の落ち着きと気品を湛《たた》えた顔が私の視界を捉えた。全然知らない女性の顔でもあった。過去の面影はなかった。

「高倉君？　なつかしいわ。今日は、どうもありがとう」

園子が表情を崩した。笑っていたが、泣き出しそうな顔にも見えた。私にもようやく、およそ三十年ぶりで、高校時代の同級生に会っているのだという実感が湧き起こった。

「お久しぶりです。今日は、招待してくれてありがとう。素晴らしかったよ」

「本当は来てくれないかも知れないと思ってたの。新聞でいろいろと報道されてるの、私も知っていたから」

言いながら、園子は私を案内してくれた女性のほうをちらりと見た。その女性の前で持ち出すのがふさわしい話題であるとは彼女も思っていないのだろう。それは私に対する気遣いの気持ちの表れのようにも見えた。

「ああ、確かにいろいろと大変だったよ。ただ、僕のほうも今日あなたと是非話したいことがあってね」

「私もよ。私は普段は鎌倉に住んでいるんだけど、今日は帝国ホテルに泊まることになってるの。あそこのコーヒーショップでゆっくりお話しできません？」

私が同意すると、園子は今から着替えるから、十分程度ロビーで待っていて欲しいと申し出た。

タクシーで帝国ホテルに向かった。すでに夜の十時近かった。普通に走れば、二十分くらいで着く距離だったが、道路の混雑状況次第ではもっとかかるかも知れなかった。私たちは、その間《あいだ》、事件とは何の関係もない雑談を交わした。園子は、白いドレスから黒のパンツスーツとベージュのブラウスに着替えていた。ブラウスの左胸には、大きな白い真珠のブローチをつけている。ベージュのコートは腕に抱えたままだ。私たちの話題は必然的に音楽のことに及んだ。

「高倉君、クラシックのコンサートは何回も来たことがあるんでしょ」

「いや、とんでもない。その方面はまったく不案内でね。今日で、せいぜい二度目か、三度目というところですよ。だから、今日の曲目もほとんど知らなかった。ただ、ショパンの『革命のエチュード』だけは、前から知っている好きな曲でね。あなたの演奏であれが聴けたのは本当に幸運でした」

「そう、あの曲が好きなの。私もショパンの中では一番好きな曲よ」

私は不意に『哀しみのトリスターナ』の話がしたくなった。だが、躊躇する気持ちもあった。「革命のエチュード」との関連で言えば、必然的にトリスターナの脚の切断に言及することになると思ったからだ。そのことが園子の脚を連想させることは避けられない気がした。私は、いまだに、三十年前に私が高校近くのバス停で目撃した出来事にこだわっていたのかも知れない。

もちろん、あのときの園子と、今、私の真横に座る園子は、別人としか言いようがないほど違っていた。脚を引きずる歩行動作だけは同じだったが、その動作が気にならないほど、園子の全身には今や一芸に秀でた人間のオーラが漲《みなぎ》っていた。だが、過去に蓄積された記憶の澱《おり》は、なかなか風化するものではないのだ。

「クラシックなんかにあまり興味がなかった僕があの曲を知ったのは、ある映画の中であの曲が演奏されたからなんですよ」

「『哀しみのトリスターナ』でしょ」

園子は間髪を入れずに、言った。意外だった。私たちは、ブニュエルの映画を見て育った世代よりは、一世代くらい若い世代のはずである。

「ええ、そうです。河合さんもあの映画、ご覧になったのですか」

「見ました。『革命のエチュード』が好きだっていう人の中には、あの映画を見たという人が多いのよ。それで何人かの人に言われて、私もレンタルビデオ店で借りて見てみたの。主演は、カトリーヌ・ドヌーブだったかしら。彼女が手術で片脚を失ったあと、あの曲を弾く場面は、確かにすごかったわ。私自身、自分の脚のことも考えて、身につまされるような気持ちになったわ。高倉君、あの映画好きなの？」

私は、一瞬、躊躇した。好きと言えば、好きな映画だった。だが、そもそも人間の好悪の範疇に入らない映画のようにも思えた。それに、私の好悪を尋ねる園子の訊き方が、どこか暗く聞こえたのだ。

「うん、好きか嫌いかはともかく、優れた芸術映画だとは思いますよ」

「それは、そうね。映画としては一級品の映画であることは私も認めるわ。でも、私はあまり好きじゃないの。ううん、私が脚が不自由だからあの場面が嫌だというわけじゃないのよ。私、あの映画が持っている特異な思想性というか、特にラストシーンに象徴されるような夫婦に対する皮肉で否定的な捉え方が、我慢できないの。私は、人間の愛というものをもっと信じたいから――」

そのラストシーンは確かに印象的だった。トリスターナの養父であり、夫である男が死んでいく場面だ。トリスターナは、若い頃から、この養父に育てられ、やがて心ならずも肉体関係を強いられ、夫婦同様の生活を送る。その間《かん》、貧乏な画家との駆け落ちも経験するが、脚の病《やまい》にかかって養父の元に舞い戻る。その後、画家とは結局、別れ、姉から遺産を受け継いだ養父の経済力で暮らし続けるのだ。最初は、恐ろしく傲慢《ごうまん》だった養父も歳と共に気が弱くなり、トリスターナに対して、卑屈な態度で接するようになる。だが、彼女は彼を許していない。養父の晩年、地元の司祭の薦めで、二人は形式的な結婚をするが、トリスターナは夫になった養父に対して残酷に振る舞い、ベッドを共にすることも拒否する。

最後の場面の演出は秀逸だ。細部は私も覚えていなかったが、だいたい次のような描かれ方だった。夫が心臓麻痺を起こし、トリスターナに助けを求める。彼女はいつもと違って、思わぬほど優しく接し、医者に電話するために別室に急ぐ。ベッドの中で苦しみもがく夫の姿をカメラは捉える。その画面の上に、医者に電話をするトリスターナの声がかぶる。やがて、カメラはパンし、別室のトリスターナの姿を映し出す。ぎょっとする瞬間だ。トリスターナは、受話器を取っていない。ただ、架空の受信者に向かって、話しかけているだけなのだ。彼女は夫が死んでいくのを見殺しにしようとしているのである。不作為による殺人と言ってもよかった。そのあとは、幾分、幻想的な描写で、どこまでが現実に起こっていることなのかは分からない。トリスターナは夫がベッドに横たわる寝室の窓を開け放つ。強風が吹き込んでくる。その強風の中、フラッシュバックで、過去の回想の場面が断片的に映し出され、映画は終了する。

この映画の最後に残るものは、まさに「憎しみ」という感情でしかなかった。トリスターナが求めていたものは、夫の遺産でも、もちろん愛でもなく、その憎しみの完遂だったのだ。その意味で『哀しみのトリスターナ』という邦題が適切かどうかも分からなかった。実際、原題は、単に『トリスターナ』なのだ。

「そうですね。あのラストシーンは確かに残酷ですね」

私は、しばらく間《ま》を置いたあと、一語一語を噛みしめるように言った。園子と野上のことを考えた。私は、愛と憎しみという言葉を頭で巡らせながら、二人の別れ方が、どんな別れ方だったのかを想像していたのだ。そうしているうちに、タクシーは帝国ホテルの正面玄関に滑り込んだ。

（五）

　結局、私たちはコーヒーショップへは行かず、園子の部屋で話すことになった。園子自身がそう申し出たのだ。私もそのほうがいいと思っていた。私たちが話すことになる内容は極秘でなければならないことなのだ。そして、私はテレビや新聞のおかげで、この一ヶ月、急ごしらえの有名人になりつつあった。さすがにマスコミの取材攻勢を一切受け付けないのは不可能で、私はすでに複数のテレビ局のインタビューに応じていた。回数的には数回であっても、その画像はテレビ局のニュースやワイドショーでも反復的に流されたから、私の顔は否《いや》が応でも世間に知られることになった。考えてみると、ホテルのコーヒーショップで顔を晒すことはこの上もなく大きなリスクを冒すことなのだ。ただ、共に中年の男女とは言え、園子の部屋に入ることにいささかの躊躇はあった。だが、園子が気にしないのであれば、私はもちろんそれでもよかった。

　園子の部屋の応接セットに対座して話した。園子は、私のために室内に設置されたミニバーから、スコッチの水割りを作ってくれた。彼女自身は、冷蔵庫からソフトドリンクを取り出していた。

「マスコミの取材攻勢で大変なんでしょ」

互いに飲み物を一口ずつ飲んだところで、園子が言った。本題に入るための導入的表現にも思えた。

「そうですね。マスコミには言えることと、言えないことがあるしね」

あえて含みを残した言い方にした。実際、マスコミの質問で一番困ったのは、田中母娘《おやこ》の家で発見されたもう一つの遺体が誰のものかというものだった。もちろん、マスコミは私の推理を訊いているのだが、推理する必要もなく、私はその解答を知っているのだ。その質問は、西野が田中家の事件に関与しているかどうかと関連して訊かれる質問だった。

だが、私は自分の推理については一切、話さなかった。私は、犯罪心理学者としての顔はあくまでも封印し、事件の当事者として、西野との間で起こったトラブルについてだけ客観的な事実に限定して話そうと心がけた。しかし、マスコミは、犯罪心理学者としての私の推理も聞きたがったから、インタビューは、いつも奇妙に嚙み合わないものになった。

「高倉君、野上の行方不明は、今、あなたが関わっている事件と関係しているのかしら。知ってるでしょうけど、私は谷本さんという警視庁の刑事と直接会って、話しているのよ。野上の後輩に当たる人らしいけど、私に野上のことで質問するばかりで、向こうからは何も教えてくれないんです。だから、あなたと話がしたくて。実は、野上からあるものをあなたに渡すようにと託されてるの。でも、私が必要な情報をあなたが提供してくれない限り、私はそれをあなたに渡すことができないんです。それが野上自身が私に課した条件なの」

園子は私の目をまっすぐ見つめて言った。一気に緊張した。園子が野上に関する決定的な情報を持っている予感を感じた。

「その情報の中身はともかく、それが何であるかだけでも教えてもらえませんか？」

「彼から手紙が届いたんです。その中にあなたに渡して欲しいという手紙も添えられているの。封を切ってないから、私もその中身は分からないけど」

「それは、いつ頃、あなたの手元に届いたんですか？」

「たぶん、今年の一月十日くらいじゃないかしら。投函されたのは、一月九日よ。消印はそうなってるんです。ただ、私がそれを目にしたのは、一月の十三日だったわ。海外で演奏会があって、年末から日本を離れていたので――」

田中邸の放火殺人が起こったのは、一月十五日だ。その六日前に野上は、その手紙を投函したことになる。

「条件というのは？」

私は躊躇しながらも訊いた。園子は、一瞬、息を呑んで黙った。だが、意を決したように言った。

「彼の死なの。彼の死が確認されてから、その手紙をあなたに渡してくれと。それまでは、絶対に、私も含めて誰も見ることができないようにしてほしいと、私に宛てた手紙の中で書いているの。本当よ。その手紙は私との関係についてプライベートなことがいろいろと書いてあるからお見せできないけど――」

衝撃だった。野上が死んだと確認されたときにのみ、私が読むことができる手紙。それなら私にはすでにそれを読む資格があるのだ。だが、それをどうやって園子に伝えるかは、また、別問題だった。私は、とりあえず、遠回しな質問から始めた。

「失礼なことを訊くことになるけれど、野上とは離婚されていますよね」

「ええ、もう十年以上前のことよ」

「その後も、野上とは連絡を取り合っていたんですか？」

「離婚後、しばらくは音信不通だったわ。でも、一年くらい経ったころから、ぽつんぽつんと連絡が入るようになったんです。ほとんどメールだったけど、たまに電話で話すこともあったわ。最初の内は、本当に一年に一、二度だったけど、会いもしていたんです。彼が行方不明になって、最初に谷本さんが私に連絡してきたとき、私、ここ五年ほどまったく会っていないから事情は全然分からないって、言っちゃったんだけど、それは半分ほんとで半分嘘だったの。ここ五年ほどは実際、お互いに忙しくて一度も会っていないことは事実だけど、ときどきメールや電話のやり取りはあったんです。もちろん、ちょっとした四方山《よもやま》話をするだけで、彼について私が何か重要なことを知ってるわけじゃなかったけど」

「そんな状況のときに、今年になって、彼から、突然、深刻な内容の手紙が舞い込んだというわけですね」

「そうなの。もっとも、私に宛てて書いている文章では、あくまでも私と彼の問題について、書いているだけで、さっきも言ったように、自分の死が最終的に確認されたときにだけ、あなたに渡して欲しいという手紙が添えられていたの」

「彼の行方不明が今度の一連の事件とどうして関係があると思うのですか？」

あまりたちのいい質問ではないと感じていた。あらかじめ答えを知っていながら、訊いているような質問だった。しかし、私は迷っていた。園子に野上の死を伝えるべきかどうか。また、伝えるとしたら、どのタイミングで伝えるべきなのか。

「直感と言えば、直感よ。でも、根拠がないわけじゃないんです。ただ、それを話すには、私たちの離婚の事情をあなたに聞いてもらわなければならないの」

園子は視線を落とした。私は水割りのグラスに少しだけ口をつけ、唇を潤わせた。それから、言った。

「ぜひ聞かせてくれませんか。プライベートなことをお聞きして申し訳ないが、それが今度の野上君の行方不明と多少とも関係があるとすれば、私としてはやはり聞いておきたいのです」

「いいわ。お話しします。私たち、別に仲が悪くて、離婚したわけじゃありません。少なくとも、私は今でも彼を愛しています。結婚した当初から、彼は脚の不自由な私を大切にしてくれて、私がピアノに集中できる環境を作るのに協力してくれました。もちろん、彼は刑事だから、帰りも遅くって、その意味では大変だったけど、それでも私の家事なんかほとんど免除してくれている感じで、私としては本当に感謝していたの。ただ、一方では、私たちの間ではトラブルが絶えなかったんです。彼のお兄さんが原因なの」

「高校時代、彼には腹違いの兄と姉がいるという噂は聞いていましたが、そのお兄さんのことなの？」

「ええ、そうよ。そのお兄さんとお姉さんは、野上の父親の先妻の子供なの。父親は先妻とは離婚していて、野上の実のお母さんと再婚してたんです。その異母兄姉《きょうだい》二人と、彼は子供の頃から成人するまで、二十年近く、一緒に過ごしていたのね。彼が大学生の頃、父親が彼の母親と二度目の離婚をしたんだけど、彼は母親のほうについたため、母方の姓である野上を名乗ることになったの。兄と姉は矢島という父親の姓をそのまま名乗り、彼とも別々に住むようになったんだけど、どういうわけか、その兄と彼の付き合いはその後も続いていたんです。私は、お姉さんという人とは会ったことがないんだけど、お兄さんのことはよく知ってるの。結婚した頃から、頻繁に私たちが住んでいたマンションに訪ねてきてたのよ。そして、私はこのお兄さんが大嫌いだったんです」

「野上君は、どうだったんです？　そんなに頻繁に彼に会いに来たのなら、野上君とは親しかったんでしょ？」

「それが全然そうじゃなかったの。彼もそのお兄さんが大嫌いだったみたい。私や彼だけじゃないと思います。ああいう人を好きな人はほとんどいないと思いますよ。傲慢で意地悪で、図々しくて、悪口を言ったら、切りがないくらい。私と初めて会ったときも、私の脚をじろじろ見て、露骨に馬鹿にしたようなジョークを言うような人だったんです。本当に優しかった野上とは正反対の性格だったんです。まあ、兄弟と言っても、半分しか血がつながっていないのだから、性格が違うのは当然だけど、私はその矢島と知り合ってしばらくすると、彼が訪ねてくるたびに体が硬直したみたいになって、本当に怯えきるようになっていたわ」

話の筋がぼんやりと見えてきた。その矢島という野上の兄に対する嫌悪感が、結局、野上と園子の夫婦仲を裂いたのだろう。しかし、それにしても不思議なのは、野上がなぜそんな男との付き合いを継続したのかということだった。特に、母親はすでに父親と離婚していて、その結果、二人の異母兄姉とは姓も住むところも違っていたのだから、縁を切るのはそう難しくなかったはずである。私はそこの所を確かめにかかった。

「しかし、それにしても、野上君がそんな男とどうして縁を切ろうとしなかったのか不思議ですね」

「いいえ、野上も何とか彼から逃れたいとは思っていたようです。実際、私たち、結婚した当初は都心部のマンションに住んでいたんですけど、矢島が頻繁に訪ねてくるようになってから、鎌倉の一軒家に引っ越したんです。都心部なら矢島が訪ねてくるのは簡単だけど、鎌倉まで行ってしまえば、そう簡単には来れないだろうと思ったんです。でも、ダメでした。私たちは、矢島に引っ越したことを知らせなかったはずなのに、彼はいつの間にか私たちの住所を突き止めて、再び、やって来るようになりました。そして、以前にも増して、図々しくなって、夜遅くまでお酒を飲み、泊まっていくこともあった。私はついにたまりかねて、『あの人と縁を切って』って、野上に迫った。でも、野上は不思議なほど弱腰で、無理に縁を切らないほうがいい、何をされるか分からないからって、言うんです。彼は『悪の天才』だとも言っていたわ」

悪の天才。その言葉を心の中で反芻した。一体、野上は何に怯えていたというのか。現役の刑事が、である。園子は喋り続けた。

「私には、野上が何か弱みを握られているとしか思えなかった。実際、確証はないけど、私の居ないところで、野上があの男にお金を渡しているような気がしてたんです。だから、私は何度も野上に向かって、『あなた、あの人に弱みでも握られているの』って、訊いたんです。『あなた、現役の刑事なんでしょ。彼のことを何とかできないはずはないわ』って言って、彼をなじりもしました。そのうちに、私と野上の間も、ぎくしゃくしてきて、野上は次第にその話題に触れなくなり、私が無理に触れようとすると、露骨に嫌な顔をするようになったんです。その間《あいだ》も、矢島の訪問は続いていました。特に怖かったのは、野上の留守中に矢島が訪ねてくることでした。刑事だった野上は、帰りが夜中になることなんかしょっちゅうだったでしょ。特に、鎌倉に引っ越してからは、野上は外泊することもあったのよ。一度なんか、野上の留守中、夜の十一時頃、チャイムが鳴ったので、外をのぞいたら、闇の中に矢島が立っているのが見えて、本当にぞっとしたの。裏から、そっと逃げ出して、同じ鎌倉に住む友人の所まで行って、事情を話して、一時的に匿《かくま》ってもらったんです。そんなことが重なる内に、ある日、突然、野上が離婚を言い出したの。一方的に謝って、自分には愛人がいることを告白した。ショックだったわ。でも、知らなかったからショックだというんじゃなかった。本当のことを言うと、私、かなり前から彼に若い愛人がいることに気づいていたの。でも、反面、愛人がいても仕方がないと思っていた。私、こんな体でしょ。言いにくいことだけど、夫とのセックスも難しいし。だから、彼が外に愛人を作ってもやむを得ないという気持ちはあった。ただ、そのことを黙っていて欲しかった。すでに事実によって十分傷ついているのだから、言葉によってその事実が確認されることには耐えられなかった。もちろん、彼のお兄さんのことで、私がさんざん彼を責め立てたことも、彼の気持ちが私から離れた理由の一つだったわけだから、私にも責められるべき所があることも分かっていたわ。でも、愛人のことだけは彼の口から聞きたくなかった。女って、そんなものなのよ。でも、結局、頭がぼおっとした状態のまま離婚届に判子を押してしまったけど——」

園子は私から視線を逸らし、虚空を見つめた。夥しい過去の回想が、脳裏を流れているようだった。

「その後、野上君とぽつりぽつりと連絡を取るようになってからは、その矢島という彼の腹違いの兄について、彼が話すことはなかったのですか？」

「ええ、離婚後は、さすがに矢島もぴたっと私のところにやって来ることはなくなっていたし、離婚の大きな原因の一つが、矢島のことだっていうことは、二人とも分かってたから、あえて話題にしなかったの。でも、こんど届いた手紙で、はっきりとではないけど、矢島のことだと分かる一行があった。僕は、君がよく知っている問題に、今でも苦しんでいますという、一節があるんです」

「ということは、矢島という男と、野上君は、まだある種の付き合いがあるということでしょうか？」

「そうだと思います。彼より、七歳年上だと言っていましたから、今、五十三歳くらいになっているはずですけど。姉のほうは、野上とはあまり歳が離れていなかったそうですが」

園子が不意に姉にも言及したことに、何か違和感を感じた。野上の腹違いの兄の姿が異様に鮮明に想像されるのに対して、同じ矢島を名乗るはずの姉のほうは、どこかそのイメージがあいまいなのだ。もちろん、その複雑な人間関係から除外された存在なのかも知れなかったが、三人の血縁から一人だけ無関係で居られるはずはないとも感じていたのである。

「ねえ、高倉君、私は野上と私のことについて、知ってることはもうみんな話したわ。だから、あなたにも本当のことを話してもらいたいの。もちろん、警察から口止めされていることもあるでしょう。でも、野上の安否だけでも教えて欲しいの。彼、今でも生きているの？」

胸部に疼痛を感じた。妻にはすでに、野上のことは話してあった。さすがに、事ここに至っては、妻にだけは、谷本との約束を反故《ほご》にしても、真実を話さざるを得なかったのだ。そして、園子も少なくとも、犯罪の被害者である妻と同程度には、野上の安否を知る権利がありそうだった。覚悟を決めた。

「残念だけど、野上君はもう亡くなっています。私の隣家の火災現場で発見された三体の遺体のうち、一体は野上君のものだったのです」

時間が止まったようだった。園子は身動き一つせず、私を凝視した。それから、不意に体が小刻みに震えだした。大粒の涙が、その目から流れ落ちた。私には何もできなかった。ただ、ひたすら、園子が落ち着くのを待つしかなかった。

（六）

　私の近隣は以前にも増して、静まりかえっていた。なにしろ、隣家も向かいの家も空き家となり、警察の管理下に置かれているのだ。向かいの家の前には、相変わらず、パトカーが常駐している。その後ろには、黒く焼けただれた日本家屋が無惨な残骸《ざんがい》を晒している。現場検証を終了したあともしばらくは使用を禁止されていた私の家は、さすがに所有者である私たちが自由に使えるようになっていた。だが、心理的には、私たち自身が警察の管理下にあるような状態だった。

　妻は、退院していた。警察の警護対象からも、外されていた。私たちのほうから無理に頼んでそうしてもらったのだ。しかし、向かいの家の前にパトカーが常駐していることを考えてみると、依然として、警護が解かれていないも同然に思えた。

　幸い、妻は帰宅後は精神的にも落ち着いていた。プロの清掃業者に玄関も含めた一階すべてを清掃してもらっていたが、さすがに、西野信子の遺体が玄関の床上に置かれていたのだと思うと、気味が悪かった。「引っ越したいわ」と妻は言った。だが、同時に「こんなに有名になっちゃ、買い手が見つからないね」とも嘆いた。実際、私たちの家の近辺は、大げさに言えば、日本中が注目しているエリアだったのだ。

園子と会った日、帰宅したのは夜中の一時近くだった。妻は、まだ起きていた。以前なら、とっくに就寝していたはずだが、事件後は私が帰るまでは、眠らないようにしているようだった。その日は、私が園子に会うことを知っていたから、話の内容を聞きたかったということもあるのだろう。私たちは、リビングのテーブルに座って、少しだけ話した。

「相変わらず、テレビのワイドショーは、私たちの事件ばかりよ。本当に嫌になっちゃうわ」

「私たちの事件か」

私は、皮肉な口調で妻の言葉を反復した。それにしても、このリビングに座っていると、澪のことが思い出された。澪が助けを求めてきた日、私たちは、彼女をリビングに座らせて、必死で落ち着かせようとしていたのだ。西野も澪も、あれ以来、その行方は杳《よう》として知れなかった。

「河合園子さんに会えたんでしょ？」

「会って、いろいろと聞かせてもらったよ」

「それで？」

「本当のことを言わざるを得なかった」

「野上さんの死を伝えたってこと」

「そうだ。迷ったけど、そうせざるを得なかったよ。彼女、取り乱していた」

言いながら、ため息をついた。河合園子の取り乱した表情を思い浮かべた。あの反応から間違いなく言えることは、園子はいまだに野上を深く愛していたということだ。

「彼女の話から、何か新しいことが分かったの？」

「離婚の事情を聞かせてもらったんだ」

「それが事件と関係があるの？」

「あるかも知れないし、ないかも知れない」

そう言ったあと、私は野上の腹違いの兄である、矢島のことを話した。聞き終わると、妻は言った。

「何か臭うわね。その矢島っていう腹違いのお兄さん。西野のイメージに似ていなくもないし」

私も妻も澪を拉致して、逃走している犯人のことを相変わらず、西野と呼んでいた。しかし、その逃走犯が本物の西野ではない可能性が高まっていた。西野の兄が上京して、警察に弟の写真を持ってきたのだ。五年ほど前のものだったが、現在の顔とそれほど異なっているとは思えない。その写真が、警察を経由して、私の所にも回ってきたのだ。私の隣人だった西野とは、似ても似つかない写真に思えた。しかし、別人だと断言することもできなかった。考えてみると、私たちが見ていた西野の顔は、何か軟体動物のようなイメージで、そもそも素顔がどうであったのか、思い出せないような奇妙な顔だったのだ。

「西野が、実は矢島かも知れないということか。でもね、僕たちはあまりにも異常な事件に遭遇したものだから、感覚が麻痺しちゃっていて、すべての人間が西野のように見え、また聞こえるのかも知れないよ。彼女のそんな話だけで、その矢島という男と西野を結びつけるのは、いかにも乱暴な議論だよ。そこのところは、僕たちも冷静に判断しなくちゃならないだろうね」

妻は、深刻な表情で聞きながら、私の言うことに深く頷いた。園子から渡された野上の手紙のことには、とりあえずは触れなかった。いずれ、妻には話すつもりだったが、何しろ、その中身を私自身が読んでいないのだ。持ち帰ったばかりのその手紙は、私の鞄の底にしまい込まれていた。

「それにしても、こんな異常な騒動いつまで続くのかしら。早く、澪ちゃんが保護されて、西野が捕まってほしいわ。あなただって、今は、授業がないからまだいいけど、四月になって新学期が始まったら、大変でしょ」

それはそうだった。園子のコンサートがあったその日は、二月二十三日で、日付が変わって、すでに二十四日になっていた。少なくとも、四月までにこの一連の事件が解決されなければ、私自身の精神状態がどうなるか、不安だった。そして、事件解決の鍵を握るものが、私がこれから読もうとしている野上の手紙であるのは間違いないように思われた。それがどの程度の新しい情報をもたらすのかが問題だった。場合によっては、事件は急展開するかも知れないのだ。

（七）

書斎に入った。妻は、寝室に向かった。調べ物があると適当なことを言ったが、妻は私が事件のことで何かを調べようとしていると思ったことだろう。だが、妻も疲れているようで、特に何かを聞き出そうともしなかった。

鞄から、野上の手紙を取り出した。表書きには、「高倉君へ」とあるだけである。裏書きには、彼の氏名が書かれていたが、住所の記述はない。封を切った。ざっと見ただけでも、便せんで三十枚近くある。黒のボールペンで書かれた几帳面な小さな文字が並んでいた。長い文だった。

高倉君、僕は、この手紙を都内の某所で書いている。君がこの手紙を読むときは、僕はすでに死んでいるはずだが、これは断じて遺書ではない。むしろ、僕の調査を君に継続してもらいたいという現実的な目的で書かれていることを、あらかじめここに明記しておきたい。君にとっては迷惑な話かも知れないが、僕がこのことを託せるのは君しかいないんだ。本当は君と会ったとき、直接、依頼すべきことだったのだが、あの時点では僕には確信がなかった。いや、この手紙を書いている今だって、確信があるとは、言えないんだよ。ただ、僕の死が僕の疑惑を確信に変えることは間違いない。つまり、君がこの手紙を開くということは、僕が考えていたことが不幸にも的中していたことの証《あかし》となるわけだ。

ああ、それにしても僕はとんでもない男の陥穽《かんせい》に嵌《は》まってしまった。その状況を君に説明するためには、僕の生い立ちと家庭環境について、少し詳しく説明しなければならない。それは僕の異母兄姉《きょうだい》との、特殊で異様な関係を君に分かってもらうことでもある。

僕の父は放蕩者《ほうとうもの》だった。今ではそういう男を何と呼ぶか知らないが、昔で言えば、プレイボーイ、あるいは女たらしと呼ばれる類《たぐい》の男だった。そのくせ、職業だけは妙に堅く、某都市銀行に勤めるサラリーマンだった。

父が僕の母と再婚したとき、当然僕はまだ生まれていなかった。父には離婚した先妻との間にできた、二人の子供があった。一人は善雄《よしお》という五歳の長男で、もう一人は由岐《ゆき》というまだ赤ん坊の長女だった。とんでもない男というのは、この矢島善雄のことだ。善雄という名前は、この男にやがて起こったことを考えると、最大の皮肉としか言いようがない。なにしろ、彼はその後、悪の権化《ごんげ》のような男に「進化」していくのだから。

父が僕の母と再婚した二年後、僕が生まれた。そして、僕はその後二十年ほどこの異母兄姉と一緒に暮らすことになる。テレビドラマ風に言えば、こういう母親の違う兄弟姉妹は不仲で対立することが多いのだろうけど、僕たちの場合、そんな単純な関係ではなかった。むしろ、僕は姉の由岐とは非常に仲がよかった。歳が二歳しか違わなかったせいもある。いろんなことをいつも一緒にやったし、趣味も性格も合っていた。実際、僕は母親が違うなんてことも考えたことがなかった。後年、物心ついた頃、父からその事実を教えられたときも、たいしてショックはなく、むしろ「それがどうしたの」というような気持ちだった。兄の善雄とだって、最初から仲が悪かったわけではない。ただ、年齢的に離れていたせいもあり、姉に対するような親しみは感じていなかったけれど、少なくとも嫌いという感情が芽生えて来るには、少し時間がかかった。善雄も僕たち妹弟《きょうだい》の面倒をよく見てくれた時期もあった。特に彼が中学生の頃、僕たちにとって、善雄は素晴らしい兄で、憧れの対象と言ってもよかった。

実際、兄は頭が抜群によかった。たいして勉強もしないのに、中学校では学年で一、二を争う成績だった。高校も、僕と君が通った高校とは別だったが、やはり都立のトップクラスの高校に進学した。だが、言うまでもなく、学業成績や能力と人間の善良さは必ずしも比例しない。いや、反比例することさえあるのだ。そして、善雄は高校時代からその見本のような存在になっていく。彼が変わったのか、それとも先天的にあったものが顔を出し始めたのかは分からない。ただ、人間の変化には常に理由があるものだ。その理由を僕なりに考えると、それは彼が自分の容姿を認識し始めたことによるのだと思う。

僕の父は、皮肉な言い方をすれば、女たらしだけのことはあり、それなりに容姿の整った男だった。父の先妻には会ったことがなかったけど、父は僕や母の前でさえ、なかなかの美人だったと自慢していたぐらいだから、やはり、容姿的には悪くはなかったのだろう。実際、二人の血を引く姉は、性格は地味で控えめだったけど、顔立ちはとても整っていて、後年、男性の間では魅力的な存在になっていく。だが、善雄は、二人の美形の両親を持っているはずなのに、その容姿にはどことなく他人に嫌悪感を催させる所があったのだ。そのことが彼の心を荒《すさ》ませていったのは、否定できない。そして、やっかいだったのは、彼が自分の容姿を腹違いの弟である僕と常に比較して、その憤りとコンプレックスを隠さなかったことだ。

僕と善雄は、母が違うとは言え、父を介して、血はつながっていたのだから、容姿的にも似ているところは当然あった。身長は、二人とも長身で、百八十センチを超えていた。顔も部分部分を取り出せば、いくつかの点で、類似点があった。だが、全体の印象がまったく違うのだ。一つ一つのほんのわずかな違いが、全体として見た場合、大きな違いになる典型的な事例みたいなものだった。

もちろん、僕は自分の容姿について客観的な判断は不可能だったけれど、これが僕の周辺から聞こえてくる善雄と僕の容姿に関する評価だった。僕たちと初対面の人間は、決まって「似てますね」とは言うのだ。ただ、その発言者の言動は微妙で、「弟さんのほうがいいですね」というニュアンスをそれに続く発言の言外に滲ませるのだ。僕は、自分の容姿がいいか悪いかなど考えたこともなく、こういう他人の発言は迷惑以外の何物でもなかった。そういうことがあるたびに、善雄の僕に対する憎しみが増幅されていくのが分かるからだ。

僕が中学生になったころ、善雄はすでに大学に進学していた。高校時代は、たいして勉強もしなかったため、さすがにトップクラスの成績というわけにはいかなかったが、それでもそこそこに名の知れた私大には進学していた。この頃から、由岐と善雄の関係も異常にぎくしゃくしたものとなり始めた。いや、ぎくしゃくなんて言葉は、適切とは言えない。善雄に対する由岐の嫌悪感は、もうどうしようもないものになっていたと言っていい。もともと善雄と由岐は、同腹だったから、異母の腹から生まれた僕とそりが合わないというなら、世間ではよくある話だろう。だが、僕と由岐は仲がよかった。というより、由岐は善雄を嫌い、僕を好いていたと言ったほうが正確だろう。このことが、僕に対する善雄の憎しみを決定づけたことは間違いない。

だが、この話にはもっと驚くべき秘密が隠されている。善雄の由岐に対する感情は、普通の兄妹《きょうだい》の感情とは明らかに異なっていた。善雄は由岐のことを女として愛していたのだ。そして、善雄は僕と由岐について話すとき、そのことを隠そうとしないどころか、あからさまに宣言したのだ。「俺はあいつをいつかものにしようと思っているんだ」彼は僕に向かって、はっきりとそう言った。その頃、僕は中学生で、彼はすでに大学生だった。いくら嫌いと言っても、力関係は歴然としていたから、僕はこの異常な兄の話を聞かないわけにはいかなかった。もちろん、心理学や精神医学の専門家である今の君は、そんな感情が家族関係の中で起こっても不思議ではないと言うかも知れない。しかし、それは当時中学生だった僕には、まったく理解を超えるような話だった。

姉は、当時中三だった。そんな中学生の妹について、大学生の血のつながった兄が「ものにする」という表現を使ったのだ。そして、言外にお前は手を出すんじゃないぞという脅しが込められているようにも感じていた。それも信じられない話だった。僕は確かに姉の由岐と仲がよかった。だが、姉と言っても、仲のよい友達みたいな感覚だった。姉は、僕のことを「セイちゃん」と呼んでいた。僕の名前が、誠次《せいじ》だからだ。僕のほうも彼女のことを「ユキちゃん」と呼んでいた。僕自身は、当然のことながら、姉のことを女として、ましてや性の対象として見たことなど一度もなかった。だから、最初は兄の発言にショックを受けたというより、意味が分からなかったと言ったほうがいい。だが、兄が何度も同じことを言うものだから、次第にその意味を理解し、恐ろしくなり始めたというのが真相だ。

兄は、口だけではなかった。高校受験を控えた姉に対して、具体的な行動も取っていたのだ。当時、僕たちは二階建ての一軒家に住んでいた。一階には、父の書斎と応接室、それに両親の寝室があった。二階は、子供たちの部屋が三室あった。家族構成と部屋数を考えると、住宅に関する生活環境はかなり恵まれていたと言うべきだろう。父が大手の都市銀行の行員で給料は悪くなかったということもあるが、父はもともと資産家の家柄だった。その上、長男だったから、相当額の遺産を親から引き継いでいた。僕たちが住んでいた家も、遺産相続で手に入れた土地の上に、家を建てたものだった。この遺産を巡って、善雄と父の間にも確執が起こるのだが、それはもっとあとになってからの話だ。

姉に対する兄の異常行為が明らかになったのは、高校受験を一週間前くらいに控えた姉が、夜中に僕の部屋をノックしたときだ。姉と善雄の部屋が並んでいて、僕の部屋は二人の部屋の向かい側にあった。そのとき、姉は僕に助けを求めてきたのだ。勉強を教えてやるという口実で、善雄が姉の部屋に入ってこようとするという。僕は姉を自分の部屋に入れて話を聞いたのだが、姉は前に何度か勉強を教えるという口実で服の上から体を触られたことがあるらしい。その夜も、善雄はしつこく姉の部屋をノックして、勉強を教えてやると言い続けていたため、善雄が一階に下りた隙に、僕の部屋に逃げ込んできたのだ。善雄も姉が僕の部屋に飛び込んだことくらい分かっていたのだろう。だが、その日は、さすがにばつが悪いのか、僕の部屋まで追いかけてくることはなかった。

翌日、姉は両親にこのことを訴えた。僕の母は、姉から見れば継母だったが、幼児のときから育てたせいか、姉のことをかわいがっており、結構仲がよかった。姉は、最初は母に訴え、母の口から父の耳に入ったらしい。普段は、家庭のことにあまり興味を示さなかった父も、この話はさすがに聞き捨てならないと思ったのだろう。自分の書斎に善雄を呼んで、問いただしたのだ。しかし、その結果は、父にとって惨めなものになった。善雄は、妹に対するそんな行為を認めなかったどころか、さらに執拗に問いただそうとする父をぼこぼこにぶん殴ったのだ。

父は、さんざん殴られたあと、髪の毛を引きずられて、僕らがいた応接室（大型のテレビが置かれていたため、僕らはこの部屋を実質的には居間みたいに使っていた）まで連れてこられ、僕らの前でもう一度こっぴどく殴られ、ついには「俺が悪かった」という詫びまで入れさせられたのだ。止めに入った母は、突き飛ばされ、姉は泣きじゃくり、僕は恐怖のあまり凍り付いていた。詫びを入れるときの父の顔は怯え切っていた。僕たちの家において、父の威厳が完全に失墜した瞬間だった。高校時代も、善雄はすでにやりたい放題で、父のことなど無視し続けていたが、あからさまに父が面目をつぶすという場面はなかった。父が善雄に何度か怒鳴りつけられる程度のことはあったが、父のほうも適当に言い返して、何とか威厳を保っている感じだった。しかし、このときの父の姿は惨めという他はなかった。そして、それ以来、善雄は僕たちの家で、完全に専制君主の座を獲得することになったのだ。

しかし、僕が君に強調しておきたいのは、善雄の我が家における暴君ぶりは、よく家庭内暴力を行う引きこもりの子供に見られるようなヒステリックで理性を欠いたものではなかったということなのだ。むしろ、それはある意味では、秩序だった、計算し尽くされたものだった。特に、善雄は母や由岐に対して、言葉で脅しつけることはあっても、暴力を振るうことはまったくなかった。父や僕はときおり張り飛ばされたが、その場合でも、適当にムチとアメは心得ていて、特に僕に対してはときに、高額な小遣いをくれるなどご機嫌取りとさえ思えるようなサービスを行ったのだ。

父に対しても、父が外で女遊びをすることは特にとがめ立てせず、それでいながら、継母に対しては父の放蕩にたいして義憤を感じていることを伝えたりして、二人の間の愛憎のバランスの上に立っていた。母と再婚しても、父は相変わらず、女関係はだらしがなかったから、それは母にとってストレスの種であったに違いない。善雄は、そこを巧みについて、母が完全に父寄りになることを防いでいたわけだ。要するに、彼の家族支配は、ただひたすら暴力的であったわけではなく、家族間の愛憎の心理を巧みに利用する、高等戦術でもあったのだ。

だが、ここでも特筆すべきなのは、彼の由岐に対する感情だろう。彼が僕にとっては姉、彼にとっては妹の由岐を特別扱いしているのは明らかだった。僕は善雄の様子を見ていると、彼が本当に由岐のことが好きなのがよく分かった。彼は、ときに脅しつけながらも、総じて由岐には優しかった。そして、毎晩のように、彼女にプレゼントを買ってきた。それは主として、アクセサリーだったり、服だったりした。僕は善雄の女性の好みが何となく分かり始めていた。由岐は、いわゆる女っぽいタイプの女性ではない。顔立ちは整っていたけれど、清楚でボーイッシュな印象だった。髪も短髪で、ジーンズなど穿《は》いていると、男の子と間違えられてもおかしくないくらいだった。善雄の好みがそういう中性的な美を持つ女性であることは、後に彼が気に入った女性との共通性からも明らかだった。

それはともかく、高校生になった姉にも変化が見られた。兄に対する嫌悪感を剝き出しにするのは、得策ではないと感じ始めたのだろう。それが成長と共に身につけるようになった彼女の分別だったのかも知れない。表向きは、素直な妹を演じて、なるべく自分の気持ちを覆い隠そうとしているようだった。ただ、善雄が留守で、僕と姉が二人だけになるとき、彼女の感情は爆発した。「気持ち悪いの。耐えられないよ」と繰り返した。特に、善雄が買ってきた服を着なければならないのは苦痛だったようだ。

姉が、両親ではなく、僕に訴えたのには、それなりのわけがある。両親のどちらかに言うと、それが善雄に伝わる可能性があったのだ。善雄に対する恐怖心からか、父も母も善雄にたいして奇妙な媚《こ》びを示し始めていた。善雄のほうも自分が留守中の由岐の言動を両親から聞き出していた節があった。だが、僕は善雄に訊かれても、知らないとしか答えなかったから、姉は僕のことを信用していた。二人だけになると、堰《せき》を切ったように、善雄に対する嫌悪感を言いつのったのだ。だが、それも姉が高校二年生だったある時点で、ぴたっと止まった。僕は、ある日、見てはならないものを見てしまったのだ。

その日、僕は夜中の一時頃、尿意を催して、トイレに立った。僕が廊下に出た瞬間、姉の部屋の扉が開き、ふらふらと姉が出てきた。前髪がほつれ、それが額にかかって、いつもの姉とはまったく違うなまめかしい表情になっていた。だが、僕が驚いたのは、その表情ではない。姉はそのとき、ブルーのジーンズに白の半袖のTシャツという格好だったのだが、ジーンズのジッパーが半分くらい開いていて、白い下着までがはっきりと見えていたのだ。一番上に一つだけ付いているボタンも外れていて、しかもTシャツの丈が短かったため、臍《へそ》までがのぞいていた。姉は呆然としていた。僕が目の前にいることも気づかないように、そのままトイレに入っていった。だが、次の瞬間、僕はもっと驚かなければならなかった。姉の部屋から、善雄が出てきたのだ。そして、彼は僕を見ると、にたりと不気味に笑い、勝ち誇ったように僕に向かってVサインを出したのだ。僕は、尿意も忘れて、あわてふためいて自分の部屋に引き返した。

このことについて、姉はあとになってから一言だけいいわけするように言ったことがある。

「セイちゃん、いいのよ。セックスされたわけじゃないんだから」この言葉を聞いたとき、僕は姉があのとき僕のことに気づいていたことを知った。だが、姉にしてみれば、気づいていないふりをするしかなかったのだろう。

この出来事以来、僕と姉の会話も著しく少なくなった。姉は、善雄だけでなく、僕をも避けるようになったのだ。その心理的変化は、僕には不可解だった。僕は何だか僕までが姉に嫌われた気分になり、毎晩、寝苦しい夜を過ごさなければならなかった。

僕が君にこんな恥ずかしい家庭の恥まで伝えているのは、善雄という男がどんなに質《たち》の悪い異常者だったかということだけでなく、由岐に対して、どんなに異常な執着を持っていたかを伝えたいからだ。ただ、こういうタイプの男は、どちらかというと引きこもりがちで、非社交的と思われがちだが、善雄はまったく逆だった。実際、彼の大学での交際範囲は非常に広かった。そして、彼の悪名は家庭内にとどまらず、確実に大学の中でも広がっていたのだ。

僕は彼が大学で行っていた夥しい数の犯罪行為、あるいはそれに近い行為を個々に列挙して、いたずらにこの便箋のスペースを塞ぐつもりはない。ただ、彼が頻繁に行い、トラブルの元になっていた行為は、新しいクラブや同好会を立ち上げて、クラブ運営費と称する金を集め、その後すぐにクラブをやめてしまうというものだった。そして、その集められた金がどうなったかはいつもあやふやになってしまうのだ。もちろん、中には怒る者もいただろうが、所詮は、まだ世間を知らない大学生相手の詐欺だったから、ほとんどがそれほど大きなトラブルにはならなかったようだった。たまに詰め寄る者がいても、彼はクラブのために購入したものの領収書まで示して、弁舌鋭くやり返したから、相手はたじたじとなって退散してしまう。この手口は、彼が大学卒業後、もっと大規模な投資詐欺となって展開されていくことになったが、不思議なことに警察沙汰になるすんでの所で、彼はいつも検挙を免れていたのだ。彼が正業に就いたのは、大学卒業後、二年間、大手の不動産会社に勤めたときだけで、そこを退職後は、得体の知れない金融会社を経営しながら、インチキ商法と投資詐欺を繰り返していたと言っていい。

僕が大学に在籍中、両親は正式に離婚した。その主たる原因は父がまたもや外に女を作ったことだったが、善雄のことが多少とも影響していたことは否定できない。僕も母も善雄と別々に暮らせるなら何でもいいというような気分だったのだ。実際、母は父からたいした慰謝料《いしゃ》も取れなかったようだった。僕と母が家を出るとき、姉は沈んでいた。姉も僕たちと一緒に家を出たかったに違いない。だが、善雄の手前、とてもそんなことは言い出せなかったのだろう。僕が決定的な瞬間を目撃して以降、善雄と姉がどういう関係、つまり、強制されたものとは言え、兄妹《きょうだい》以上の関係にあったのかどうかは、正確なところは分からない。姉自身が、僕にはそのことについては何も語らなかったのだ。結局、姉は善雄と共に父の元に残った。

僕と母は家を出た。大学を出ると、僕は警視庁に入った。白状するが、特に警察官になりたかったわけではない。むしろ、心理的動機としては、善雄に対抗するためには、警察に入るのが一番だと考えたのかも知れない。就職の動機までが、あの男と関係していたのだとすると、僕の一生はすべて善雄に支配されていたという言い方も過言ではないだろう。僕は、就職後もしばらく母と一緒に暮らしたが、母はやがて乳ガンで死んだ。その間、三年ぐらい善雄とも音信がなかった。それは僕にとって、もっとも幸福な時期だった。だが、母の葬式が終わって、一週間くらいが経った頃、善雄が突然、一人で僕の家を訪ねてきた。彼には、僕たちの住所は教えていなかったが、たぶん、姉から聞き出したのだろう。僕は、姉には携帯で母の死を知らせ、彼女だけは母の葬儀に参列していたのだ。

僕は、善雄の顔を見たとき、ぞっとした。しかし、久しぶりに見る善雄は、昔の彼とは全然違って見えた。由岐から聞いて、母の死を知っていたにも拘らず、葬式に出ることができなかったことを率直に詫びたあと、香典だと言って、百万円を差し出したのだ。「あの因業《いんごう》オヤジから、ぶんどってやったよ」と善雄は言った。その言い方は、いかにも彼らしかったが、元の妻の葬式にも出ず、香典さえ送らない父親に義憤を隠さず、僕の自宅の位牌を拝んだあと、あっさりと帰って行った。僕は、すっかり騙《だま》されてしまった。彼がまともな人間になったと思ったのである。だが、実は、そのときの善雄の態度には、恐ろしい策略が隠されていたのだ。

僕が気を許した途端、善雄はさまざまな口実をつけて、僕の所を訪ねてくるようになった。今から思うと、彼が僕との関係を復活させ、それを持続させようとした大きな理由の一つは、刑事としての僕の名前が必要だったからだろう。しばらく勤めていた不動産会社を辞めたあとは、彼の詐欺まがいの商法はますますひどくなっていた。さまざまな会社を立ち上げてはつぶすということを繰り返していたのだ。そして、相手の信用を得るために警察官である僕の名前を巧みに利用していたはずである。いや、単に名前を利用したというだけではない。僕を嵌めるような形で、そういう詐欺まがいの商法の席に僕を同席させ、共犯の片棒さえ担がせていたのだ。

僕は、彼の借金の保証人にも何回かなった。いずれの場合も、彼は借りた金を踏み倒し、結局僕が肩代わりする羽目になり、それによって、僕自身が金融会社から借金することになった。香典という名目とは言え、最初に百万円をもらったことが、妙な心の負担になっていたのかも知れない。だから、最初はあの金の一部を返しているような気分で、僕は彼の借金の肩代わりに応じたのだ。しかし、いつの間にか、僕が彼の借金の肩代わりをした額は、最初にもらった百万円を大きく上回っていた。

君は、刑事である僕の脇の甘さに驚いているかも知れない。しかし、善雄が僕の心理につけ込んでくるテクニックは、恐ろしいほど巧みだった。僕にインチキ商法の片棒を担がせるような状況を最初に設定し、その発覚を防ぐために僕が経済的負担を負わざるを得ないようにし向けるのだ。いちいち書いたらきりがないので、その細部を書くのは控えるが、彼はこうして、僕を詐欺の共犯のような心理に追い込み、経済的に負担させる行為を果てしなく繰り返したのだ。彼のインチキ商法が一時的に上手く運んだとき、例えば、根拠のない投資話で多額の資金を集めることに成功したとき、彼は僕にその利益を分配することを怠らなかった。僕は、不覚にもその金を受け取ってしまった。僕自身の借金が嵩んでいたため、受け取らざるを得なかったということもある。しかし、そのもらった分の何倍もの金が、あとで出て行くようにちゃんと仕組まれていたのだ。

僕が彼との付き合いを断ち切ることができなかったもう一つの理由に、姉の由岐のことがある。この頃になると、父と善雄と由岐は、三人とも別々に暮らしていた。善雄が要求して、元の自宅を父親に処分させ、その金を三人で分配したらしいのだ。善雄は、たぶん、それ以上の金を父に要求し、実際に手に入れたのだと思うが、そのあたりの詳しいことは僕にも分からない。ただ、後に由岐から、生前贈与をめぐって、善雄と父の間に、相当なトラブルがあったと聞いている。

由岐は、すでに高校の教師と結婚し、一児をもうけていた。善雄は、僕と由岐の良好だった関係を意識しているようで、僕に名前を借りることを申し出てくるとき、「妹の旦那は、高校の教師というお堅い職業だから、連中を巻き込みたくないんだよ。お前も、刑事だけど、男だし、血すじの人間だから、仕方ないよな」と言うことがあった。要するに、僕が応じなければ由岐を巻き込むぞと脅しているのだ。姉自身が、僕に電話してきて、彼の要求に応じるように僕に泣きついてくることがあった。姉の頭には、善雄に対する恐怖がこびりついていて、常に彼に何かをされるのではないかという強迫観念に怯えているようだった。

だが、僕の見るところ、善雄の由岐に対する性的関心はもうほとんど薄らいでいた。善雄が引きつけられるのは、中学生から高校生ぐらいにかけての、いまだに未成熟な印象の女性だったのだと思う。結婚した姉は、美しかったが、かつての清純な少年のような面影はなくなり、成熟した女性になっていた。しかし、かつて姉が善雄から受けた性的被害を考えると、僕には姉の恐怖は十分に理解できた。僕は、姉に被害が及ぶのを防ぐために、防波堤のようになって、善雄との付き合いを継続していたという言い方も、あながち間違いではないだろう。

だが、善雄の投資詐欺やその他のインチキ商法に絡む詐欺行為が、永遠に警察の目から逃れ得るなんてことはあり得ない。僕は知り合いの警視庁の生活安全部の刑事に頼んで、善雄のことを調べてもらったことがある。僕と善雄は姓が違うから、その刑事も僕と彼との血縁関係には気づかなかったはずだ。それはともかく、善雄は投資詐欺に関連して、極めて黒に近い灰色の人物として、生活経済課からマークされていた。善雄もそのことは十分意識していて、住所を頻繁に変更していた。僕のところに現れる現れ方も、まさに神出鬼没《しんしゆつきぼつ》という感じで、一定の居所にあまり長くいないように心がけているようだった。そして、彼は、マークされていたことを知っていたが故に、投資詐欺は一時的に停止して、もっと危険な強力犯《ごうりきはん》的な犯罪に突き進んでいったように思えるのだ。

日野市の事件について、僕はある疑いを抱いている。というのも、今から十年ほど前、つまり、あの事件が起こる二年ほど前、僕は善雄から、被害家族の隣に住む水田という人間の家族構成について、職権で調べてもらいたいと依頼されたことがあったのだ。具体的には住民票を見たいというものだった。その頃、彼は立川に金融会社を開いていて、融資対象として適格な相手であるかどうか調べたいというのが口実だった。だが、僕は彼の作った会社の合法性に強い疑いを持っていたから、取り合わなかった。彼のほうも、あまりこだわっていた印象ではなく、それを依頼してしばらく経った頃、電話で「あの話は必要なくなった」と言ってきたのだ。その融資話は、立ち消えになったというような口調だった。

後に、僕が日野市の事件の専従班に入って分かったことだが、水田という人物は、確かに個人で会社を経営していた。従って、融資話を求めて、立川にあったという善雄の金融会社を訪問した可能性はある。そして、その二年後に、隣に住む一家三人が行方不明になったのだ。しかも、それにはシロアリの駆除会社からやって来た男が関連しているという。そんな詐欺商法はまさに彼の十八番《おはこ》だった。一人や二人、そういうインチキ商法に従事している知り合いがいても不思議ではない。いや、実際、後の調査で分かったことだが、善雄が経営していたと思われる立川の金融会社は、都内の数ヶ所でシロアリの駆除会社も経営していたらしいのだ。これはただの偶然なのだろうか。

僕は善雄から、昔、奇妙な犯罪の話を聞かされたことがある。彼は大学の頃から、犯罪研究に興味を持っていて、「犯罪研究会」なるクラブを立ち上げていたのだ。運営費だけ集めて、すぐにつぶしていた他のクラブとは違って、「犯罪研究会」は、意外と長続きさせていたらしい。僕が中学生の頃、善雄は僕に古い犯罪研究の雑誌を見せて得意げに解説したことがある。妙に印象に残っているのは、『犯罪科學』という、非常に古い雑誌の創刊号に載っていた記事だった。

「チエザレー・ロムブローゾの犯罪人類學」というのがタイトルだった。小難しい論文だった。ロムブローゾというのは、イタリアの学者で、犯罪人類学の創始者ということだった。フランス革命の結果、登場した罪刑法定主義を実践的に取り入れた人物だそうで、この罪刑法定主義は、徳川幕府の刑法であった「御《お》定《さだめ》書《がき》百《ひやく》箇《か》条《じよう》」にも反映されているという。僕がこんなことを覚えているのは、たいして意味も分からないまま、その部分を無理に読まされたせいもある。だが、一つには善雄が、そんな、アカデミックで難解な論文を読んでいたのが意外だったからだろう。

ただ、僕が日野市の事件を考えるとき、かならず浮かんでくるのが、その論文を読まされたあと、すぐに別の雑誌に載っていた、ある犯罪の記事について、善雄が加えた解説だった。僕は、小難しい論文を読まされたせいか、頭が綿のようになっていて、その雑誌の名前も覚えていなければ、論文のタイトルも覚えていない。ただ、善雄の説明だけは変に印象に残っているのだ。その記事は、明治期に茨城県の田舎で発生した、いわば「なりすまし殺人」に関するものだった。赤ん坊が一人いる若夫婦の夫が殺され、全然赤の他人がその夫になりすまし、長年の間、村人を欺いていたという話だった。

そんなことが可能だったのは、もともと夫のほうが、他の地域から移り住んできた婿養子であったからだという。妻のほうは地元の人間で、近隣の人々はよく見知っていたが、夫はその地域に移り住んで間もなかったため、村人の多くはその顔さえよく認識していなかった。この犯人は、夫を殺害したあとの数ヶ月後に、同居していた女の両親も殺害し、その一族の財産をほとんど自分のものにしてしまった。事件が発覚したのは、最初に夫が殺害されてから、五年後、妻が幼子《おさなご》を抱いて、助けを求めて近所の家に飛び込んだときだった。

善雄はこの事件について、妙に詳細に話したあと、こう言った。「明治の時代は近隣の関係は現代よりはるかに密だったはずだ。それでも、こんなことが可能だったのだから、人間関係がはるかに希薄な現代では、もっと容易にできるはずだよな」言いながら、善雄は乾いた声で笑った。中学生だった僕には、騙されていた近所の人々はともかく、妻がどうしてもっと早く助けを求めなかったのか不思議だった。僕がそれを訊くと、善雄はこともなげに言った。「支配されていたのさ。ある一定の条件が揃えば、そんなことはわけがないんだよ」彼はそれ以上は言わなかった。また、僕もただ意味が分からないという印象が残っただけで、それ以上は尋ねなかった。だが、今になって思うと、その意味は十分に理解できるのだ。

君はすでに分かっているかも知れないが、僕が警視庁の本庁に入って、日野市の事件の専従に入ることを自ら希望したのは、確かにあの事件に善雄が関与しているかも知れないという疑いを抱いたからだ。その僕の雰囲気が捜査班のなかの一部の刑事に、不審がられ、僕が被害者の血縁ではないのかという噂が流れたが、その噂は正しくはなくとも、いいところは突いていたとは言える。僕は、被害者の血縁ではないが、加害者の血縁ではあるかも知れないのだから。

僕はあの男を自分の手で葬りたかった。その心理を君に説明するのは、簡単なようで案外難しい。彼によって、僕の一生が台無しにされたのは事実である。僕と園子との離婚はあの男が原因だった。姉の結婚生活も、あの男のせいで平穏とは言えなかった。僕は、犯罪の片棒を担がされている気分だった。彼が警察に逮捕され、僕についてあることないことを喋ることを恐れていた。彼は、頭脳明晰《めいせき》な狂人だった。だからこそ、世の中で生きているべきでない人間だった。彼の行動の領域が、単なる詐欺から殺人へと移行し始めているのを感じたとき、僕は彼を葬ろうと決意したのだ。それは、個人的な恨みと社会正義の感情が奇妙に入り交じった感情だったと言っていい。

だが、僕は彼が日野市の事件に関わったのか、確信はなかった。僕が専従班に入って、あの事件を洗い始めたとき、善雄はほとんど行方不明状態だった。僕の所にも、姉の所にも現れなくなっていたのだ。姉は、それでかえってほっとした口調だったが、僕は善雄が何か大きな事件を起こした可能性を考えて、ますます不安になった。

僕は、一人で日野市の事件を洗った。そのことが、専従班のなかの人間関係を悪くしたことは僕も知っている。僕のことを理解してくれたのは、谷本という後輩の刑事ぐらいだった。その谷本君にさえ、僕は自分の捜査内容をろくに教えなかった。僕の心理としては、身内の恥部を暴こうとしている自分の行為が正当な捜査活動ではないことを認識しており、他の人間を巻き込みたくないという気持ちだった。しかし、一課のなかで、そんな僕の心情は理解されるはずもなかった。

その僕がなぜ君のところに相談に行ったのか、僕は君にここで謝まっておかなければならない。鋭い君のことだから、もうすでにお気づきかも知れないが、僕が君に心理学的な判断を仰いだのは、君に接近するための口実だった。もちろん、君がどういう判断をするか、興味はあったから、最初から騙すつもりだったと言われると、僕には少し抵抗があるけれど。

僕が君に会いに行った本当の目的は、君の近隣に住む人の住所に、思わぬことから注目するようになったからだ。実は、僕が専従班に入って日野市の事件を担当するようになってから、一度だけ、僕の携帯に善雄から電話が入ったことがあった。借金の申し込みだった。彼は、例によって、姉の家庭に言及し、僕を脅してきた。僕の姉思いを相変わらず、突いてきたのだ。しかし、僕は強気に反撃した。生活安全部の生活経済課の動きにまで言及して、彼がこれ以上、僕や姉に迷惑を掛け続けるなら、こちらも強い法的措置を取ることを仄《ほの》めかした。善雄は捨て台詞《ぜりふ》を残して、あっさり電話を切った。僕の本気が通じたのだろう。

そのとき、ふと僕は自分の携帯の着信履歴を見て、意外の感に打たれた。そのときの善雄からの電話は、携帯からではなく、固定電話から掛けられていたのだ。しかも、非通知ではなく、その番号がはっきりと表示されていた。彼にしては不用意だった。その頃、彼は足が付くのを警戒して、自分の携帯電話も頻繁に取り替えていたはずである。実際、僕のほうから以前は通じた携帯に電話しても、通じなくなっていた。ともかく、僕は彼が非通知設定にしていなかったその番号から、その固定電話が設置されている家の住所を突き止めたのだ。

同じ頃、僕の家にはちょうど新しい高校の同窓会名簿が送られてきたばかりだった。僕はそれを何気なくぱらぱらとめくっていて、君の住所にふと引きつけられた。善雄が僕に電話してきた固定電話が設置されている家の住所と番地がたった一番違いだったからだ。僕は、君の家を訪問する前に、実はすでに一度君の家の界隈を訪れて、問題の家も確認していた。「西野昭雄」と表札にあった。

僕のまったく知らない名前だった。西野という人物は善雄の知り合いかも知れないと最初は思った。僕は慎重に行動した。日野の事件のことが頭にあった。僕が想像していることが日野市の事件に当てはまるとすれば、彼は君の隣人に対しても同じことをやっている可能性がある。そして、その隣に住む君たち夫婦も危険にさらされていると感じたのだ。僕は、君の家を訪ねた翌日、つまり大晦日にも出かけていき、物陰に隠れて君の隣人を見張った。その結果、僕は西野と名乗る人物が、善雄であることを確信した。

彼はときたま外に顔を出したのだ。眼鏡を掛け、口ひげを生やして、変装していたけれど、二十年も一緒に住んだ異母兄弟を僕が見間違えるはずはない。中学生らしい女の子の姿も確認した。日野市の事件や君の話を総合して考えると、彼が西野という家の主人になりすまして入り込んでいる可能性を考えないではいられなかった。もちろん、どういう方法を使ったのかは分からない。ただ、西野家の誰かが、例えば、善雄のインチキ金融会社から金を借りていたというようなことがあれば、接点を見つけるのはそう難しくはないだろう。

ただ、証拠がないのだ。だいいち、君の近隣では、僕がこの手紙を書いている時点では、まだ何も起こっていない。しかし、僕は日野市の事件に善雄が関連しているという予感をどうしても棄て切れないのだ。僕は、もう少し調査を進めた数日後、そのことを確かめるために、彼と直接対峙しようと考えている。そして、事件に関する彼の関与が明らかになった時点で、彼を射殺し、僕自身も自殺しようと考えている。君から見れば、それは警察官にあるまじき行為であり、彼を逮捕して裁判に掛けるべきだと主張することだろう。

だが、分かって欲しいのは、僕は警察官としての自分の矜持《きょうじ》を失うような行為をすでに何度も繰り返してしまっていることだ。結果的にとは言え、警視庁の刑事という肩書きにより、善雄の詐欺行為に加担しただけでなく、ときにはその不正の果実を受け取ってさえいるのだ。僕が何と言おうと、端から見れば、僕自身が犯罪の共犯に見えるだろう。それは、警視庁の刑事として、僕には耐え難いことだ。僕は、今、借金まみれで、複数の金融会社から取り立てを受けている。もともとは、善雄のために追い込まれた状況だけど、すべて善雄のせいにするつもりもない。最初から毅然《きぜん》とした態度で彼と対峙していれば、僕は自分の自尊心を保ち続けることができ、悪への加担も防げただろう。僕は、彼を殺すことによって、そういう自分自身の罪も処断するつもりなのだ。

しかし、彼は何と言っても「悪の天才」だ。僕のほうが逆に殺されてしまうことも想定しておかなくてはならない。そこで、君にお願いしておきたいことは、そういう事態が起こったら、谷本君に連絡を取って、僕がここに書いていることを知らせて欲しいということだ。僕のほうからも、谷本君には暗示的に君のことを伝えてあるから、もし僕に何か起これば、彼が君に連絡するはずだ。

もう、そろそろ夜が明けようとしている。僕はこの手紙を昨日から書き始め、今日もすでに六時間近く、書き続けている。君と違って、普段、文章を書き付けない人間だから、こんな長い文章を書くのは、随分、骨が折れた。そろそろ、筆を置かなくてはならない。だが、最後に一つだけ、僕がこのことを君に託す心情について書かせてもらいたい。

君は僕がこんな重要事を君に託す理由が今一つ、分からないと言うかも知れない。高校時代の同級生と言っても、僕たちはそれほど親しい友人同士ではなかった。君は、正直言って、秀才だったし、勉強にあまり関心のなかった僕には遠い存在だった。従って、君は僕が捜査の必要上、君に接近してきたと思っているだろう。それはそれで間違いではないが、信じてもらいたいのは、僕は昔から君に対してある種の敬意、いや尊敬の感情さえ抱いていたということなのだ。

バス停の事件を覚えているだろうか？　僕は、あのとき、君がバスを待つ人々の列に混じっていたことは知らなかった。だが、園子は気づいていた。僕と園子はあの事件のあと、急速に接近した。園子は僕が、それまでに出会った女性とはまったく異質な女性だった。彼女が障害者だったという事実が、かえって僕の園子に対する気持ちを高揚させたことは否定しない。園子は僕には純白の心を持った聖女に見えた。園子を守りたかった。僕は、あのバス停事件の噂が広まるのを恐れた。僕自身のことを考えたのではない。その噂が広まれば、一層、傷つくのは、園子なのだ。実際、他のクラスでは、あれを目撃した生徒がおもしろおかしく話して、相当な話題に上っていたようなのだ。

　だが、僕たちのクラスではそんな話題は出なかった。僕たちのクラスの唯一の目撃者である君が、一切、喋らなかったからだ。僕は、君の潔癖な倫理観を感じた。園子も同じ感想を述べていた。僕たちの印象は、後に君の就いた職業によっても裏書きされたような気がした。僕は、君が東大に進学したから、官僚になるか、大企業にでも就職するのだろうと思っていた。だから、君が大学教授の犯罪心理学者として、テレビに登場しているのを見たときは、妙に嬉しかった。君が学究的な道に進んだことが、なんとなく君らしいと思ったのだ。

　もちろん、僕たちは高校時代も、いや、大人になってからも、それほど深い会話を交わすことはなかったけれど、僕は僕なりに君に対して、尊敬の気持ち、あるいはある種の居心地の良さを感じていた。それは信頼の気持ちと言いかえてもいい。そんな気持ちを僕が一方的に抱き、こんなとんでもないお願いをするのは君にとって迷惑千万なのは、僕も百も承知だ。だが、僕の気持ちを必ず、君が理解してくれると信じて、僕はこの手紙を君に渡すように園子に託したのだ。どうか、くれぐれもよろしくお願いします。

野上誠次

読み終わると、小さなため息が漏れた。すべての疑問が解消されたわけではない。いや、依然として、多くの疑問があった。しかし、この手紙によって、事件の大きな展望が見え始めたことは確かだった。逃走中の西野昭雄を騙《かた》る男が、矢島善雄である可能性は濃厚に思えた。私は読み終わった手紙を書斎のデスクに置いたまま、窓外の漆黒の闇を見つめた。

第五章　凶悪

(一)

警視庁は、矢島善雄を全国に指名手配した。未成年者に対する単純拐取《かいしゅ》の容疑である。もちろん、児童相談所における殺傷事件の容疑は明らかだったが、こういう場合、とりあえず、令状を取りやすい罪名のほうで指名手配を掛けるものなのだ。彼が私たちを非難して用いた罪名が、そのまま彼の犯罪に適用されたのだから、皮肉だった。当然、警視庁は、田中母娘《おやこ》の放火殺人も視野に入れているはずだが、公式の記者会見では、警視庁の刑事部長は、そのことについて断言するのは避けた。だが、その席で野上の死がはじめて公表された。記者団は騒然となった。

この段階で、ようやく警視庁の捜査班は、野上の無実を確信したのだろう。そういう判断に至ったのは、やはり、谷本を介して、私から捜査班に提出された野上の手紙のせいだった。あの手紙は、捜査班によって徹底的に分析され、事実関係が検証されたのだ。警視庁の生活安全部生活経済課の刑事の証言で、野上が矢島について、問い合わせていた事実も確認された。

刑事部長の記者会見の二日後、事態はさらに新たな展開を見せた。神奈川県の三浦《みうら》海岸沖を航行中の漁船が、他船のリールにからみついて漂流する男性の遺体を発見したのだ。遺体の損傷が激しく、身元の判明には時間がかかりそうだったが、それは意外に早く判明した。西野澪の兄、西野進《すすむ》だった。被害者は履いていたくつ下の裏側に、高校の学生証を入れていたのである。あるいは、殺される可能性を考えて、そういう非常措置を取っていたのか。死因は水死である。遺体には、所々に岩にぶつかったような激しい外傷が見られ、どこかの絶壁の岩場から突き落とされた可能性があった。

さらにその十日後、岐阜県にある漬け物工場跡地の納屋から白骨死体が発見され、DNA鑑定の結果、西野昭雄と判明した。その場所は、一般道の国道二十一号線沿いにあり、工場自体は廃業後取り壊されていたが、どういうわけか納屋だけが取り残されていた。遺体は、まるで通りすがりの車からゴミでも捨てるように無造作に遺棄された印象だったが、いくつかの偶然が重なって、発見が遅れたようなのだ。死後一年以上は経過しているように思われたが、正確な推定は難しかった。全裸で、身元を証明するようなものは何も身につけておらず、普通なら、身元確認でさえ難航したことだろう。しかし、警察庁から全国の警察に対して、行方不明者としての西野昭雄に関する詳細な情報の通達がなされていたから、岐阜県警は迅速に対応して、警視庁に身元照会を求めてきたのだ。死因は今のところ不明である。

しかし、これで西野家の家族四人の内、三人の死亡が確認されたことになる。そうなると問題は、澪の生存だった。ただ、それについても悲観的な観測が流れていた。さすがに、新聞やテレビは生死に関するあからさまな論評は避けていたが、週刊誌は澪がすでに殺されている可能性が高いことをかなり断定的に報じていた。だが、私はまだ澪が生きている可能性を捨ててはいなかった。それが私の希望的観測であることは否定しないが、まったく根拠がないわけではない。

野上の手紙のなかでは、実の妹にたいする矢島善雄の異常な執着が描かれていた。ただそれは、矢島由岐の中学から高校に掛けての、ある限定的な時期に顕著に現れていた善雄の性向として、述べられているのだ。由岐が成人して結婚してからも、善雄が由岐につきまとったと推定される記述もあるが、それは主として野上に対する脅しの材料として由岐を利用したという印象で、成人した由岐に対する善雄の関心自体は、薄らいでいたことは野上自身が認めている。矢島が少女性愛的傾向の持ち主であるのは明らかだった。そう考えると、中学生である澪は、確かに彼にとって魅力的な存在だったはずである。

私が澪を仔細に観察できたのは、彼女が私の家に助けを求めてやって来たときだけだった。一見、男の子のような印象で、普通の意味での女性としての魅力には欠けるが、顔立ちそのものは凜として整っていて、美少年のようにも見える。まさに、矢島の好みだった。犯罪心理学者の立場で言えば、どんな凶悪な犯罪者であっても、癒しのスポットのようなものが存在するのであって、それがかつての由岐や現在の澪だったのではないか。

私は、矢島があのような危険まで冒して、澪を取り戻しに来たのは、彼女が彼の殺人について重大な証言者になり得るからだと考えていた。だが、今では、それだけではなかった気がしている。逃走の伴侶《はんりょ》として、広中涼子ではなく、澪を選んだのは、単に秘密の保持という犯罪者としての観点からだけではなく、彼の性愛傾向を反映していたように思われるのだ。私の妻は、そういう意味では常識人だったから、そんな性向は理解できず、普通の男性なら魅力を感じるはずの涼子を連れ去ることを予想していた。だから、矢島の視線が、澪ではなく、涼子のほうにあると感じていたのだ。だが、実際は、そうではなかった。

妻は、後に私の説明を聞いて、半ば納得したような表情だったが、そうなると今度は性的暴行のことを一層心配し始めた。もちろん、その危惧はもともと存在している。しかし、私はこの点についても、矢島が澪に対して完全な性行為に及んでいるとは考えていなかった。野上の手紙のなかで書かれている由岐の言葉が思い浮かんだ。「いいのよ、セックスされたわけじゃないんだから」由岐が兄からどんな行為をされたか、何となく想像が付く言葉である。兄のほうにも、近親相姦《インセスト》に対する恐れがなかったとは言えない。矢島が野上に対して示したというVサインは、自分の不安を覆い隠す虚勢であったかも知れないのだ。

確かに、澪の場合は、矢島と血がつながっているわけではないから、一層、危険なのだと言えなくはないだろう。しかし、別の解釈も可能だった。矢島は、澪の中に、かつての妹の残像を見ていたのであり、その意味で代償的性愛だったとすれば、性的暴行の範囲はそれなりに限定的だと思われるのだ。もちろん、だからと言って、澪の苦痛が減るわけでもなかったが、そのことはむしろ、彼女の生存に関しては微かな望みを繋いでいるように思われた。逃亡者は、常に孤独である。いくら、矢島が「悪の天才」とは言え、その孤独に耐えるには、ときにはオアシスが必要だろう。そのオアシスの役目を澪が担っているとすれば、矢島が彼女を殺すことはしないのではないかという推測が、私の最後の頼みの綱だった。

谷本ら日野市の事件の専従班は、大きな手がかりを与えられて、勢いづいていた。水田という本多家の隣人がまっさきに洗い直されたのは言うまでもない。野上の手紙を読む限り、行方不明事件に関しては、隣人の水田が鍵を握る人物に思われるのだ。考えてみると、その一家三人が車で連れ去られたのを見たというのも隣人の水田だけの証言であり、それを裏づける他の証言は一切ない。私は、直感的に、少なくとも行方不明になった直後は、生死は別にしても、三人の身柄はその地域の近隣にあったのではないかと考えていた。問題は、その水田がほんものの水田だったのかどうかということである。

専従班の調査で、水田の家は、すでに別の人間に売られて、所有権が移転していることが判明した。隣人の事件後、六ヶ月ほどで水田の妻が病死し、さらにその六ヶ月後、つまり隣人の事件から一年ほどで、水田は自宅を売り払い、引っ越していったというのだ。水田が、どこに引っ越したかは不明である。ただ、現在の住人と売買の仲介をした不動産屋は、水田のことをぼんやりとではあるが記憶していた。二人の記憶を総合的に要約すれば、水田は金縁の眼鏡を掛け、口ひげを蓄えた、五十代の男だったという。愛想がよく、人をそらさないような話し方をする人物だったという点では、二人の証言は一致していた。断定はできないが、かつての西野、つまり矢島善雄に似ていることは、否定できなかった。

住民票や戸籍抄本から、水田には、狭山《さやま》市に住む、すでに結婚している一人息子がいることが判明した。だが、この息子は結婚を巡って、両親と対立し、十年近く絶縁状態にあり、母親の死亡さえ知らず、両親はいまだに日野市の同じ住所に住んでいると思いこんでいた。

本多家の裏の老夫婦は、二人とも病死していた。自宅で死んだのではなく、二人とも本多家の行方不明事件が起こる前に老人病院に入院し、そこで、夫、妻という順番で、一年を置かずに死亡していた。その家は、娘夫婦に相続されていたが、この娘夫婦は別の所に住んでおり、現在、この家は空き家の状態である。建物はかなり老朽化しており、近々上物《うわもの》は取り壊し、土地だけが売りに出されるという。

捜査班は、矢島が経営していたという金融会社も洗った。矢島が姿を消してからも、この会社は別の男に経営を引き継がれ、依然として営業を続けていた。そして、捜査班は、その金融会社の過去の顧客リストを手に入れ、そのなかに水田の名前を発見したのである。

この会社自体は、一応、正規の届け出がなされた会社だったが、違法な利子を取り立てているという意味では、明らかに貸金業法違反の会社だった。だが、谷本らの関心は、その会社が法律に違反しているかどうかではなく、本多家の拉致に関与した男を探し出すことに向けられていた。おそらく、谷本らは貸金業法違反をちらつかせて証言をひきだしたのだろう。現在の経営者は、八年ほど前に、矢島の腹心として働いていた男を知っていると言いだした。その証言から、本多家に脅しを掛けていたシロアリ駆除業者の男が割り出されたのである。

しかし、日野署に呼び出されたその男は、矢島の指示で本多家を訪問し、シロアリ駆除の架空会社名義の偽契約書を作って、仕事を取ろうとしたことは認めたが、拉致への関与自体は強く否定した。ある日、突然、本多家への接触を矢島自身から禁じられたという。その後、報道などで本多家の家族三人が行方不明になったのは知っていたが、矢島がそれに関与しているのか確信がなかった。とにかく、事件に巻き込まれたくなかったので、事件直後、矢島の経営する金融会社やシロアリ駆除会社から一切手を引き、別の金融会社に移った。それ以降、矢島にはまったく会っていないという。

捜査班は、細部はともかく大筋では、この男の証言は本当だろうと判断した。矢島がこの男をどう利用したかは必ずしも、分明ではなかったが、男の証言から、当時、本多京子は、矢島の金融会社から、五百万近い借金をしていたことが判明した。だが、この種の会社としては、驚くほど、そして、例外的に取り立ては厳しくなかったという。それが何を意味しているかは、暗示的だった。谷本から、この話を聞いた私は、母親が誰かから暴行を受けたかも知れないという本多早紀の証言を思い浮かべた。

（二）

私は矢島由岐に会うことを考えていた。しかし、それは困難を極めた。私から捜査本部に提出された野上の手紙の内容は、部分的にしか公表されていなかった。公表されたのは、野上本人に関することだけで、河合園子のことや、由岐のことは、私の強い要望で、いや、何よりも人権的配慮から伏せられていた。もちろん、園子も由岐も、警察から何度か事情聴取を受けていたが、その聴取は極秘裏に行われた。しかし、由岐に関しては、きわめてまずい事態に立ち至った。妹に対する、矢島の異常行為が、ある捜査官の口から、マスコミの一部に漏れたらしいのだ。谷本によれば、それをもらしたのは、荻窪署の刑事で、知り合いの雑誌記者にしつこく訊かれて、つい口を滑らしてしまったという。

そして、こういう情報は一人に漏れれば、全員に知られたも同然なのだ。その記者が書いた記事をきっかけにして、新聞だけでなく、テレビや週刊誌などのあらゆるマスメディアが由岐の元に殺到した。兄妹の異常性愛をあくまでもゴシップ風に追い求めるジャーナリズムにとっては、彼女が格好の餌食であったのは間違いない。マスコミの取材攻勢は執拗を極めた。

某テレビ局など、私をインタビュアーに仕立てて、由岐の家を不意に訪問してインタビューを取るという企画を立て、私に出演依頼を申し込んできた。普段、人権の擁護を特に標榜《ひょうぼう》しているテレビ局だったから、とんだお笑い草である。もちろん、私はそんな非常識な申し出は即座に断った。しかし、似たようなことを考えるマスコミは他にいくらでもあるのだ。夫と娘と一緒に住む由岐の家には、ワイドショーのレポーターたちが絶え間なく、姿を現した。由岐たちは、家のカーテンを深く閉ざしたまま、一切の対応を拒否していた。そして、ある日、突然、夫と高校生の一人娘を残したまま、由岐は姿を消した。

私が由岐に会いたかったのは、マスコミ的な関心からではない。由岐は澪とは違い、事件の鍵を握る人物でもなかった。私は、まず、私に宛てた手紙のなかに現れている、由岐に対する野上の優しい気持ちを伝えたかった。その上で、長年、善雄と一緒に暮らしてきた由岐が、現在の善雄の居場所について、どう考えるかも知りたかった。澪はかつての自分の姿を髣髴とさせる存在であり、感情移入が容易な対象だから、彼女が澪の捜索に積極的に協力してくれることを期待していたのである。

だが、私はついに矢島由岐に会うことはできなかった。行方不明から、一週間後、彼女は箱根の山中で縊死《いし》しているのが発見されたのだ。その三日ほど前に、『週刊アングル』が、集合写真のなかに写る中学時代の由岐の写真を発表していた。このことが自殺の決定的原因となったと即断することはできないが、この週刊誌の行為が人権を無視した、蛮行だったのは言うまでもない。いったい、彼女がどんな犯罪を犯したというのだ。

私も、その集合写真を見た。他の生徒たちにはさすがに、人物の特定が不可能なように目線が入れられていた。矢島由岐の顔だけが目線なしだった。短髪で、少年を思わせるような美少女である。だが、どことなく暗く、はかなげな表情でもあった。キャプションに、「矢島由岐さんは、現在、行方不明中で、自殺の可能性があるため、彼女の保護を優先する意図で、写真の公開に踏み切った」とある。週刊誌がよく使う偽善的な手口である。だいいち、すでに四十八歳になっている、現在の由岐は、昔の彼女とはかなり違う容姿になっていると予想されるのだから、中学校時代の写真を公開することにはほとんど意味がなかった。

私は、マスコミだけでなく、一番漏らしてはいけない情報を漏らした荻窪署の刑事にも怒りを覚えていた。その憤怒の感情は、いつの間にか、死んだ野上に対する私自身の贖《しょく》罪《ざい》の感情に変化していた。野上も、自分の手紙の内容が姉の死を招くなどと思ってはいなかったにちがいない。彼が、私にあの手紙を託したのは、私が手紙を捜査機関に提出することは予想していたとしても、私なら、事件と直接には関係のない善雄と由岐に関する情報がマスコミに漏れないような配慮はするだろうと考えていたからだろう。

確かに、二人の異常な関係は、一連の事件を理解する上で心理学的には重要とは言えた。だが、捜査そのものを決定的に左右する情報ではなかった。私は、手紙を全部、捜査機関に提出するのではなく、捜査に直接関わる部分だけを提出する方法はなかったのだろうかと後悔し始めていた。そう考えると、野上、そして何よりも、由岐本人に対する申し訳なさで一杯の気持ちになった。

（三）

「本当に申し訳ないことになってしまいました。あの情報をもらした刑事は、すぐに事件から外され、別の署に飛ばされはしましたが――」

谷本は、真摯な態度で謝罪した。私たちは、吉祥寺のサンロードの雑踏の中を東町《ひがしちょう》方面に向かって歩いていた。別に、情報漏洩者が谷本というわけではなかったが、同じ刑事としての道義的責任感から、私に謝罪しているのだろう。実際、谷本に食ってかかっても始まらなかった。

だが、矢島由岐の自殺は、思わぬ方面にも波紋を広げていた。国会で、野党が人権問題として取り上げたのだ。法務大臣や国家公安委員長も、週刊誌の行為を人権無視として非難する答弁を繰り返していた。『週刊アングル』を出版している大手出版社は、雑誌の廃刊を決め、社長の引責辞任が囁かれていた。実際、高校生の娘と共に残された由岐の夫は、「妻は低俗週刊誌に殺された」と発言していたのだ。もちろん、問題は一週刊誌のみに矮《わい》小化《しょうか》されるものではなく、マスコミ全体の問題だったはずである。だが、こういう場合、常にスケープゴートが用意され、本体は生き延びるのが、世の習いだろう。

私たちは、非常に慎重になっていた。二度と由岐のような犠牲者を出してはならないと肝に銘じていた。だから、その日の、本多早紀に対する訪問も極秘裏に行われた。さいわい、マスコミの関心の中心は、私の家の近隣で起こった一連の事件のほうにあった。日野市の事件は、野上が専従班の捜査官だったことから、一部のマスコミで関連が取り沙汰されていたものの、総じて言えば、まだそれほどの注目を浴びていなかった。警察発表でも、「関連の可能性」という言葉が使われているだけで、実際に専従捜査班によって行われている捜査内容については、具体的な言及はなかったのだ。

本多早紀は、祖母と共に、閑静な住宅街の一軒家に住んでいた。私たちは、応接室に通され、早紀と祖母から話を聞いた。早紀は、近くの有名女子大に通う、心理学専攻の四年生になっていた。就職も内定して卒業を間近に控えており、すでに健全な社会人らしい落ち着いた雰囲気を備えていた。

早紀も祖母も、私の顔は、テレビの報道などで知っており、自分の家族の事件が私の近隣で起こった事件と関係があるかも知れないという週刊誌などの報道にも強い関心を示した。私も谷本も、その可能性を決して否定しなかった。ただ、隣人であった水田の疑惑については ひとまず伏せ、早紀の母親、つまり、本多京子の金銭問題という、いささか訊きにくいことから訊き始めた。

「三人が行方不明になった当日、娘さんはあなたに会いに来ることになっていたのですね」

谷本が早紀の祖母に訊いた。私も以前野上から、京子がその日母親に会う約束をしていたということは聞かされていた。

「ええ、そうなんです。ところが、いくら待っても来なかったんです。何の連絡もありませんでした」

早紀の祖母はもう八十歳に近い年齢だったが、気品のある知的な印象の女性だった。記憶もしっかりしている。

「娘さんがあなたに会いに来る用件は何だったのでしょうか?」

谷本の質問は、私も知りたいと思っていた疑問だった。

「お金を借りたいと言ってきたのです。私も五十万円用意していました」

「何のためにそのお金が必要だと言っていたのですか？」

「はっきりとは、教えてくれませんでした。でも、娘は、電話で、お金が必要な理由を説明するとき、私たちの一生が台無しになるかも知れない事件という言葉を使っていました。事件後、事情聴取に来た刑事さんから、例のシロアリ駆除業者に脅されていたということを訊きましたので、ああ、あのお金はそのために必要だったんだなと思いましたけど――」

確かに、五十万という金額は、シロアリの駆除費用の金額と一致する。だが、同時に、早紀の記憶では、母親はその業者に対して結構強気で、電話のやり取りでも、「何でそんなお金払わなければならないんですか」と言い返していたというのだ。急に気が変わって、要求を受け入れる気持ちになったとはにわかには信じられない。仮に、そんな気持ちになったとしても、何かもっと別の要因が働いていなければならないのだ。

「申し上げにくいことですが、娘さんが、どこかに借金をしていたということはないでしょうか？」

「それも、事件直後に何度も日野署の刑事さんに訊かれました。ただ、そんなことは娘から聞いていませんでしたから、私も否定的な返事をしたのですが――」

語尾に微かに言いよどむ感じが残った。確かに、当初、日野署が中心になっていて、家出捜査の態勢だったとしたら、本多家が何かの借金を抱えていた可能性については、執拗に訊かれたはずである。借金と失踪は、切っても切れない関係にあるのだ。

「ねえ、あのことも言ったほうがいいんじゃない——」

早紀が横から口を挟んだ。その内容は、早紀は初めから知っているようだった。祖母は軽く頷いた。

「まあ、娘から直接、借金の話は聞いてはいなかったのですが、実は、娘たちがいなくなってから六ヶ月くらいしたとき、妙なことがあったんです。私が掃除のため、いなくなった娘夫婦の家に出かけて帰るとき、ぱったりとお隣の水田さんのご主人にお会いしたんです。そのとき、あのご主人が私の所に、近づいていらして、とても言いにくそうに、実は娘さんは私から百万円借りてるって言って、借用証書を見せられたんです。私、もうびっくりしちゃって、何でそんなお金が必要だったんでしょうって訊いたら、あの方《かた》もさあ、分かりません。理由は何もおっしゃらなかったけど、せっぱ詰まってらっしゃるようだったんで、ご用立てしたんですって、おっしゃってました」

「それで、そのお金は結局、どうなさったんですか？」

「私から水田さんにお返ししました。借用証書の字は、娘の字でしたから、借りてることは事実だと思いました。それに、娘たちが失踪したあと、水田さんには随分親切にしていただいており、それ以上迷惑をかけるのは悪いと思いましたから」

「そのことは警察には？」

「最初は言いませんでした。娘たちの失踪からもう六ヶ月くらい経っていて、刑事の方《かた》もあまり頻繁に訪ねてこなくなっていましたし、それに正直言ってなんだか娘の恥のような気がしていました。言えば、娘たちが拉致されたのではなく、自分の意志で逃げているのだと言われそうな気がして——でも、最近になって野上さんという刑事が、娘たちの事件を再捜査することになったと言って、訪ねてらしたときは、早紀とも相談してこのこともお話ししたんです。もうそんな見栄を張ってる場合じゃない、すべて本当のことを話して、娘たちを探してもらうしかないと考えたんです」

「野上刑事には間違いなく、お話しなさったのですね」

谷本が念を押すように訊いた。その強い口調は、谷本が野上からそのことについて何も聞いていなかったことを窺わせた。野上は、おそらく、捜査班の誰にもその事実を話さず、単独で捜査を続けたのだろう。

「ええ、そうです。野上刑事もそのことに強い関心を持っているようでした。それから、独り言のように、娘さんたちが車でどこかへ連れて行かれたという証言は、水田さんだけが言ってることですよねって、おっしゃったんです」

「それで私もちょっと気になることがあるんです」

ここで、早紀が祖母に代わって話し出した。

「でも、お話ししようかどうか、迷っているんです。人によっては、そんなの私の心理的妄想に過ぎないと言うかも知れないことですから――」

早紀が語尾を落とした。谷本が私の顔を見た。それまでほとんど発言しなかった私に対して、これはあなたの領域でしょと、言いたげだった。心理学を専攻している女子大生らしい言い回しだった。確かに、私の領域だ。心理的妄想か。私は引き取るように、口を開いた。

「いや、ぜひ伺いたいですね。一見、妄想に見えることが事件の解決の鍵を握っていることも、稀ではありません」

早紀は頷いて、話し始めた。早紀は、最近、奇妙な夢を見るという。短い夢だった。夢の中では大雨が降っている。その大雨の中、背の高い男が、青いビニール袋に包まれた細長い物体を、どこかで見たことがある住宅の木戸から、中に運び込もうとしている。狭い木戸をなかなか通り抜けられず、男は四苦八苦《しくはっく》している。雨が猛烈に激しさを増し、ほとんど視界がなくなるとき、早紀は必ず夢から目覚めるという。

「よく言われる既視感《デジャブ》という現象に似ているんです。私、その光景も、その男の人も、その住宅、特にその木戸もどこかで見たような記憶があるんです。どこかで見たからこそ、そういう記憶が残っていて、夢に出てくるんだと思うんです」

「しかし、既視感《デジャブ》というのは、実際は、そういう現象を見た瞬間に、それが過去の記憶として蓄積されるという説もあるくらいですからね。必ずしも、自分が過去に本当に体験したことの記憶によるものとは言えないこともあるんですが、あなたの場合は、間違いなく、それは過去に見たものが、夢の中に現れていると――」

「ええ、そんな気がしています」

「ズバリ訊きますが、その人物は誰ですか？　そして、その木戸のある住宅というのは？」

「自分でも言うのが怖いんですが、その人は水田さんだと思います」

しばらく、沈黙が続いた。私は得体の知れない緊張感を感じていた。谷本も同じだったのだろう。やはり、深刻な表情で押し黙っていた。

「すると、その日本家屋は、水田さんの家だというわけですか？」

「高倉先生は、事件の発生現場に行かれたことはありますか？」

早紀は、私の問いに直接答えずに、逆に私に質問した。実は、行ったことがなかったのだ。行こう行こうと思いつつ、自分の近隣で起こった事件の対応に追われて、その機会を逸していた。私は、首を横に振った。

「水田さんの家には、木戸はありません」

私の隣に座る谷本が大きく頷いた。何度も現場を見ている谷本には、すぐに分かる話だったのだろう。だが、何も言わず、早紀の話を聞き続けた。

「ああいう木戸のある古風な日本家屋は、私たちの近隣では、裏に住んでいた木暮《こぐれ》さんという老夫婦の家しかありません。そのことを私は、最近、現場に行ってみて確信したんです。私たちの家は、三人が戻ってきたときに住めるようにと、まだ、昔のままにしていますので、私は中に入って分かったんです。というのも、うちのトイレの窓から、ちょうど裏の家の木戸あたりが見えるようになっているんです。だから、私は、事件後しばらくの間、両親や兄が帰って来るのを期待して、祖母と一緒に日野の家に住んでいた頃、夜中にトイレに立ったときか何かに、あの窓から同じような光景を見たんじゃないかと思うんです。でも、あの頃、私はまだ中学生で、事件のショックも大きかったから、知覚に入るすべてのものの意味を判断する能力を完全に失っていて、その重要な光景でさえも、ぼんやりと見送ってしまったんじゃないでしょうか？　だけど、視覚の記憶だけが、記憶の残滓《ざんし》みたいにかろうじて残っていて、それが夢の中に何度も現れるように感じているんです」

「その話は、野上刑事にはなさったのでしょうか？」

「いいえ、この話を祖母以外の人に話すのは、今日がはじめてなんです。高倉先生のご近所で起こった事件のせいで、私たちの家族の事件も再び話題に上るようになり、それで最近、その光景が夢の中で頻繁に立ち現れてくるように思えるんです。それまでは、そんな夢を見た記憶がありませんでしたから、話すにも話しようがなかったんです」

早紀は、言葉を切ると、一瞬、遠くを見るような目つきをして、虚空を見つめた。

「もう一つついでに言いますと、私、言いにくいことですが、中学校の頃、あの水田さんという隣人が苦手だったんです。私を見つめる彼の目がどこか異常に感じていたんです」

私と谷本は思わず顔を見合わせた。私は、澪の後ろ姿を見つめる、西野こと、矢島善雄の視線を思い浮かべた。

（四）

私たちは吉祥寺の住宅街をサンロードに向かって歩いていた。日中の平日だったから、住宅街は静まり返り、ほとんど人通りはない。

「ようやく先が見えてきましたね」

「ええ、ただ、それが現在の矢島の潜伏場所につながるかどうかは、微妙ですがね」

私の希望的観測に、谷本は幾分、慎重な答え方をした。私たちの間には、まるで長年コンビを組んでいる刑事同士のような息のあった呼吸が生まれつつあった。

「それにいくつかの疑問もまだ残っていますね」

今度は、私が慎重な物言いで、谷本の言葉を引き取った。

「確かに、京子の母親が用意していた五十万という金額は、シロアリ駆除業者が要求していた金とおおよそ一致していますが、水田が京子の母親に返済を求めたという百万の金は、京子が矢島の金融会社から借りていたという五百万相当の金とは、金額的に随分開きがありますね。従って、水田イコール矢島という等式には、私はまだ確信が持てないのですが」

「それはそうですが、同時に、銀行口座をおろしに来た人物のやり口に似ているように感じませんか？　あのときも、一千万近くおろせる状況だったのに、三百万しかおろしていない。百万しか要求しなかったのは、現実的に京子の母親が用意できる金ということがあったんじゃないでしょうか。それに近所の男から、主婦が借りる金としては、百万程度が上限と考えたのかも知れない」

私も同意見だった。野上が「悪の天才」と呼ぶ矢島のやり口は、殺人行為においては異常に大胆なのに、金銭が絡む詐欺行為には妙に細心なところがあった。この大胆さと細心さの組み合わせが、彼が警察の捜査を巧みにかいくぐる秘訣かも知れなかった。

「それより、私が先生にお訊きしたいのは、京子が性的暴行を受けた相手が、水田であると考えるべきかどうかということなんですが――」

谷本が言った。実際、早紀自身が、水田の気味の悪さについて語ったあと、婉曲にではあるが、そんなほのめかしをしたのだ。

「その可能性はあるでしょうね」

「しかし、水田が矢島だとしてですよ、少女性愛的性行を持つ矢島が、成熟した大人の女性に対して、そんな性的衝動を覚えるものでしょうか？　つまり、少女性愛と普通の性欲は両立するものでしょうか？」

「その二つの性欲を両極の対立する概念と見なす必要はないでしょう。少女性愛はいわゆる幼児性愛《ペドフィリア》とは違い、必ずしも大人の女性に対する拒否とセットにして考えるべきものではありません。幼児性愛者の場合は、大人の女性をまったく受け付けないということはそれほど珍しくはありませんが、少女性愛の場合は、日常生活における大人のセックスには、むしろ何の抵抗もないのが普通です。妙な言い方ですが、いわば、その二つの性愛の形態をうまく棲《す》み分けているようなところがある」

「だから、本多京子という成熟した女性に性欲を感じ、それを暴行という形で実行しても、別に彼の性愛の傾向とは、必ずしも矛盾しない――」

「ええ、京子はたぶん、何らかの金銭的弱みを握られていたのでしょうね。それなら、それをネタにそういう行為に及ぶことはあり得るでしょう」

「本多早紀が見る夢については、どうお考えになります？　あそこまで、幻想的な話をされると、私のような即物的人間にはどうもついていけません」

そう言うと、谷本は苦笑いするように頬を緩めた。確かに、判断は難しかった。自分がかつて住んでいた場所の風景が単に夢の中で形象化されたに過ぎないのかも知れない。だが、夢の中の男が運んでいた青いビニールに包まれた物体は何なのだ。本多家の裏に住んでいた老夫婦が事件以前に入院していたとすれば、その家は長い間空き家になっていたはずである。

矢島の手口を思い浮かべた。彼は、何らかの方法で、野上の遺体を田中母娘《おやこ》の家に遺棄することに成功したのだ。また、澪の母親の遺体を私の家に投げ入れたことは間違いない。手口の共通性を感じた。その老夫婦の家は、行方不明になっていた家族三人を隠すのに、格好の死角ではなかったのか。彼らが車によってどこかに連れ去られたと証言して、捜査の目を近隣から遠ざけながら、実際は、近所の空き家を隠し場所として利用する。「悪の天才」でなければ、思いつかない手口だ。私は腕時計を見た。午後三時だった。

「谷本さん、今日はまだ時間がありますか？」

谷本は不意を突かれたように私を上目遣いに見た。

「ええ、それはありますが――」

「日野の現場まで私を案内していただけないでしょうか？　やはり、本多早紀の夢の中に現れるという、その裏の家をこの目で見てみたいのです」

「分かりました。お伴しましょう」

谷本がそう言ったとき、私たちはようやくサンロードの商店街にさしかかっていた。

（五）

多摩川の土手に沿って歩いた。多摩川は浅瀬が続いていた。歩きながら、この近辺の川に三人の遺体を投げ込むことは不可能だろうと考えていた。むしろ、川を挟んで、立川方面に広がる脚の長いススキの穂の中に隠すほうが効果的に思えたが、土手からの距離は半端ではなかったから、これも現実的には無理に見えた。

本多家に着いた。白い二階建ての家だった。都内のどこにでもある平均的な住宅のたたずまいだ。壁は長い間塗り直されていないようで、所々が剝がれ落ちている。早紀の祖母の話では、早紀がときおり来て、窓を開け放ち空気の入れ換えはしているようだが、壁の手入れまではしていないのだろう。長年の風雪に耐え、というほどでもなかったが、それでも外壁の状態は事件が起こってから、すでにかなりの時間が経過していることを物語っているように見えた。

裏手に回った。すぐに焦げ茶の木戸が目に映じた。ぼろぼろになった表札に「木暮真《まこと》」とある。おそらく、すでに死亡している、かつての世帯主の名前がそのまま放置されているのだろう。それにしても、想像以上に、本多家との距離は近かった。本多家の建物から、その木戸までは三メートルくらいしかない。

同じ焦げ茶の板塀が矩形に家屋を取り囲んでいた。一時代昔の庶民が住む、典型的な日本家屋である。谷本が木戸の取っ手に手をかけ、横に引いた。がたぴしと鈍い音を立てて、木戸が開いた。谷本は首を突き出すようにして、中をのぞき込みながら冗談のような口調で言った。

「令状なしに入れば、住居侵入か」

私の意見を聞いているようにも聞こえた。

「でも、この家に誰も住んでいないとは知らず、訪問したという考え方はありますよ。母屋の玄関までは、OKでしょう」

「それもそうですね」

言いながら、谷本は中に入った。私もあとに続いた。

玄関は、施錠されていた。さすがにそこをこじ開けて入るわけにはいかなかった。雨戸が閉められ、縁側の一部が朽ちていた。庭には、雑草が生い茂り、その一部は縁側の高さまで伸びている。私たちは、しばらくの間、玄関の前に立ちつくしていた。それから、家の周縁を歩き回った。左手奥に小さな納屋がある。中を調べた。二本の大型スコップがあった。だが、それ以上の物は発見できなかった。やはり、家の中を調べたかった。それには、令状か、この家の持ち主の好意による同意が必要だった。

「中が見たいですね」

私は素直に言った。

「そうですね。しかし、そのためには、持ち主の同意が必要でしょう」

谷本は考え込むように言った。

とりあえず、私たちは外へ出た。谷本が携帯で捜査本部に連絡を入れた。この家の持ち主の電話番号を聞いているようだった。電話番号はすぐに分かったらしい。彼は、いったん携帯を切ると、再び、その番号に掛けた。相手が出て、ほんの短いやり取りで終わった。

「先生、手間が省けそうですよ。三日後に、解体工事があるそうです。私も立ち会うことになりました」

三日後に結論が出るということか。だが、何の結論が出るというのか。私には確信が持てなかった。

（六）

妻は、暗く沈んでいた。もちろん、明るい気持ちになれるような状況ではない。だが、刺されたときが、緊張の頂点だとすれば、事態がそのときより切迫していないのは、明らかだった。それなのに、妻は異常に元気がなかった。ＰＴＳＤ症候群を心配した。事件直後ではなく、幾分時間差を持って発症することは、よくあることなのだ。現に、妻は不眠を訴えていた。それはＰＴＳＤの典型的な症状の一つだった。

本多家の裏の家が解体される前日の夜だった。夕食後、書斎で仕事をしていると、扉をノックする音が聞こえた。扉を開けると、妻が立っていた。

「話したいことがあるの」

そう言うと妻は、室内に入ってきた。まるで亡霊のような、不確かな足取りだった。不吉な予感に襲われた。

「これ見て」

妻は、一枚の写真を突きだした。私は、手に取ってみた。ぎょっとした。燐子と私が写っていたのだ。エレベーターの中のようだった。もう一度ぎょっとした。どこで撮られた写真かすぐにわかった。写真の右下には、その写真の撮られた年月日が刻まれている。大和田の顔が浮かんだ。私と燐子がホテルのエレベーター内で、大和田らしき人物に出会ったときに撮られたものだ。そう言えば、あの男は右脇に小さな黒いバッグを抱えていた。あのなかに隠し撮りするためのカメラを忍ばせていたことはあり得る。

「この人誰なの？」

妻は、燐子を指さした。尖った声だった。すぐには返事ができなかった。頭の中を錯綜した雑念が、めまぐるしく巡った。まったく無防備な部分を突かれた感じだった。私の頭は、事件のことしかなかった。燐子とのことなど、ほとんど意識していなかった。それに、私と燐子とは何もないのだ。それにも拘らず、私の胸底に沈澱する、この後ろめたさの澱《おり》は一体何なのだ。

「僕のゼミの学生だよ」

かろうじて言った。奇妙に乾いた声だった。

「そう。この写真、私宛に送られてきたのよ」

「誰から？」

「匿名の人物よ。住所も名前も書いてなかったわ。ただ、一行だけの手紙が添えられていて、これがご主人の愛人ですって、書いてあったの」

私は言葉を失った。咄嗟の判断が必要なのは分かっていた。燐子のことを詳しく説明して、妻の誤解を解くことは不可能ではないだろう。しかし、それは瑣事《さじ》とは言わないが、私が抱えている事件から見ると、長い時間を割くことはできない事柄だった。勝手な言いぐさだが、今の心理状態ではそんな面倒は避けたかった。私はできるだけ簡明に説明するほうを選んだ。

「彼女とは何もないよ。ただ、たまたま一緒に居るところを撮られただけさ」

「ここどこなの？」

「覚えていない。でも、大学近くのどこかの居酒屋のエレベーターの中だと思うよ。ゼミ生たちみんなとお酒を飲んで帰るとき、誰かに撮られたんだと思う。いや、誰かというより、心当たりはあるんだ」

思わず、写真を撮られた状況を変えて話した。実際は、居酒屋ではなく、ホテル内のエレベーターだった。それにゼミ生たちみんなといたのではなく、燐子と二人だけだったのだ。しかし、私は潔白だった。だから、嘘も方便なのだ。私は、自分自身にそう言い聞かせた。

「そう。それ誰なの？」

妻は、興奮して追及しているという感じはなかった。むしろ、沈んでいた。私は、妻の疑惑をもっとはっきりと否定するため、大和田のことに触れざるを得ないと判断した。

「同じゼミ生で、彼女をストーカーのように追い回している男がいるんだ。その男が、僕と彼女に何か関係があるという妄想を抱いていて、彼女も僕も困ってるんだ。あの男は、ほとんどノイローゼ気味なんだよ。こんな写真を送りつけてくるなんて」

妻は黙って、しばらく、私を見つめた。私の話を信じたかどうかは分からない。だが、とにかく、それ以上、事を荒立てる雰囲気ではなさそうだった。

「そう、それならいいけど。その男子学生のこと何とかできるの？　ノイローゼ気味なら、何をされるか分からないんじゃない」

「大丈夫だよ。彼はもう卒業なんだ。僕と顔を合わせる機会はないよ。ただ、この女子学生には情報を提供しなければならないね。彼女に対するつきまといは、今後も続くことは十分考えられるから」

「彼女、何て名前なの？」

妻がぽつんと訊いた。名前を隠すわけにはいかなかった。嘘の名前でも言ってそれがバレれば、妻の疑惑は一層深まるだろう。本名を言うしかない。

「影山燐子って、言うんだ。彼女は被害者さ」

被害者。余計な一言だった。だが、妻は素直に言った。

「そうね。気の毒ね」

（七）

谷本から、研究室にいる私の携帯に電話があった。珍しく高揚した声だった。何か大きな変化があったことを直感的に感じ取った。

「本多早紀の夢が、当たりましたよ。あれはやっぱり、彼女が実際に見た光景だったんです」

この一声で、すべてが了解された。予定通り解体工事を実施した結果、居間の床下から、完全に白骨化された四体の遺体が発見されたのだ。行方不明家族三人の遺体発見を考えていた我々の予想より一体多い。またもや、プラスワンのマジックだ。四体とも死後かなりの年数が経っており、身元の判定には時間がかかりそうだった。死因究明にはもっと時間がかかるという。ただ、四体のうち、一体だけが女性で、残り三体は男性であることが、判明していた。

「もしその三つの遺体が本多洋平、京子、洋介だとすれば、あとの一体は、やはり本物の水田氏でしょうか。それに、彼らはどこで殺され、どうやってそこに運ばれたのでしょうか？」

私は、電話越しに、谷本に問いかけた。

「まず、そのプラス一体ですが、確かに、水田氏とも考えられますね。そうだとしたら、彼は明らかに、もっと前の時期に殺されていたのでしょう。たぶん、彼の遺体は、最初は自宅に置かれていた。それから、時期を見計らって、木暮邸に運ばれたと考えることも可能だ。一方、本多家の人たちに限って言えば、夫と高校生の子供は、二人の血液が自宅のソファーに残っていることが、ＤＮＡ鑑定で分かっています。しかし、残されていた血痕量から考えて、その出血が致命傷となったとは考えにくい。あるいは、二人は、負傷した状態で裏にあった空き家に強制的に連れて行かれた可能性がある。つまり、自力で歩いていったのではないでしょうか。そして、そのあとに殺された。そう考えると、運搬の問題はひとまず解決する。京子の血痕は、残されていませんでしたから、彼女については分かりません。ただ、夫と息子とは切り離されて、しばらくの間は、水田の家で半ば監禁状態に置かれていたのかも知れない。私たちが見たとおり、三つの家はごく至近距離にありますから、それは不可能ではないでしょう。他の家とは孤立状態にある三つの家を縦横に行き来して、犯罪の場を作っていくというやりくちは、先生の近隣の事件とそっくり同じですよ。しかも、取り憑いた家族を一気に殺すのではなく、時間をかけて段階的に殺していくという方法も似てますね」

「すると、本多早紀が、見たという光景は、たぶん、もっとあとのことですよね」

「そうですね。だから、あれが本当だとしたら、その青いビニール袋に包まれた物体は、京子の遺体だった可能性がある。やはり、京子はしばらくの間、水田の自宅に監禁されていたのかも知れませんね」

「しかし、水田には奥さんがあった」

「いや、その奥さんはもう死んでいたんじゃないでしょうか。そもそも水田はすでにほんものの水田ではなかった可能性が高い。たぶん、矢島善雄だったのではないでしょうか？彼は、ほんものの水田氏を殺して、水田になりすました。病弱だった奥さんは、脅されて意に従ったのかも知れないし、あるいは、そのなりすましが行われた時点で、すでに殺されていたのかも知れない。後に、心臓病で死亡という届け出が出されていますが、病死の場合、自宅で医者に見守られて死んだということにすれば、診断書さえあれば、日本の場合、ほとんどそれで通ってしまいますからね。もちろん、診断書をどうやって手に入れたかは問題ですが、知り合いの医者に高額な報酬を払って書いてもらうことも不可能ではない。いずれにせよとっくの昔に火葬されているでしょうから、今更、死因の究明は不可能です」

「つまり、基本的には西野昭雄になりすました矢島の手口と同じというわけですね」

「その可能性が高いですね。それで思い出しましたが、ほんものの西野氏と矢島の接点も分かりましたよ。もともとは矢島が経営していた例の金融会社の顧客リストに西野昭雄という氏名も載っていることが分かったんです。西野昭雄はその頃、大手鉄鋼会社をリストラされていましたから、金に困っていて、複数回、その金融会社から金を借りているんです。違法な利子を取り立てる会社だったけれど、おそらく、西野氏は家族を養うためにはやむを得ないと考えたのでしょう。だから、当時社長だった矢島と面識があった可能性が高い」

「すると、やはり、矢島は自分の金融会社を窓口にして、獲物が引っかかってくるのを待っていたというわけですか」

「ええ、少なくとも、水田家と西野家に対してはそうでしょう。もっとも、最初から殺人が目的だったわけではなく、何らかの経済的利益を受けようとして接近し、結局、家族もその隣人もほとんど殺してしまったというのが真相かも知れない」

「あとは、矢島を逮捕し、西野澪を救い出すことだけですね」

私の言葉についつい力がこもった。だが、気分は複雑だった。懸案の事件が大きく動き始めているのを感じながら、喉に刺さった小骨のように、もう一つのプライベートな事柄が、私の頭から離れなかったのだ。

（八）

マスコミはまたもや大騒ぎだった。「なりすまし殺人鬼」マスコミが命名した矢島の別称は、世の中に広く浸透し、新たな恐怖を呼んでいた。彼が殺したかも知れない人間の数は、二桁にのぼる可能性さえある。希代の殺人鬼だ。殺された人間の数はともかく、その殺人形態はあまりにも特異だった。

私は、相も変わらず新聞社やテレビ局の連中に追い回され、何度か彼らのインタビューにも応じざるを得なかった。その結果、私が大和田のことで、燐子と会う約束をすることができたのは、日野市の一家三人らしい死体が発見されて一週間が経過した三月の中旬だった。

前日、私は燐子に電話を掛け、簡単に事情を説明し、その日に会うことになったのだ。場所は渋谷駅近くのファミレスだった。燐子と二人で入るのは、初めての場所だ。夕方六時の約束だったが、私は少し早めに到着し、ビールを飲みながら、燐子を待った。

ほぼ時間通りに、燐子が現れた。テーブルに座る私に向かって、軽く微笑んだが、その表情は心なしか強張っていた。ベージュのワンピースというおとなしい服装である。燐子は、すでに卒論を提出済みだったが、その割にその表情は少なくとも晴れ晴れとしているようには見えなかった。私たちは、軽い食事を摂りながら、額を寄せ合うようにして、話し合った。

「先生、もう大和田君に直接、問いただすしかないんじゃないでしょうか」

しばらく、あれこれと話し合ったあとで、燐子が意を決したように言った。それは私自身が考えていることでもあった。

「それで君はいいのかい？」

「別にかまいません。だって、私たち、何もやましいことはしていないんですから」

正論だった。やましいのは、私の心の中だけだ。私も腹が据わった。

「分かった。じゃあ、とにかく彼を呼び出そう。口実は何にすればいいだろうか？」

「今度の事件のことを口実にすればいいんじゃないですか。彼、先生の仕事をとても手伝いたがってましたから」

「そうか。じゃあ、事件のことで手伝ってもらいたいことがあると言おう。時間と場所は、明日の午後三時頃、私の研究室ということでどうだろう？　君も同席してくれるね」

「はい、私も同じ理由で呼び出されたということにすればいいんじゃないですか」

話はあっさりと決まった。随分、乱暴なやり方だった。私は焦っていた。こんな問題は早く解決して、早く矢島の行方を追いたかった。矢島の追跡は、谷本たちプロの捜査官に任せておけばいいことだったが、私は、古くさい言い方だが、野上の仇《かたき》を取りたかった。そして、勝利はすぐ近くまで来ていると感じていたのだ。それなのに、こんなプライベートなことで足をすくわれるとは思っていなかった。

私は燐子の前で、大和田の携帯に電話を入れた。彼は、私の携帯番号を知っている。そして、私の携帯は非通知設定にはなっていない。私からだと知れば、あんなことをしたあとでは、すぐに出るとは思えなかった。だが、予想に反して、いともあっさり彼の声が聞こえた。

「あ、先生ですか。大変なことになってますね」

いつものあっけらかんとした声だった。「大変なこと」というのは、もちろん、私が対峙している事件を指しているのであって、燐子のことではない。

「ああ、それで君と少し相談したいことがあるんだが、明日、研究室で会えないかね」

私はわざとぼかした言い方をした。電話では具体的な話は避けた。

「いいですよ、どうせ暇な身ですから」

大和田もすでに卒論を提出していることは、大学の学務課に問い合わせて確認していた。あんな調子で卒論などいつ書いたのか、不思議なくらいだった。結局、彼は一度も卒論指導を申し込んでこなかった。それはともかく、用件を具体的に聞き出そうともせず了承したのは、いかにもいつもの大和田らしかった。ただ、相談はたぶん、事件に関連するものと考えているのだろう。それなら、私のもくろみ通りだ。私は、時間と場所を告げて電話を切った。

「どうでした？」

私は、燐子の問いにすぐには答えずに、目の前に置かれたビールを飲み干した。何かしっくりしなかった。

「ああ、明日、午後三時に研究室に呼び出したよ。それにしても、まったく動じている様子がないんだよ。天才か、よっぽど馬鹿かのどちらかだ」

言いながら、目の前のクラブハウスサンドを一切れ、口に放り込んだ。

「でも、大和田君、いつもそうなんです。へんないやらしいメールを私に送ってきたあとに会っても、何もなかったかのような顔をしてるんです。やっぱり、異常ですよ」

燐子の言葉を聞きながら、私は暗澹《あんたん》たる気分になった。異常。異常。異常。異常と言えば、すべてが異常なことばかりだった。そんな異常現象のさなかにいる自分自身が、また、異常な人間に思えてきた。

私たちは、しばらく、黙り込んだ。無為の時間が流れた。やがて、燐子がぽつりと言った。

「奥さん怒ってます？」

「いや、だが、元気がないよ」

私の言葉に燐子は再び黙り込んだ。彼女は彼女なりに罪の意識を感じているのだろう。もちろん、彼女には何の責任もない。卒論指導を受けるため、私と頻繁に会っていたのは、まったく正当な行為なのだ。配慮が欠けていたのは、私のほうだろう。いや、それは配慮が欠けていたのではなく、むしろ私はそういう状況を密かに愉しんでいたのだ。それが私の罪と言えば、罪だった。だが、事件が解決するまでは、そんなことは考えたくなかった。現に、そのときでさえ、妻の話には、それ以上触れられたくなかったのだ。

「この前の河合園子さんのコンサートいかがでしたか？」

私の気持ちを察したかのように、燐子が話題を変えた。

「ああ、素晴らしかったよ。もっとも、僕の音楽の感性じゃ、理解できたのは、『革命のエチュード』くらいだけどね」

「そうそう、それで思い出しましたけど、あの方、エッセイもお上手なんですよね。新聞にこんな文章が載ってましたよ」

燐子は横に置いてあった赤の手提げ鞄から、新聞の切り抜きを取り出して、私のほうに差し出した。私のためにわざわざ切り取ってくれたらしい。ある大手新聞の文化欄に掲載された園子のエッセイだ。それほど長い文ではない。タイトルは、「記憶」だった。

記憶の砂時計は逆に流れることはない。それは常に上から下に流れ、無意味な記憶の澱を堆積させる。その澱の中に、人間の愚かしさという死骸《むくろ》を見いだすとき、私たちは戦慄するのだ。

先日、知人と車の中で話していて、ルイス・ブニュエルの映画『哀しみのトリスターナ』が話題になった。映画の一シーンに、主人公のトリスターナがショパンの練習曲作品一〇第一二番ハ短調を弾く場面があるのだ。通称「革命のエチュード」として知られるこのピアノ独奏曲は、技術的には難解であるにも拘らず、クラシックファンにはかなり人気があって、演奏会の主催者からも所望されることが多い。しかし、私自身はあまり好きになれない。もっとも、その意味は複雑だ。純粋な一個の音楽として見た場合、この曲は他のショパンの曲と同様に、劇的なリズムと幽玄な音域に満ちていて、演奏者の意欲と情熱を掻き立てる作品ではある。だが、音楽も他の芸術作品と同様、一個の独立した芸術体のみに還元されることはあり得ない。さまざまな背景や環境、ときには記憶とさえ結びつき、それらのものが、いわば渾然となって、化学変化を起こし、仮構の世界を構築し、時には人間に思わぬ異議申し立て《チャレンジ》を行うのだ。

私が「革命のエチュード」に抵抗感を覚えるのは、やはりこの映画と関係がありそうである。病で脚を切断されたトリスターナが、狂ったようにこの曲をピアノで演奏する一シーンだけが、遠い昔に見た映画の記憶と奇妙に強固に結びついていて、この映画のシーンはこれしか覚えていないのである。それは、私が主人公と同じような境遇にあり、脚が不自由だったからだろうか。

いや、もう一つだけ記憶しているシーンがある。あの信じがたいエンディングだ。人間の愛をまったく信じていない人間にしか思いつかないエンディング。件《くだん》の知人は、私より遥かにこの映画の細部を記憶していて、私の記憶から完全に消え失せていたいくつかのシーンを再構築してくれた。ああ、そんな映画だったのかと私は思った。人間の記憶は、所詮、本人に都合がよくできているのである。

今年は、どんな年になるのだろうか。年明けの一月は、イギリス、フランス、スペインと、演奏会で回った。帰国したとき、すでに新年は過去の記憶の中に、死骸《むくろ》を晒していた。

読み終わっても、私はしばらく、紙面から視線を外さなかった。確かに、園子の強い感性が伝わってくる文章だった。死骸等と言った言葉の象徴的な使い方が、いささか度を超して強烈で、大手新聞の文化欄の一画を占めるエッセイとして、ふさわしいのか、疑問を感じるほどだった。

「件《くだん》の知人というのは、僕のことだよ」

私は、ようやく紙面から視線を外しながら言った。

「やっぱりそうですか。先生が、前に私に『革命のエチュード』のこと訊いてたから、そうじゃないかと思ってたんです」

燐子は、いかにも嬉しそうに明るい声で言った。しかし、私は、うわの空で聞いていた。かつて、園子は、「革命のエチュード」はショパンの中では一番好きな曲だと言っていた。それに対して、このエッセイでは、「あまり好きにはなれない」と書いている。その複雑な心境は理解できなくもなかったが、やはり違和感があった。燐子は、園子のことをもっと話したそうだった。だが、私はすでに話題の転換を考えていた。何故か、園子のことを話すのは、気が進まなかった。

「ところで、君は明日、どんな格好をして、大和田と会うつもりだね」

「どんな格好って、服装のことですか？」

燐子は意味を解しかねたように訊いた。

「うん、少し刺激的な格好をして、来てほしいんだ」

自分でも、本気かどうかよく分からない発言だった。

「どうしてそんな格好をするんですか？」

「大和田を刺激して、彼の反応を見たいんだ」

「それ、命令ですか？」

燐子は、微妙に微笑みながら訊いた。本当は、先生が見たいんでしょと言いたげだった。清楚さと小悪魔性が影のように交錯した。燐子がときおり見せる、そんな微妙な挑発に私は当惑した。実際、私自身、この要求が正当なものかどうか、判断できなかったのだ。

「そうだ、もちろん、命令だ」

私は、宣言するように告げた。おどけたつもりだったが、それは奇妙にリアルに響いた。

「分かりました。うんと短いスカートを穿いてきます」

燐子は笑いながら言った。同時に、その頰に紅葉《もみじ》が散った。

（九）

翌日の午後三時。燐子と二人で、大和田が着くのを待った。燐子は約束の時間より一時間早く到着して、すでに私と打ち合わせていた。大和田は、地下鉄東西線の神楽坂駅近くのワンルームマンションに住んでいたから、新宿にある大学までやって来るのに、たいして時間はかからないはずだった。だが、大和田が実際にやって来たのは、午後四時近くだった。ほぼ一時間の遅刻だ。そう言えば、普段から時間に関しては正確な男ではなかった。

大和田は長身の体を折り曲げるようにして、私の研究室に入ってきた。真ん中で左右に分けた髪を肩のあたりまで伸ばしている。今の学生には珍しい髪型で、むしろ七〇年代に学生の間で流行《はや》ったスタイルだ。こんな髪型のままで、就活をしていたのかと、今更ながら思った。もしそうだとしたら、内定などもらえるわけがなかった。

私たちは部屋の中央にある焦げ茶のソファーに座って話した。燐子が私の隣に座り、大和田が私たちの前に対座する形になった。大和田が座る瞬間、その視線の動きに注意した。目の前に座る燐子にどう反応するのか。燐子は、私に約束した通りの服装だった。太腿が露わに見える黒のミニスカートに、黒の柄模様の入ったストッキング。上半身は、黒のキャミソールに、胸元が大きく開いたニットのセーターで、白い胸のふくらみがはっきりと見えていた。今時の女子学生の服装という意味で言えば、別にそれほどの服装でもなかったが、燐子がこんな服装でゼミに顔を出すことは珍しかった。

大和田は、一瞬、驚いたように燐子を見た。だが、それは燐子の服装に驚いたというよりは、彼女がここにいること自体に驚いているようにも見えた。大和田は、すぐに燐子から視線を逸らし、落ち着いた表情で私のほうを見た。逆に、燐子のほうが緊張しているようで、その頬が幾分紅潮している。

「先生、事件のことで僕が何かお手伝いすればいいのでしょ？」

大和田が単刀直入に訊いた。

「うん、だがその前に君に訊きたいことがあるんだ。それで、今日は影山さんにも来てもらってるんだ」

打ち合わせでは、燐子も私の仕事を手伝ってもらうために呼び出したということになっていたが、思わずこう言ってしまった。

「燐子がどうかしたんですか？」

私は一瞬呼吸を置くようにして、大和田を凝視した。その表情に動揺の色はなかった。男女に限らず、名前を呼び捨てにするのは、今の学生の習慣で特別なことではない。

「影山さんに最近、妙なメールが来続けているんだよ。心当たりはないかね？」

ここは、打ち合わせ通りの質問だった。

「僕がですか？」

大和田はすっとんきょうな声を上げた。

「そのメールは君の名前で送信されているものでね」

「本当ですか？」

大和田は、幾分声高に訊きかえした。確かに、実際に驚いているようだった。演技には見えない。

「君もここにいる影山さんとメールのやり取りくらいあったんだろ？」

「そりゃありましたが、まったく事務的なやり取りですよ。もっとも、僕たちのメールはみんなそんなもんですけどね。今日、ゼミ出る？　キャンセル。じゃあね。で、終わりですよ。必要以上の会話なんか、メールでは普通はしませんから」

思わず苦笑いした。私のメール文は、手紙の文体で、メールになっていないと、学生たちからよく言われていた。燐子の携帯に送りつけてきた大和田のメールを思い浮かべた。確かに、会話とは呼べなかった。だが、大和田が言っているのは、形式的なことだ。メールの中身に触れることは避けている。だが、大和田が、燐子に対してストーカー行為に及んでいるのは、間違いなかった。燐子自身が、私にそのことを伝えているのだ。それに、燐子が目の前にいるのに、大和田が彼女に直接同意を求めないのも、やや不自然だった。

「だがね、大和田君、例えば、君が彼女に出したこんなメールは、必ずしも事務的なメールとは言えないんじゃないか」

私は、燐子の携帯をもらい、テーブルの上に置いた。これも打ち合わせ通りだった。

燐子、今日の君のゼミ服、地味すぎない？　もっと体の線をはっきり見せて、先生にアピールしようよ。でも、君のその地味臭いところが、僕の好みなんだけどね。大和田で〜す。

こういう変態メールを認めさせた上で、燐子への尾行を追及しようという作戦だった。もっとも、あの写真を私の家まで送りつけてきたのが、大和田だとすれば、それはまさに確信犯的な行為だから、そんな作戦が通じるとも思えなかった。その場合は、覚悟を決めて、伸《の》るか反《そ》るかの乱戦に持ち込むしかないと思っていた。

大和田は、無造作に燐子の携帯を右手で摑み、文面を見つめた。強張った表情だった。さすがに、自分が疑われていることは分かっているようだった。だが、その表情が、不意に、一気に崩れた。

「これ、僕じゃありませんよ。こんなこと書くわけないでしょ」

大和田は、笑いを嚙み殺したような声で言った。声にこそ出さなかったが、その表情は本当におかしそうに笑っている。私と燐子は、思わず顔を見合わせた。もちろん、大和田がとりあえず否定する可能性を考えていなかったわけではない。むしろ、想定内の反応とも言えた。だが、それにしてもその反応は自然すぎた。

その一瞬、ふと大和田の髪が臭うのを感じた。彼が燐子に携帯を返そうとして、かなり大きく体を前傾させたため、私たちとの距離が近くなったせいだろう。これだなと、思った。燐子が私に語っていた整髪料の匂いだ。ホテルのエレベーターで、私と燐子が見た大和田らしき人物のことを思い浮かべた。大きなサングラスに白いマスク。顔の造作《ぞうさく》などまったく分からなかった。年齢さえも不明だった。分かったのは、その長い髪だけだった。

それなのに、何故、燐子が大和田と断定したのか、不思議に思った記憶がある。燐子の嗅覚が、その推定に大きな役割を果たしたことは彼女自身が認めていた。それを思い出した瞬間、はっとした。別の類似した匂いを思い出したのだ。それと似たような匂いを、私は自分の家の近隣でも、ときおり、知覚していたのである。不意にひらめいた。バイタリスだ。七〇年代の匂いだ。大和田の髪型と七〇年代の代表的なヘアリキッドのイメージが重なった。燐子は、ひょっとしたら嗅覚に関する錯誤の陥穽《かんせい》に嵌っていたのではないか。大和田を知っている人間が、鬘《かつら》を使って長髪にすれば、この匂いを知っている燐子が、あの男を大和田と思いこんだのは、無理がないことだったのかも知れない。

「大和田君、これだけじゃなくない？　私にもっとたくさんの変なメールを送ってきてるよね。それに私のあとを——」

それまで黙っていた燐子が、震える声で詰問した。私は、慌てて、燐子を制止にかかった。

「ちょっと、待ってくれ。影山さん、僕たちは、ひょっとしたら、とんでもない思い違いをしていたのかも知れないよ。大和田君、最近、君がゼミ生のメルアドを教えた人物はいなかったかい？」

私の唐突な質問に、大和田はぽかんとした表情で私を見つめた。燐子も私の態度が意外だったのだろう。やはり、同じように怪訝《けげん》な表情だった。私の全身に、冷や汗が広がり始めた。

（十）

新宿からタクシーで神楽坂方面に向かった。燐子も大和田も一緒だった。大和田の住むマンションに向かっているのだ。私たちは無言だった。運転手に聞こえることを考えると、私たちが研究室で交わした会話を続けるわけにはいかなかった。腕時計を見た。午後六時近かった。あのあと、私たちは二時間近く、話し込んだのだ。

私が大和田から聞き出した話は、あまりにも意外だった。しかし、大和田自身は、そのことをあまり重要なことだとは考えていなかったようなのだ。

大和田は、神楽坂のマンションの一階に大学に入学してから四年近く住んでいるという。彼の部屋は、いわゆる角部屋で、隣室は一つしかなかった。彼の隣室は、入居者の入れ替わりが激しく、去年の一月頃から空室になっていたが、六月になって一人の男性が入居してきた。五十くらいの男だったという。愛想のいい男だった。廊下でたまたま顔を合わせるたびに、話しかけてきた。就職情報会社の社員だと言い、あるとき、誘われて居酒屋で酒を飲んだ。

大和田にしてみれば、就職の内定が取れていないこともあり、何かいい情報が欲しいという下心がなかったとは言えなくもない。いずれ実家の旅館経営を継ぐことになっていたが、ひとまずはどこかの企業に就職しようというのが、大和田の心づもりだった。彼は居酒屋で男とメールアドレスの交換をした。そのとき、男は大学生の就職に関する意識調査をしたいので、ゼミ生の個別メールアドレスを見せて欲しいと頼まれたという。それで、大和田は、翌日、わざわざ、隣室を訪れて、そのリストを手渡した。男の部屋には、コピー機能付きのプリンターがあるらしく、男はそれをコピーして、元のリストは返してきた。そのとき、男は、丁重に礼を述べた。

私は、大和田の社会常識のなさにあきれかえった。これだけ個人情報の保護がうるさく言われている時代に、その無防備さは特筆ものだ。だが、大和田に限らず、所詮、学生の社会常識などその程度なのだ。彼を非難しても始まらなかった。それよりも、この発見は大きかった。燐子にストーカー的なメールを送りつけてきていたのは、大和田ではなかったかも知れないのだ。実際、彼は私の露骨な追及をきっぱり否定していた。燐子にメールを送る機会は極めて限られていたし、ましてや迷惑メールを送ったことも尾行したことも一度もないと断言した。それに大和田は、直接、燐子の携帯を手に取って、着信履歴を開きながら、合理的な解説を加えていた。

確かに、大和田自身が燐子に出したと認めたメールは、すべてゼミ生のメールアドレスのリストに載っている彼のアドレスから発信されていた。それに対して、彼が送信を否定したメールは、誰のものか確認ができないホットメールのアドレスから出されていたのだ。

そのアドレスもすべて同じなわけではなく、複数のアドレスが使用されている。携帯のメールなどほとんど使用しないアナログ人間の私では、そんなことを独力で突き止めるのは不可能だった。燐子も携帯は自由に使いこなせるものの、メールの差出人のアドレスには無頓着《むとんちゃく》なようだった。本文の「大和田」という署名を単純に信じ込んでいたのだ。

それにしても、またもや、隣人か。その男は増田《ますだ》と名乗っていたという。時期的に考えて、矢島は私の近隣では西野になりすまし、同時に増田と名乗って、大和田の隣人にもなりすましていたということだろうか。澪や母親を監禁状態に置いていた矢島が、そんな二重生活が物理的に可能だったとは、信じられなかった。

私は、谷本に連絡を取ろうか迷った。だが、あまりにも茫洋とした話で、その増田という男が、矢島だとはにわかには信じられなかった。仮に大和田を装って燐子に変態メールを送りつけてきた人間が、その増田だとしても、それが即、増田と矢島が同一人物であることを意味してはいないのだ。大和田の話では、彼の隣人の姿は、ここ一、二ヶ月、ほとんど見ていないというが、引っ越した形跡もないようだった。この目で確かめるのが一番早かった。確信を得てから、谷本に連絡しても遅くはない気がした。うまくいけば、大和田の隣室が希代の殺人鬼の潜伏場所かも知れないのだ。矢島は、そんな潜伏場所をいくつか持っていて、そういう場所を転々としているのかも知れない。

私は、興奮していた。燐子も大和田も突然、舞台で主役に躍り出た脇役のように高揚していた。私たちは、無防備だった。せめて、燐子は、この追跡劇から外すべきだという思いが頭の片隅にはあった。しかし、燐子は、長い間、大和田を疑ってきた負い目からか、妙に積極的だった。私も、彼女をあえて止めることはしなかった。矢島善雄の恐ろしさをいまだに十分には分かっていなかったとも言えるだろう。自分たちの行為が危険だという意識もなかった。

（十一）

一階の大和田の部屋に入ってから、すでに三時間近くが経っている。私たちは、汚れたフローリングの床の上に、直《じか》に座り込み、小声で話し合いながら隣室の気配を窺っていた。それにしても、雑然とした部屋である。外道路に面した奥の窓際に、一台のパソコンがのったデスクがある。その他には小型冷蔵庫がデスクの後ろに置かれているだけだ。その代わり、書籍類やゲーム機の類《たぐい》が、所狭しと床上にちりばめられている。大和田が何とかそういう物を移動させて、三人が座れる程度のスペースを作ったが、狭い上に、ズボンや靴下に微小なゴミがへばりつく感触がいかにも不愉快だった。

もっと気の毒なのは、燐子だった。私に強制されたミニスカート姿で、しゃがみこんでいると、どんな姿勢を取っても、太腿が露わに剝き出しになり、下着がのぞきそうだった。

いや、実際、のぞいていた。燐子もそれを意識していて、神経質にスカートの裾を押さえていたが、その短さでは、その努力も無意味に見えた。

私たちは、不意に声を潜めた。足音が聞こえ、やがて、隣室の扉の鍵を開ける音がしたのだ。扉が開き、再び、閉まる音。隣人が戻ってきたのに間違いなかった。

「いいかい、大和田君。最初は、ちょっとお伺いしたいことがあるんですがと言って、中に入ろうとしてくれ。相手が口実をつけて、中に入れようとしなかったら、彼をできるだけ、扉の外に誘い出し、彼の顔が見えるようにして欲しい」

「もし、彼が僕を中に入れた場合、先生と燐子はどうするんですか？」

「もちろん、一緒に入るよ。君を一人で行かせるわけにはいかない。ただし、影山さんは、すぐに逃げられるように、玄関の入り口にとどまるんだ。何か危険なことが起こったら、一一〇番通報するのは、影山さん、君の役目だ」

燐子が頷く。

「しかし、先生たちが一緒に中に入る口実は？　彼、先生たちを見て怪しむかも知れませんよ」

「覚悟の上だ。本当のことを言っていい。私は、ゼミの先生で、影山さんは私の助手という風に紹介してくれ。それで拒まれれば、疑惑はますます深まる。彼が矢島ではないにしても、我々のメールアドレスのリストを使って、変態行為をしている張本人である可能性が高まるわけだ」

私たちは立ち上がった。三人とも緊張していた。これから、何が起こるのか、予測がつかなかった。持ってきた鞄などの荷物は、大和田の部屋に残して、外に出た。燐子は、右手に携帯を握りしめている。私も、鞄から携帯だけは取り出し、上着の右ポケットにしまい込んだ。

大和田が隣室のチャイムを鳴らした。緊張感は、最高潮に達していた。ただ、中に入るかどうかは、私自身が最終的に判断するつもりだった。少しでも罠のにおいをかぎつければ、自重すべきだろう。

「どなた？」

中から男の声が聞こえた。矢島の声を思い出そうとした。しかし、似ているとも似ていないとも言えなかった。

「夜分、すいません。隣の大和田です。ちょっとお伺いしたいことがあるんですが」

大和田は落ち着いた口調で言った。案外うまい。扉が開いた。男が顔を出した。太い黒縁の眼鏡を掛けた中年だった。髪はきちんと七三に分けている。口ひげはない。青の縦縞《たてじま》のカラーシャツの上から、カーディガンを羽織っている。判断できなかった。整った顔と言えば、そうだった。だが、どこか個性のない曖昧な表情でもあった。上背は相当高い。大和田や私とあまり変わらない印象だった。男は、大和田を見たあと、警戒した目つきで、私と燐子を見た。私と視線が合った。だが、すぐに男のほうから視線を逸らした。私も、この段階で警戒されたくはなかったから、男を凝視するのは避けた。

「ああ、増田さん、こちらは僕のゼミの先生と助手の方です。ちょっと一緒にお話を聞かせていただきたいことがあるんですが」

打ち合わせ通りだった。

「中に、どうぞ。引っ越し前ですから、何もお構いできませんが——」

男は用件も聞かず、ぶっきらぼうに言って、すぐに私たちに背中を見せた。やはり、その顔を私の前に長く晒したくはないのか。危険を感じた。それに、こういう場合、普通は用件を訊くものなのだ。大和田の話と違って、愛想もよくない。大和田が私の顔を見た。どうすると、訊いている。迷った。だが、結局、私は頷いた。

「お邪魔します」

私たちは、口々に言って、中に入った。計画通り、燐子は靴を脱がず、玄関の入り口にとどまった。男が鋭い目で燐子のほうを見た。

「あなたも、どうぞ」

男が強要するように言った。

「いえ、私はここで結構です」

燐子の声の語尾が微かに震えた。その返事に対して男は何も言わなかった。

窓際のデスクにパソコンとそれに接続されたプリンターがあった。それ以外に、調度品の類《たぐい》は一切ない。基本的には、大和田の部屋と同じ構造だった。だが、大和田の部屋に比べて、異様に広々と感じられた。生活臭がまるでなかった。引っ越す前と言った割には、荷造りされた荷物もない。

「それで用件は?」

男は、立ったまま、幾分、威圧的な声で訊いた。私たちも立ったままだった。扉に背を向け、私と大和田が身構えるように並び立ち、その後ろの玄関の出口を塞ぐように、燐子が立っている。

「あなたが大和田君に成り代わって、そこの女性に出したメールのことです」

私は燐子を指さしながら言った。男の顔が微妙に変化した。

「何を言っているのかね。私には覚えがない」

言いながら、男の顔が薄気味の悪い笑みを浮かべているように見えた。不意に、闇の中にぼんやりと二つの顔が浮かんだ。その二つの顔がだまし絵のように重なり、私の網膜に明瞭な焦点を結んだ。締まりのない、弛《たる》んだ二重顎。落ち窪んだ眼窩《がんか》が湛える、冷たく濁った光。それらが私の視界を領した瞬間、確信した。体が強張った。私の目の前に立つ男は、間違いなく矢島だ。気づいたことを気取られてはならないと思った。次の言葉が重要だ。あくまでも、燐子への変態メールを追及するためにやって来た振りをしなければならない。

「しかし、あなたは大和田君から、私たちのゼミ生のメールアドレスのリストを手に入れていますね」

穏やかに言った。相手を刺激するのは、極力、避けたつもりだった。しかし、その一瞬、事態が急変した。男が動いたのだ。私と大和田の間にできた一メートルくらいの間隔を、男の体が疾風のように通り抜けた。異様な風圧を感じた。左側によろめいた。直後に、悲鳴が聞こえた。燐子だった。男は、燐子に襲いかかり、いつの間にか取り出したナイフを首筋に突きつけていた。左手を燐子の首筋に巻き付け、右手で持ったナイフはぴたりと喉仏に照準を合わせている。見る見るうちに、燐子の顔が青ざめた。その目から涙があふれ出て、引きつったような泣き声が聞こえ始めた。

「やめろ」

思わず叫んだ。やはり、燐子を中に入れるべきではなかった。私たちの布陣の弱点が見事に突かれたのだ。男は、その体勢のまま足下《あしもと》の靴を器用に履いた。燐子を連れ去って、逃走するつもりなのか。ますますあせった。

「先生、私が誰だかもう分かってるんだろ。だが、つかまるつもりはないさ」

落ち着いた口調だった。しばらく、にらみ合いが続いた。無言のまま、両手を開いて身構えた。隣の大和田も、ボクシングのような格好で握り拳を構えている。男も両手がふさがっているため、扉を開ける余裕はないようだった。あるいは、そのタイミングを見計っているのか。行き詰まるような対峙の緊張が、静寂《しじま》を支配した。大和田の動く気配を感じた。彼は壁沿いから、男との距離を詰めているようだった。私たちは、素手で、人質まで取られていたが、数的優位はある。そう思った瞬間、大和田が大声を上げながら、男の右手に飛びかかった。激しいもみ合いになった。

燐子の体が、男の腕から離れた。私の腕の中に飛び込んできた。抱きしめた。だが、この一瞬の動きが、私が大和田に加勢するタイミングを遅れさせた。私は、ほんの一瞬だけ、眼前に展開する光景から、視線を切った。

素早く、燐子の体を後ろに隠すと、私は眼前の光景を見据えた。

大和田がひざまずいていた。腹部から出血している。だが、両手で男の両脚にしがみついている。男のナイフが、斜め上方から大和田の首筋を襲った。鮮血が迸った。大和田は、うめき声を上げながら後方に崩れ落ちた。ほんの数秒の出来事だった。扉が開き、男が走り出ていった。

「大和田君、しっかりしろ」

大和田に駆け寄り、助け起こした。私の衣服に多量の血液がへばりついた。半端な出血ではない。上着のポケットから、ハンカチを取り出し、首筋に当てた。ハンカチはあっという間に血を吸い込み、血のバケツにつけた雑巾のようになった。

「先生、あいつを追って下さい」

大和田が、激しい息遣いで言った。

「君の手当が先だ。燐子、救急車！」

私も絶叫するように言った。それから、燐子のほうを振り返った。燐子は、完全なショック状態で、両膝を折ってしゃがみこみ、私の大声でさえもまったく聞こえていないようだった。その目はぼんやりと虚空を見つめている。私は、上着のポケットから携帯を取り出した。自分自身の手も震えているのに気づいた。震えた手のままで、番号ボタンを押した。

「もしもし、救急車をお願いします。人が刺されました。重体です。急いでください。——」

自分の声が他人の声のように聞こえた。誰かが、喋っているのを横で聞いているような感覚だった。大和田の顔が一気に青ざめていくのを感じた。荒かった息遣いが消えた。しかし、私はそれが何を意味しているのかさえ、明瞭には意識できなかった。

第六章　幻　影

（一）

あれから、十年が過ぎ去った。事件後、私はすぐに東洛大学を辞任した。危険きわまりない犯人追跡に学生を巻き込んで、死者すら出したことに対する責任を取ったのである。辞任することに抵抗はなかった。私自身、死んだ大和田に対する責任を痛感していたのだ。辞任後、三年間は浪人暮らしだった。当然のように生活は苦しくなった。しかし、捨てる神あれば、拾う神あり、である。浪人後四年目で、福岡にある女子大の文学部特任教授に就任できた。特任教授だから、教授会への出席は免除され、出席しなければならない会議も限定されている。

私は、毎週、月曜日から木曜日までは、福岡市のウィークリーマンションに滞在し、金曜日の夜、飛行機で東京に帰ってくる生活を繰り返した。友人たちは、そのハードスケジュールを気の毒がった。東京の大学への再就職の運動を申し出てくれる者もあった。だが、私は固辞していた。それに、この生活は、見かけほどハードではない。だいいち、授業そのものは、週四コマだけだから、時間的にはかなり余裕がある。授業も会議もない日は、私は一人で福岡市内を歩き回った。博多という名でも知られるこの街は、大都会には違いなかったが、知り合いがいない分、東京よりは落ち着くことができた。それに、私の顔も、東京ほどには知られていなかった。私は、相変わらず、テレビ出演していたが、私がよく出演しているテレビ局の番組は九州地方では放送されていなかった。

事件は、未解決のままだった。矢島も逮捕されていなかったし、澪も発見されていない。大和田のマンションを逃げ去って以来、矢島の足取りは、十年間、まったく途絶えていると言っていい。明らかに誤報と思われるものを除けば、目撃情報さえほとんどなかったのだ。まるで、忽然と消え失せてしまったかのようである。澪に関しては、相変わらず、悲観的な観測が流れていた。そもそも矢島が、大和田の隣室に一人で潜伏していたことが、その観測の重要な根拠となっていた。

確かに、澪が生きているとすれば、共犯者でもいない限り、矢島が彼女を自分の手元以外の所に監禁しておくのは、実際的には不可能に思えた。すでに両親も兄も死んでいるのだ。矢島が脅迫のネタに使える材料はない。マインド・コントロールも空間的に近い位置にいない限り、徐々に解け掛かって来るはずだった。現に、彼女は、一緒に住んでいたときでさえも、私の家に逃げ出してきたのだから、マインド・コントロールはその時点で、すでに相当に弱まっていたと考えられる。そういうことを総合的に考えると、澪はすでに殺されており、ただ、死体が発見されていないだけなのだという推測は、それなりの蓋然《がいぜん》性《せい》を持っているように思われた。

事件直後、巷では、「隣人」という言葉が流行した。本来、「助け合い」を暗示するその言葉は、不気味なことに、「危険」の代名詞として使われるようになったのだ。「汝の隣人を疑え」という自虐的なコピーが、人々の日常会話の常套句《じょうとうく》となった。実際、人々は隣に住む人間の素性に懐疑の目を向け、その行動を常時監視することを、異常なことだとは思わなくなっていた。

だが、近頃では、矢島の事件も、忘れ去られようとしていた。異常な凶悪事件が次から次へと発生する現代社会では、第二の、第三の矢島はそれほどの時間の間隔も置かずに、登場してくるのだ。人間の記憶のほうが、悪の再生産に追いついていなかった。

私自身、諦めかけていた。生死の知れぬ、行方不明の子供を持つ親のような心境だったのかも知れない。終焉《しゅうえん》のない物語。私は、タイトルも記憶していない、イタリア映画のストーリーを思い浮かべた。ある海岸で自分の恋人の女が行方不明になり、男はその恋人を探し続ける。映画は、三時間を遥かに超える長編だ。男が女を捜す様子が、けだるく、どんよりと曇るイタリアの風景を背景にして、次々と場面を変えて、映し出される。

女の行方に関する、人々の不確かな証言。だが、女は見つからない。生死も不明だ。結局、この映画はクライマックスを迎えることはない。女が行方不明のまま、映画は終了してしまうのだ。後味の悪さは、天下一品の映画である。最初に見たとき、監督の意図が分からなかった。だが、今、私自身が置かれている状況こそ、まさにこの監督が描こうと意図した世界観を反映しているように思えた。事態の終焉は、人間の根拠のない期待に過ぎないことを、私自身、思い知っていた。

大和田の死だけが、確固たる事実として残った。その他の事柄は、十年という歳月の流れのなかで、夢の中の出来事のように、流れ去った。燐子は、事件後、しばらくの間、ＰＴＳＤ症候群に苦しんだ。しかし、やがて回復し、大学卒業後三年で、商社員の男と見合い結婚した。私は、結婚式に呼ばれた。出たくはなかった。しかし、出るのが義務だとも思った。私自身が、新婦の側《がわ》の知人として、祝福の言葉を述べた。私は、燐子の幸福を祈っていた。彼女の幸福な結婚が、私が彼女を事件に巻き込んだ罪を浄化することを願っていた。

その燐子は、現在、駐在員となった夫と共にカリフォルニアに在住し、現地で女児を出産した。そういう近況が書かれた手紙を、私は最近、彼女自身から受け取っていた。その中の文言が私の頭から離れなかった。「結局、私の好きな人には、気持ちは打ち明けられなかったけど、私は、今、夫と子供とともに十分にしあわせです」

十分にしあわせ、か。それでいいのだ。だが、一体、彼女が好きだったその男性は誰だったのだろうか。胸を締め付けるような哀切の感情と共に、淡い期待が立ちあがった。しかし、私は心の中で乾いた笑いを噛み殺しながら、その妄想の影を再び打ち消した。

谷本にも変化があった。彼はすでに警視庁を退職し、大手警備保障会社の警備部長に就任していた。事件後、私との親交は、次第に薄まっていったが、今でも、年賀状のやり取りはしている。河合園子とは、ほとんど親交がない。大和田のマンションで起こった事件が報道されてから、一週間後くらいに、彼女から私の携帯に電話が入ったことは記憶している。

ただ、通り一遍の見舞いの電話で、さして深い話もしなかった。それ以来、互いに連絡を取り合うことはなかった。園子のつらい気持ちを分かっているつもりだった。できるだけ早く、事件の傷痕を忘れさせてあげたいと思っていた。それには、事件関係者とは会わないほうがいいのだ。その園子も、演奏活動は活発で、日本やヨーロッパでのリサイタルの模様が、ときおり、日本の新聞や雑誌で報道されていた。

私と妻は、一時のぎくしゃくした関係から回復し、以前と変わらぬ状態に戻っていた。だが、妻は、事件後、妙に迷信深くなった。占いや家相の本をしきりに読んでいた。リビングに小さな仏壇を置き、毎朝、線香を上げて拝んだ。私が東洛大学を辞めてから一年後、妻の父親が他界したこともある。しかし、彼女は父親以外に、大和田と野上の分まで拝んでいるようだった。実際、彼女は、私にも拝むことを促し、私もそれに従った。

だが、そんな行為では私の心は癒えなかった。野上はともかく、大和田に対しては、決定的な罪の意識に苛まれた。跡取り息子を亡くした両親のことを思った。実際、私は彼の葬儀で、悲嘆に暮れる両親に会っていた。ただ、両親ともことさら私を非難することもなく、葬儀に参列した私に丁重な礼を述べた。その分別ある謙抑が一層私を苦しめた。私が、あの日、彼を呼び出しさえしなければ、彼は死ぬことはなかったのだ。しかも、私は、とんでもない勘違いの疑惑から彼を呼び出したのだ。私が殺したようなものだという気持ちをどうしても払拭できなかった。その罪の意識を軽減し、大和田の霊に少しでも顔向けできるようになるためには、矢島の逮捕が必要だった。それなのに、その実質的手だては、ほとんどなくなったも同然の状態が続いていたのだ。

(二)

アクロス福岡内一階の福岡シンフォニーホール。福岡でクラシックの演奏会に来るのは、はじめてだった。いや、というよりは、十年前に園子の演奏会に行って以来、私はクラシックであれ何であれ、演奏会と名のつくものに出かけたことはなかったのだ。その私が福岡でピアノリサイタルに出かける気になったのは、単なる偶然からだった。私の住むウィークリーマンションは、アクロス福岡の近くにある。夏休みが近づいていた七月初旬、私はたまたま建物の中に入り、総合案内所に置かれていたパンフレットを目にしたのだ。

河合優《ゆう》ピアノリサイタルの夕べ。姓の一致が私の視線を引き寄せたのかも知れない。しかし、河合などというのは、どこにでもある平凡な苗字だ。だから、即、園子と姻戚関係にある人物と考えたわけではない。ただ、その苗字が園子を連想させたというのが、正確だろう。私は、しばらく、パンフレットを眺めた。河合優。国立《くにたち》音楽大学付属高等学校音楽科卒業後、フランスに渡り、パリ国立《こくりつ》音楽院に入学。在学中、二十一歳のとき、ショパンコンクールで第四位に入賞。翌年、パリで初リサイタルを開く。以後、ショパンから現代音楽に至るまで、幅広いレパートリーをこなし、国際的な活躍を続けている。河合園子は、母に当たる。——

読みさしのパンフレットから、視線を上げた。園子に娘がいたのか。驚きだった。野上との間にできた子供なのだろうか。園子の言葉を思い浮かべた。「私、こんな体でしょ。言いにくいことだけど、夫とのセックスも難しいの」事情は分からなかった。それに、園子が私に嘘を吐《つ》いたとも思えなかった。確かに、彼女は私に娘のことには言及しなかったが、娘がいないとは言っていない。もう一度、パンフレットに視線を落とした。曲目の項目を見た。オール・ショパンプログラム。最後の曲目に引き寄せられた。練習曲作品一〇第一二番ハ短調。

苦痛な時間が流れた。私はひたすら、「革命のエチュード」を待った。他の曲を許容できるような音楽の耳を私は持ち合わせていなかった。ただ、それは私のクラシックに対する鑑賞力の問題であると同時に、精神のバランスの問題でもあった。曲と曲の間に、断続的に聞こえる咳払い。その咳払いが、演奏中の咳払いを予防する効果があるとは思えなかった。むしろ、あらたな咳払いの衝動を生む緊張感の喚起にしか役立っていないように思えた。私は、所詮、こんな高級なクラシック演奏の鑑賞には、不向きにできているのだ。ただ、「革命のエチュード」だけにこだわり続けていた。あの曲だけが、私と園子を繋いでいた。「記憶」。園子が書いたエッセイのタイトルと共に、あの旋律は、私の視床下部を刺激し、私の神経を戦慄させた。

「革命のエチュード」が始まった。満員の聴衆のなかに、一層の緊張感が満ちたように思えた。やがて、例のリフレインが頻繁に繰り返され始めた。私が口ずさむことができる唯一の旋律。園子との技術的な差など分からなかった。私には、同じようにしか聞こえなかった。ブーニンを聴いても同じだっただろうし、あるいは、素人の高校生の演奏を聴いても、同じだったかも知れない。私の座席は後部扉に近かったから、奏者の顔はほとんど見えなかった。私は、ただ呆然と聴き続けた。ときおり、意識が飛ぶような瞬間があった。野上の顔、園子の顔、矢島の顔、澪の顔が走馬燈のように流れた。突然、拍手が沸き起こった。演奏は、いつの間にか終了していた。

（三）

アクロス福岡地下二階のイタリアン・レストランに入った。演奏会終了後の午後八時過ぎだった。単身赴任の身だから、一人で食事するのは、慣れている。その日は、金曜日だった。本来なら、その夜、東京に戻るはずだったが、私は、この演奏会のために、帰京を一日延ばしたのだ。すでに夏休み寸前で、私の授業は終了している。今度、東京に戻れば、次は九月に福岡に来ればいい。このあたりが、特任教授の特権だった。教授会への出席やその他の学内行政から、免除されているため、授業の終了が、即、仕事の終了を意味しているのだ。その分、特任教授は、任期制で身分が不安定だったが、私の場合、四年おきの更新で、すでに一回の更新がなされており、最低でも、あと二年は勤められることになっていた。

赤ワインとパスタとサラダの食事だった。窓際の座席で、アクロス内の人々の流れを眺めた。金曜日の夜だ。かなりの人が出ていた。上階の建物には、シンフォニーホールだけでなく、さまざまな施設があるから、それぞれの行事が終了したあと、地階のレストラン街で食事をする人も多い。

入り口から、新しい客たちが入ってきた。七、八名の団体だった。テーブルはすでにあらかた埋まっていたから、予約客だろう。私の斜め前方の大きなテーブルが空《あ》いていた。私のテーブルからは、十メートル近く離れている。入ってきた客たちは、そこの席を占め始めた。静かなグループで、人数の割にざわついた雰囲気はない。私は、ぼんやりとその光景を見つめていた。赤ワインをすでに、二杯ほど飲んでいたから、軽い酔いが全身を覆っていた。私は、そのグループの中心にいる人物が誰なのか、すぐには気づいていなかった。

隣のテーブルの家族連れ四人が、かなり賑やかに会話していた。そのせいで、さらにそのテーブルの向こう側に座るグループの静かな会話は、微かにしか聞こえなかった。だが、断片的には会話の内容が分かる部分があった。

「ショパンのピアノ曲は、相変わらず、人気があるんですか？」

テーブルの中心に座る若い女性に向かって、手前の男が話しかけていた。女性は私のほうに顔を向けている。はっとした。顔の輪郭は、演奏会のときより、遥かに明瞭に視認できた。パンフレットに載っていた河合優の写真を思い浮かべた。まさに当人だった。話しかけていた男は、主催者側の関係者のようだった。福岡市の主催だったから、質問の一般的な内容から考えて、おそらく、市のイベント担当の職員かも知れない。

女性は、微笑みながら答えていたが、小さな声なのか、私の所までは届いてこない。だが、その表情はかなりはっきり見えた。ショートカットの髪型で、パンフレットの写真より、ボーイッシュに見える。上下黒のパンツスーツに白いブラウスという堅い服装のせいかもしれない。目鼻立ちは整っていて、その涼しげな目元が印象的だった。

これが園子の娘なのか。顔は似ていなかった。いや、園子の顔はすでに私の記憶のなかでは、明瞭な像を結んでおらず、実際の所、似ているかどうかも分からなかった。正確には、園子を連想させるものは、希薄だったと言うべきだろう。

隣の家族連れの話し声がますます大きくなった。河合優たちの会話はほとんど聞き取れなくなった。それでも、私はそのテーブルを凝視し続けた。酔いも回り始めた。私は、すでに四杯目のワインを注ぎ、そのグラスもあらかた空《あ》けかかっていた。不意に、すべての音声が途絶えたように思った。その静寂のなかで、私の濁った視線は河合優の表情を追い続けた。

（四）

書斎のなかで、過去の新聞の切り抜きを見つめた。中野駅近くの、三DKのマンションだった。私たちがここに引っ越してきてから、すでに七年近くになる。その間《あいだ》、私は、元の家は壊し、土地だけを売りに出していた。その土地は、昨年、ようやく、信じられないほどの安値で売れた。元の西野の家や田中母娘《おやこ》の家も取り壊され、土地だけが売りに出されていると聞いているが、それらの土地が売れたのかどうかは、分からない。

今年は、どんな年になるのだろうか。年明けの一月は、イギリス、フランス、スペインと、演奏会で回った。帰国したとき、すでに新年は過去の記憶の中に、死骸《むくろ》を晒していた。

園子のエッセイ「記憶」の最後の数行を見つめ続けた。十年前に最初に読んだとき、この部分に何か違和感を感じたのを覚えている。だが、その違和感の原因を突き詰めて考えることはしなかった。頭の大部分が、矢島の行方でいっぱいだったのだ。だが、今は冷静な分析が可能だ。「年明けの一月は、イギリス、フランス、スペインと、演奏会で回った」とあるのは、普通に考えれば、一月中は、海外にいたということではないのか。そして、「帰国したとき」というのは、いつ帰国したという意味なのか。具体的な数字が書かれていないことに、意味を感じた。

私は、デスクの上に、その切り抜きを広げ、右手には、十年前の手帳を開いていた。帝国ホテルの一室で、そのことを話したときのメモが記されているのだ。（ロンドンから帰国後の）一月十三日、野上からの手紙を発見。手紙の消印は、一月九日。一月十五日、放火殺人発生。乱雑な文字が、小さな空間で躍っていた。

私の記憶では、園子はこのときも、具体的な帰国日は言わなかった。私のメモの丸括弧の使い方が、そのことを意味していた。しかし、彼女の郵便受けに入っていた野上からの手紙を手に取ったのが一月十三日だとすれば、帰国は同日か、前日くらいだったと推定される。つまり、園子は一月の中旬以前に、日本に戻っていたことになる。だが、その三行からは、園子は一月一杯、海外にいたという印象を受けるのだ。もちろん、「すでに新年は過去の記憶の中に、死骸《むくろ》を晒していた」という最後の抽象的な一行によって、全体としては、その点については、どうにでも解釈できる文にはなっていたけれど。

考えてみると、野上が園子に宛てて送ってきた手紙そのものは見ていなかった。その手紙のなかに、私に宛てた野上の手紙も同封されていたという。彼女は、九日の消印が押されていたはずの、その封筒も見せなかった。「その手紙は私との関係についてプライベートなことがいろいろと書いてあるからお見せできないけど――」彼女は、先手を取るように、要求されてもいない事柄を最初から否定した。私の違和感は、微かな疑惑に転じ始めた。消印が押された封筒など初めからなかったのではないか。ひょっとしたら、その手紙は――。

私は、手帳をさらにめくった。死亡推定時刻のメモを探したのだ。だが、すぐには見つからない。コンピューターを立ち上げた。この事件全体の情報一切が、ファイルにまとめられて保存されているのだ。

ファイルを開いた。死亡推定時刻の項目がすぐに出た。一月十三日午後十一時十五分〜十五日午前一時十五分。問題は、この死亡推定時刻が十三日まで含んでいる点だった。火災による遺体の損傷や胃の内容物の少なさなど不利な条件が重なり、いささか正確性に欠ける司法解剖の結果だった。三体とも、火災の煙を吸い込んでおらず、殺害後に放火がなされたことは確かだった。しかし、田中母娘《おやこ》と野上がほぼ同じ時期に殺されたと断定することもできないのだ。いや、むしろ、二人の死と野上の死の間には、かなり大きな時間的なズレがある可能性さえある。

空白の二週間のことを思い浮かべた。野上が私の家を訪ねてきてから、田中母娘の家で、焼死体となって発見されるまでの二週間、彼はどこで何をしていたのか。彼が高額の負債を抱えており、その負債の取り立てから逃れるために、行方をくらましていたと考えることもできる。しかし、私は、当初は、野上が西野邸で監禁されていた可能性を考えていた。胃の内容物が少なかったことも、その解釈の根拠の一つだった。

だが、その解釈もどこか現実味に欠けた。私が、西野邸の隣に住んでいたという事実が、その信憑性を拒んでいた。野上が矢島を急襲し、隣家でもみ合いでも発生すれば、何らかの兆候ぐらいは感じ取ることができたはずだと思うからだ。それに、プロの捜査官である野上が拳銃まで用意しながら、やすやすと矢島に監禁され、殺されてしまったという想定は、やはり、どこか不自然だった。私への手紙にあるように、自分の兄である矢島を殺すつもりで西野邸に出かけたとするなら、それなりの覚悟と用心があったはずであり、そう簡単に殺されるとは思えないのだ。

私の思考は、メビウスの輪のように循環した。野上は、西野邸で監禁され、殺されたという推定と、どこか他の場所で殺され、車で死体発見現場まで運ばれたという推定が、私の頭の中をめまぐるしく、交錯した。だが、後者の場合のほうが、野上が拳銃を握りしめていなかった理由を合理的に説明できる気がした。もちろん、拳銃自殺した人間の手から、拳銃が離れ落ちるのは、それほど稀ではないのかも知れない。だが、そんなことを知っているのは、かなり専門的な知識を持っている人間だけだ。

自殺に見せかけようと偽装工作する場合、普通は、それらしく見せるために、死者の手に凶器の拳銃を握らせようとすることだろう。しかし、拳銃は野上の死体のそばに落ちていたのだ。それは拳銃を握らせたくても、握らせることができなかったからではないのか。死後硬直という言葉が思い浮かんだ。野上が西野邸で殺されたのであれば、すぐに銃を握らせ、田中邸にその遺体を遺棄することも可能だっただろう。しかし、野上の遺体が田中邸に運ばれてきたとき、死後硬直は相当に進んでいて、もはや手の指を開くことは不可能になっていたのではないか。不吉な予兆が働いた。その思考の奥にある、入れ子構造の謎の扉に、私の手が微かに触れたように思えた。だが、それはまだ、言葉として明確な輪郭を帯びてはいなかった。

（五）

リビングに行った。妻が、テーブルに座り、紅茶を飲みながら、女性雑誌を読んでいた。すでに夜の十時だったが、最近の妻は夜更かしである。

「ねえ、あなた、今月の勝負服は、白らしいわよ。白のジャケットあったでしょ。今月は、なるべく、あれを着たほうがいいわよ」

その女性雑誌には、星座による占いのことが書かれているようだった。私は、牡牛座だが、牡牛座には今月は白がいいと書かれているのだろう。

「ああ、そうするよ」

私は、そういう類《たぐい》の占いなど、まるで信じていなかったが、妻の顔を立てるつもりで、いつもそんな応えをしていた。私は、妻の目の前に椅子を引いて、座った。妻が顔を上げた。

「あなたも紅茶飲む？」

「いや、いらない」

妻は、雑誌を置いて、私のほうを見た。何か話があると思ったのだろう。

「日野市の事件で、いまだにスッキリしないのは、矢島と隣家の主婦であった本多京子の関係だね」

唐突に言った。妻の拒否反応を恐れた。ここ五年ほど、妻は事件のことには触れたがらなくなっていた。かつては、澪のことを心配し、矢島の逮捕を望んでいた妻だったが、近頃では、そんなことにも一切言及しなくなった。一つには、妻自身、澪はもう生きてはいないだろうと諦めていたということもある。

「また、事件のことを考え出したの？」

妻がしんみりした調子で訊いた。

「いけないかな？」

「いいわ、付き合うわ」

近頃の妻にしては、珍しい反応だった。私が何か新しいことを摑んだと思ったのかも知れない。しかし、明確な新情報があるわけではない。ただ、事件を何か違う別の視点から、見直し始めている自分を感じていた。

「あなたはどう思っているの。二人の関係は、やはり暴力による無理強いだったと考えているのかしら」

「そこを女性である君に訊きたいんだ。僕にはよく分からないんだ」

「そうね、半分半分だったんじゃないかしら。最初は、結構親しかったんじゃない。旦那さんには、内緒の関係だったとも考えられるわ。それで、お金を融通してもらうようになって、その借金がだんだん嵩んでいき、結局、セックスを無理強いされたんだと思う」

「しかし、野上の手記では、自分の兄である矢島は、女性に嫌悪感を催させる存在として描かれているよ。要するに、女性にはもてなかったという風に――」

「そこが、私の印象とは少し違うの。私も、野上さんの手記を読ませてもらったけど、そこが私には違和感があったのよ。私、野上さんには会ったことがないけど、あなたの話では、昔から、すごくもてる人だったんでしょ。そういう人に比べれば、レベルは低いのかも知れないけど、半分しか血がつながっていないとは言え、お兄さんでしょ。私たちが会っていた頃は、もう完全に中年だったけど、もう少し若かったら、あの人、別にもてたっておかしくないと思うのよ。矢島って、最初は、ソフトタッチで近づいてくるから、女性に妙な安心感を与えるところがあるし」

妻の発言は意外だった。妻がそういう風に感じていたとしたら、その印象はばかにできなかった。妻は矢島に傷害を負わされているのだから、矢島に対する嫌悪感は、人一倍強いはずだった。その妻でさえ、矢島の魅力を必ずしも否定していないのだ。

だが、なぜ私はそんなことにこだわっているのだろう。問題は、日野市の事件ではなかった。そこを見透かしたように、妻が訊いた。

「でも、それが事件と何か関係があるの？　矢島がもてたかどうかということが――」

「うん、彼の潜伏先のことを考えているんだ。警察の必死の捜索にも拘らず、そして、彼の事件と顔がこれだけ世間に知れ渡っているにも拘らず、彼の行方は杳として知れない。それは、彼が誰かに匿われていることを意味してるんじゃないか」

「それも、女性にということね。誰か具体的な人があなたの頭にあるの？」

私は黙った。妻には、微妙な反応に見えたことだろう。私は、間接的な答えをするしかなかった。

「いや、僕が考えているのは、野上が田中さんの家で焼死体となって発見されるまで、どこにいたのかということなんだ。それが分かれば——」

「あなたは、彼が西野邸や田中邸で殺されたとは思ってないのね」

「ああ、何だかそんな気がするんだ。火災の発生前は、僕たちは、拳銃の発射音はおろか、激しい物音も聞いていない。君が聞いたというのは、夜中の女性の泣き声だろ。矢島が澪の母親を拷問していたのは確かだろうが、野上の存在は不明だ。田中母娘《おやこ》は間違いなく、野上の所持していた拳銃で撃ち殺されている。引き金をひいたのは、もちろん、矢島だろう。石油をまいて、火が燃え上がる瞬間の轟音と同時に引き金を引けば、銃声はそんなに目立たなかったかも知れない。だが、野上を撃ち殺した弾丸は、もっとずっと前に発射されていたんじゃないか」

「じゃあ、矢島と野上さんが、どこか別の場所で会っていたということね」

「いや、野上の殺害現場に、矢島がいたかどうかも分からない」

「あなた、何考えてるの？　誰を疑っているの？」

妻の視線は、不安げに私の顔に注がれていた。だが、妻が私の考えていることを正確に理解しているはずがなかった。何しろ、私自身が自分の考えていることを明瞭には理解できていなかったのだ。

（六）

銀座線の赤坂見附駅で降りた。エクセルホテル東急の側《がわ》に出て、ホテルの前を南方向に五分ほど歩いた。午前中だったが、すでにかなりの日差しが溢れていた。まだ七月初旬とは言え、夏の熱気が大気にこもり、暑い一日を予感させた。谷本に教えられたビルの前に出た。十階建てのビルだった。正面玄関の入り口に、「帝国総合保障」とある。一階の受付で名前と、谷本との面会予定を告げた。受付の女性は、館内電話で連絡し、丁重な口調で、八階に行くように指示した。

エレベーターの前で、制服姿の谷本が迎えてくれた。

「先生、ご無沙汰しております」

相変わらず、礼儀正しい態度だった。ただ、頭髪に混じった白髪が、幾分の歳月の経過を感じさせた。谷本も、年齢的にはもう五十に近いはずである。

「十階が社員食堂になっているんです。そこでランチでも食べながら話しませんか」

谷本が指定した面会時間は、午前中の十一時半だった。ちょうど昼休みの時間なのだろう。警備部長とは言え、民間企業にいる以上、警視庁のときのように、時間を考慮に入れない、自由な活動は許されないのかも知れない。

広々とした空間だった。それに、昼休みが始まったばかりのせいか、まだそれほど込みあってはいなかった。カフェテリアスタイルで、料理を受け取ってから、レジで精算するシステムだ。谷本は、カレーとコーヒーを頼み、私も同じものを注文した。自分の分を支払おうとする私を制して、谷本が二人分を支払った。

レジから一番離れた奥のテーブルに対座した。さいわい、隣のテーブルも正面のテーブルも空《あ》いていた。

「申し訳ありません。お忙しいところをお邪魔しまして」

私は、あらためて挨拶した。

「いや、私のほうこそ、ちゃんとした時間を取れなくてすいません。警視庁にいたときより、案外時間の自由が利かないんですよ」

雑談をしながら、手早くカレーを食べた。事件のことには触れなかった。だが、私の用件が何であるか、谷本も百も承知だったはずだ。

「それで、お電話でお訊きした件ですが——」

食事が終わり、コーヒーを飲み始めたところで、谷本が促すように言った。

「ええ、野上が河合園子さんに託して、私の手元に届いた手紙の件ですが――」

「あの手紙に何か疑問をお持ちなのでしょうか？」

谷本が先回りするように訊いた。

「いや、疑問というほどではありませんが、当時、捜査本部はあの手紙をどう評価していたのか、知りたいと思いまして。近頃、事件を少し違う角度から見てみようと思い始めたんです。すると、何故かあの手紙が妙に気になりまして――」

谷本は、一瞬、黙って、私の目をのぞき込むようにした。いいところを突いていると言いたげな表情にも見えた。やがて、谷本は落ち着いた口調で話し始めた。

「そうですね。先生から電話でお話を聞いて、あの当時のことを思い出してみたのですが、捜査官たちは、現場の責任者であった当時の一課長も含めて、ほとんどが肯定的な評価をしていましたね。細部はともかく、大筋では、書かれていることは真実だろうと。実際、あの野上さんの手紙で、事件のかなりの部分が解明され、矢島善雄という有力容疑者が捜査線上に上がってきたわけですから。河合園子さんにも、警視庁に来ていただいて、事情を聞きましたが、彼女が野上さんから聞いていた矢島に関する情報が、ほぼあの手紙に反映されている感じで、ほとんどの刑事が別に疑問を持っていませんでしたね。ただ、――」

ここで、谷本は躊躇するように、言葉を切った。長い間《ま》、だった。

「ただ、どうしたのですか？」

私は待ちきれず、促すように訊いた。

「ただ、一人の刑事だけが、かなり懐疑的な意見を述べていましたね。しかし、それは書かれていることの真実性を疑っているというよりは、書かれていることはほぼ真実に近いものであることを認めた上で、書き手が野上さんであることを疑っているような意見でした」

「ほおっ」

私は、思わず、感嘆の声を上げた。興味深い意見だった。

「その根拠は何だったんですか？」

「一つには、野上さんが『僕』という一人称を使っているのを不自然と考えているようでしたね。当時、彼は四十六歳でした。日常会話では、『僕』と言ってもおかしくないけれど、手記にも近い、正式の文書では、やはり『私』と書くのが普通の年齢じゃないかと――」

それは私が考えていたことでもあった。だから、書き手は、その手紙を書いた人物が男性であることを読み手に過剰に意識させたかったのかも知れない。つまり、それはとりもなおさず、書き手が女性であることを意味してはいないか。その刑事の発言にも、そういう暗示が込められているのは明らかに思えた。だが、私はあえてそんなコメントもせず、谷本の話を聞き続けた。

「さらに、その刑事は、野上さんが警視庁の広報が出している雑誌に寄稿した、犯罪撲滅《ぼくめつ》に関する啓発の文章まで持ち出してきて、そのスタイルが違いすぎることも指摘していました。確かに、その文章は何の変哲もない、平凡な文章で、お世辞にも上手な文と言えるものではありませんでしたね。もちろん、彼は頭のいい人だったから、別に支離滅裂《しりめつれつ》な文章というわけではありませんよ。ただ、うまく言えないんですが、文学臭のまったくない無味乾燥《むみかんそう》な文章というか——それに対して、手記のほうはかなり文学的で、筆も立つという印象でしょ。最後のほうで、あなたと比較して、文章を書き慣れていないことを強調していましたが、それは何かわざとらしい過剰なへりくだりという印象を受けるぐらいで、あの文章を読んだ人は、普通、かなり文章を書き慣れた人の筆という印象を受けるんじゃないでしょうか。しかし、大半の刑事は、そういう差は、書かれている目的が違うことによって生じているスタイルの差に過ぎないということで、納得しているようでしたね。でも、その刑事はあくまでも自分の主張にこだわり、筆跡鑑定まで要求し、実際に筆跡鑑定が行われたのです」

これも意外だった。当時、私は谷本からそんな報告は、まったく受けていなかった。当然のことながら、捜査本部は、私に対して伏せるべき情報は伏せていたのだということを、あらためて思い知った。

「しかし、筆跡鑑定でも、明確な結論は出ませんでした。二人の鑑定人に依頼したのですが、一人は『酷似している』という結論で、書き手が野上さんであることに肯定的でした。しかし、もう一人の鑑定人は、『別人である可能性が高い』という否定的な結論でしたね」

ここで、谷本はもう一度、言葉を切った。それから、尋ねた。

「先生ご自身は、いかがでしたか？　あの手紙に、当時、一度も、疑問は持たなかったのでしょうか？」

「当時は、持ちませんでしたね。何しろ、私の身辺では、異常なことが立て続けに起こっていましたからね。奇妙な熱狂の中で、客観的に物事を観察する目が、いささか曇っていたような気がします。しかし、今、思い返してみると、その刑事の言うことは、確かに、一理ありますね。それに、今では、河合園子さんが、私を呼び出した呼び出し方も、少し不思議な気がしているんです」

谷本の目が、ぎらりと光ったように見えた。現役を引退しているとは言え、こういう反応は、いかにも警視庁の元敏腕刑事という印象だった。

「確か、コンサートのプログラムとチケットが送られて来て、そこに彼女のメモが書かれていたのでしたね」

「ええ、そうです。しかし、考えてみると、私は高校時代、彼女とはほとんど喋ったことはありませんでした。彼女は、同窓会にも出席していません。従って、彼女と私は、昔高校の同級生だったというだけで、それ以外はまったく接点がなかったのです。ただ、あの当時は、私たちが追っていた事件と野上の失踪がどこかで通底していると彼女が直感的に感じ取っているんだろうと漠然と考えていました。実際、彼女はあなたとも接触しており、野上が失踪していること自体は分かっていたわけですからね。しかし、当時のマスコミの報道は、私の近隣で起こった事件に集中していて、野上が関連していることは、完全に伏せられていたわけですから、考えようによっては、いかにも勘がよすぎると思いませんか。それに、もし彼女が本当に私たちが追っていた事件と野上の失踪を結びつけていたとしたら、私との関係から言って、電話を掛けてくるとか、もっと普通の連絡方法を取るほうが自然ではないでしょうか。だから、あの呼び出し方は、いかにも芝居がかっているというか――」

「芝居がかっていますか――」

谷本は、私の表現を反復した。沈黙が流れた。しばらくして、私のほうから話し始めた。

「しかし、それはともかく、さきほどあなたがおっしゃった、野上の手紙の信憑性に疑義を差し挟んでいた刑事は、そう主張することによって、一体、何を立証しようとしていたのでしょうか？　そう主張するなら、当然、立証趣旨というものがあるわけでしょ」

「それはよく分かりません。ただ、彼は野上さんがどこで死んだのかにこだわっていました。もちろん、野上さんが田中母娘《おやこ》を強盗目的で殺して、自殺したなどという解釈は、論外だと考えていたようです。しかし、かと言って、野上さんがあなたを訪問したあと、当時、西野と思われていた人物、つまり矢島を急襲して、逆に、監禁され、殺された上で、田中邸に放り込まれたなどとも考えていないようでした。拳銃で武装した刑事が、そう簡単にそんな目に遭うとは思えませんからね」

「谷本さん、その刑事は一体誰なんですか？　ぜひ、お会いしたいですね」

谷本の表情にあいまいな笑みが浮かんだ。

「それは申し上げるわけにはまいりません。ただ、先生はもうその人物に会っているかも知れませんよ」

言ったも同然だった。たちどころに、すべてが、了解された。それ以上、明確に尋ねるのは、野暮というものだった。

「すると、あなたが私にその刑事の疑義について話さなかったのは、私が誰かを庇う可能性を考えていたということでしょうか？」

私は、できるだけ深刻にならないように、笑いながら、軽い調子で訊いた。だが、微妙な質問だった。

「いや、それは違います。先生が、全面的に協力してくれたことは、警視庁上層部も認めており、本当に感謝しているんです」

谷本は、ある種、深刻な調子を込めて、答えた。再び、沈黙が流れた。けっして、気まずい沈黙ではなかった。二人とも大人だった。あの当時の心理的駆け引きをここで蒸し返しても、意味がなかった。

「しかし、矢島が捕まらないことには、私の頭の中で、この事件は永遠に終わらないんです」

私はぽつりと言った。

「分かります。私も同じ気持ちです。あのような凶悪犯がいまだに逃走中であるのを、とうてい許すことはできません。しかし、私は、もう、一線の捜査から退いた身です。警視庁では、私の後輩たちがいまだに矢島を必死で追っています。殺人事件の時効はなくなりましたから、彼らの闘争は、矢島逮捕まで終わることはないでしょう。私自身は、もう捜査に加わることはできませんが、もし先生がお望みなら、先生を彼らに紹介することはできますよ。私は、先生が今何を考えているか、ある程度、分かっているつもりです。その話を一線の刑事たちにされてみたら、いかがでしょうか」

「いや、それはやめておきます」

即座に答えた。矢島の逮捕がない限り、私にとって終焉はないという思いがある一方で、もう直接的な意味では事件に関わりたくないという拒否反応はそれ以上に強かった。客観的には矛盾した感情だったが、私の心の中では、それは奇妙な整合性を保っていた。谷本の顔が曇った。私の単独行動を心配しているような表情だった。

「ご心配なく。もう、単独行動で学生の犠牲を出すようなことは、こりごりですから。それに、私は、あなたほどには、私が考えていることを分かっていないのかも知れない」

不意にあたりの喧噪を意識した。周囲を見渡した。いつの間にか、周りのテーブルは、人々に占められていた。正面の柱時計の針を見つめた。もう、十二時半を回っていた。

（七）

薄闇の中で、杉並公会堂の前に立った。コンサートがはねて、すでに一時間近くが経過していた。聴衆のほとんどが建物の外に出ていた。かつての自宅に近い場所だったから、その位置も建物の構造もよく知っている。青梅街道沿いにあり、荻窪駅に徒歩五分くらいの場所だ。駅に行くなら、タクシーを呼ぶ必要のない場所である。昔、妻と一緒にジャズの演奏を聞きに来たとき、出演者たちが、一般の聴衆と同じように、正面玄関から駅方向に歩いて帰って行くのを見たことがあった。

河合優の日程は、あらかじめ彼女のホームページで調べてあった。まだ、若い売り出し中のピアニストだったから、出演場所は、園子とは違って、案外、市民会館や公会堂のようなところが多い。チケット料金も、比較的安価だった。本格的なクラシックファンを対象にしたものというよりは、クラシックの初心者に対する啓蒙的な演奏会という趣旨のものが、少なからずあった。ただ、現在、パリ在住とあるから、里帰りの日本では、限定的な演奏活動しかしないのだろう。おそらく、日本滞在中は、園子と鎌倉に住み、普段の活動の拠点は、パリにあるのだろうと私は想像していた。実際、ホームページのプロフィールには、五年ぶりの帰国とある。

蒸し暑い一日だった。夕方の七時過ぎで、ようやく暑さが和らぎ、日が暮れかかってきたころだった。目の前の青梅街道は、駅と環状八号線の中間点だったから、いずれの方面も車列が引きも切らず、特に駅側に近い道路は、混雑を極めていた。歩道を歩く人々も多い。私は正面玄関からかなり離れた歩道よりの位置に立っていたから、ほとんどめだたなかったはずである。

はっとした。河合優が、正面玄関から出てきたのだ。関係者らしい人物二名が、深々と頭を下げ、見送っていた。優もにこやかな笑顔で挨拶している。白の縦縞が入った、紺のパンツスーツ姿だった。右手に、おそらく演奏用の衣装が入っていると思われる大きな黒いバッグを提げている。荻窪駅方面に向かって、歩き出した。私のそばを通り過ぎた。私には目もくれなかった。急ぎ足だった。どこかに予定があるのかも知れない。私は、慌てて、彼女のあとを追った。

「ちょっとすいません」

一分くらい歩いたところで、呼び止めた。河合優が振り向いた。怪訝な表情で、私を見つめた。

「河合優さんですね」

サインでも求められると思ったのか、優はにっこりと微笑んだ。

「私、高倉と申します。あなたのお母さんの知り合いの者です」

優の笑顔が消えた。その表情に不安の影が差したように見えた。だが、私には読み切れなかった。それはあいまいな、ただの当惑の表情にも見えたのだ。二人とも、一瞬、無言で、立ち尽くした。それから、優は不意に思い出したように、もう一度笑顔を浮かべた。

「今、少しお話しできるでしょうか?」

私の問いに、優は腕時計を見た。

「実は、今晩、成田からパリに戻ることになってるんです。三十分くらいなら時間はありますが」

はきはきした口調で言った。誠実な対応にも思えた。いくらでも口実をつけて、私との会話を拒否することはできただろう。しかし、優の反応には、そういう狡猾《こうかつ》さは見られなかった。要するに、やましいところは何もないということなのか。

「もちろん、三十分で結構です。決してお手間は取らせません」

言いながら、斜め右方向にある喫茶店を見つめた。

私と優は、地下に降りた。喫茶店とレストラン兼用のような店だった。左隅の座席に対座した。周りの客は、夕食時《どき》のせいもあって、食事をしているものがほとんどだった。カレーやオムライスの食器が並んでいるテーブルが多かった。ウエイトレスが近づいてきた。私は、コーヒーを注文した。

「何か、軽食と飲み物でもお取りになったらいかがですか」

優に勧めた。演奏後、空腹を感じているかも知れないと思ったのだ。

「いいえ、食事は、結構です。オレンジジュースをいただきますわ」

急に過去の記憶が蘇った。オレンジジュースのグラスが浮かんだ。私が妻に手渡し、その妻の手から、泣きじゃくる澪の手に渡ったオレンジジュースのグラス。まるで、何日も水分を摂っていなかったかのように、彼女は一気にそのグラスを飲み干した。しかし、この一連の連想が河合優とどういう関係があるのか。

「母から、高倉先生のことはよくお聞きしております。母が、大変お世話になったそうですね」

ウエイトレスが去ると、優は柔らかな笑みを湛えながら言った。正面から、その表情を見つめた。整った顔立ちだった。化粧は薄かったが、丁寧に施されている印象だった。一見、初対面の人間にしか見えなかった。だが、過去の記憶と微かに触れあう何かを感じてもいた。昔、出席した中学校の同窓会のことを考えた。そのとき、男の同級生は、ほとんどの顔を認識できたのに、念入りに化粧を施された女性の場合は、ほとんど誰が誰であるのか分からなかったのだ。女性の成長の恐ろしさを思い知った。そういう成長の軌跡を、今、私の目の前に座る女性も辿《たど》ったことは、間違いない。

「いいえ、こちらこそ、お世話になりました。お母さんは、お元気でいらっしゃいますか？」

「ええ、ありがとうございます。相変わらず、元気でがんばっています。このごろは、やはり体力的な衰えも感じているようで、海外に行くのをだいぶセーブして、日本で演奏することが多くなっているようですけど。母とは最近、会われていないんですか？」

「はい、もう十年近く会っておりません」

「そんなに――」

その驚きの表情は、自然だった。しかし、素直な反応なのか、演技なのかは判然としなかった。

「でも、たまたま、あなたの演奏会を博多で聴いたんです。それで大変感動いたしましたので、今日も、聴かせてもらおうと思いまして――」

博多のイタリアン・レストランで、優を目撃したことは言わなかった。私が故意に彼女を探っていたと思われたくなかった。

「それはありがとうございます。日本で弾いたことは、まだ、数えるほどしかないのに、それがお目に留まるなんて、光栄ですわ」

「じゃあ、このあたりにも初めていらっしゃったんですか？」

体内に軽い緊張が走った。危険な質問のゾーンに入り始めたのを意識した。澪なら、このあたりのことは熟知しているはずだ。澪と優。いずれも一字の漢字であるのが、思わせぶりだった。確かに、名前の印象は、よく似ている。

「ええ、もちろん、初めてですわ」

優の反応は、相変わらず、自然だった。しばらく、会話が途切れた。私は、すでに十分に焦っていた。時間は、三十分くらいしかないのだ。こんな悠長な周縁的な話をしている余裕はなかった。しかし、どこから、踏み込んだ質問をすべきか、判断が難しかった。

「それにしても、お母さんに娘さんがいらっしゃるなんて、私は知りませんでした」

「そうですか、でも娘と言っても、私、養女なんですよ。もともとは、母の弟子だったんです。だから、母は、母であると同時に、今でもピアノの師匠でもあるんです」

この発言に偽りはなさそうだった。聡明な女性だった。すぐにバレるような嘘を吐くとはとうてい思えない。だが、だとしたら、私の疑惑はますます深まるのだ。

「いつごろ、籍を入れられたんでしょうか？」

「今から、六年くらい前かしら。私が、日本の音楽学校を卒業して、フランスの音楽学校に留学することが決まったとき、母と相談して決めたんです。そのほうが、身元保証という意味でも、パリの学校に受け入れられやすかったということもあったんです」

「ご両親は、反対なさらなかったのですか？」

「いえ、私の両親は、亡くなっていますから」

急速に、語尾が沈んだ。優の顔は、悲しげだった。緊張感が全身に満ちた。六年前と言えば、事件が起こったあとのことだ。澪の両親は、すでに殺害されていた。だが、もちろん、優の両親がいつ死んだのかは、分からなかった。

「ご両親は、お二人ともご病気だったんですか？」

いつ死んだのかという、微妙な質問は避けて、もう少し無難な死因のほうを訊いた。人が死んだ場合、病気と考えるのが、一番、普通の考え方なのだ。

「ええ」

優は視線を落とした。それに続く言葉はなかった。明らかに具体的なことは話したくなさそうだった。直感的に、これ以上、彼女の両親のことを訊き続けるのは、得策でないと判断した。彼女が心を閉ざしてしまう可能性がある。私は、またもや一歩退いて、もっと周縁的な質問に戻ろうとした。そのとき、注文の品が運ばれてきた。

「どうぞ、お飲みになって下さい」

ウエイトレスが去ると、私は優に言った。ストローが添えられていたが、彼女は使わなかった。グラスを直接手に取り、唇をつけた。

その微妙な角度を、私の視界が対角線上に捉えた。高い鼻梁、涼しげな目元、比較的薄い唇、小首をかしげるような仕草。それらが渾然となって、あいまいに結びつき、私の記憶の扉を開いた。疼痛が起こった。過去の懐かしいものを、不意に回復したような感覚が走り抜けた。澪に似ている。いや、実際、澪かも知れないと思ったのだ。だが、同時に、それが、記憶の幻影であることも否定できなかった。

優が腕時計を見た。彼女が席を立つのは、時間の問題に思えた。決断した。こんな中途半端な状態で終わるよりは、一か八かの質問をするほうがましだった。

「ところで、西野澪さんという女性のことはご存じないでしょうか？」

この上なく、ストレートな質問だった。だが、それでいいと思った。

「ええ、よく知っていますわ。事件のことは、詳しく母から聞いておりますから」

思わぬほど、強い口調だった。毅然として、言い返してきたという印象すらあった。だが、私の質問は、単純な疑問文だったはずだ。何かを詰問したわけではない。

「そうですか。私は、警察とも協力して、彼女を捜し続けてきました。何としても、彼女を救い出したかったのです。私の妻も同じ気持ちだったと思います。私にとって、犯人の矢島善雄の逮捕よりも、彼女を救い出すことのほうが優先事項でした。せっかく私の家に助けを求めてきたのに、私の判断ミスで彼女を矢島に奪い返されてしまったのです。悔やんでも、悔やみきれませんでした。世間では、彼女がすでに死亡しているのではないかという観測が流れています。正直、私も諸々《もろもろ》の状況を考えると、その可能性を否定することはできません」

「いえ――」

優が、今度は穏やかな口調で遮った。その顔には、笑みさえ復活していた。

「私は、澪さんは生きていると思いますよ」

「どうして、そうお考えになるんですか？」

「直感です。音楽家は直感にしか頼りませんから。先生のお気持ちはよく分かります。でも、澪さんは先生が彼女の救出のために、あらゆる努力をしたことは分かっていて、十分に感謝していると思いますよ。ですから、彼女が、今、どこかで生きているとしたら、もうそっとしておいてあげたほうがいいと思うんです」

彼女の言葉は穏やかであり続けた。そして、明るくさえあった。しかし、その明るさとは裏腹に、彼女の目に涙が滲んでいるのに、私は気づいた。

「それに――」

言いかけて、河合優は口ごもった。

「それに――」

私は彼女の言葉を反復して、促した。

「両親も兄弟も殺され、誰一人頼る者がいなくなった中学生の女の子が、どんな生き方をしても、誰も非難できないと思いますわ。自分を助けてくれる人がいれば、その人に頼るしかないじゃありませんか。仮にその人が犯罪者であっても――」

滲んでいた涙が、明瞭な一滴の水滴となって、頬をつたい落ちた。しかし、口調は変わらず、微笑みも消えてはいなかった。優の言葉は、深い余韻を残して、私の胸に染みこんだ。優は決断したように、もう一度腕時計を見た。

「先生、申し訳ありません。もう時間ですわ。これで失礼いたします。でも、今日は先生にお会いできて本当によかったです」

優は黒のバッグを抱え、立ち上がった。私も、反射的に立ち上がった。

「急ぎますので、お先に失礼します。オレンジジュース、ごちそうになっていいのかしら」

「もちろん」

「それではごちそうさまでした。失礼します」

そのオレンジジュースは一口飲まれただけで、ほとんどが残っていた。優は、深々と頭を下げて、いったん、背中を見せた。それから、再び、振り向いて思い出したように言った。

「先生、それから、奥様によろしくお伝え下さい。今日、奥様にも本当にお会いしたかったです」

「必ず伝えます。あなたもお元気でご活躍ください」

私の言葉に、優の顔が笑った。だが、それは泣き顔のようにも見えた。きびすを返すと、彼女は、小走りに出口の階段のほうに向かい、あっという間にその姿を消した。直感的に、思った。もう河合優は日本に戻ることはないだろう。

（八）

「それ絶対、澪ちゃんよ。何で私を連れて行ってくれなかったの。私なら、確認できたのに」

「そうかも知れない。でも、確認できなかったほうがよかったんじゃないか。彼女は、ああいう形でしか、僕に話すことができなかったんだから」

私と妻は、いつものように自宅のリビングに対座していた。緊迫した空気が流れていた。壁の電子時計の針が午後十一時半近くを指している。

「それはそうね。でも、仮にその人が犯罪者であっても、って言葉が気になるわね。犯罪者って、矢島のこと？　そうだとしたら、彼女、矢島にずっと面倒を見てもらってたってこと？　そうとしか考えられないじゃないの」

「いや、それは分からない」

私は、あいまいな反応しかしなかった。今は、妻にもそのことにはあまり触れられたくなかった。

「どうするつもりなの。彼女のこと、警察に伝えるの？」

妻も興奮しているのだろう。矢継ぎ早の質問攻めだった。

「いや、その気はない。彼女は、犯罪者じゃなくて、被害者なんだ。彼女の今の幸福を誰もじゃまする権利はないよ」

「でも、矢島はどうするの。彼はきっと、今でも平然と生きているのよ」

「もちろん、彼を許すわけにはいかない。彼が逮捕されるまで、僕は絶対に諦めない」

「どうやって彼に辿り着くの。澪ちゃんをパリに戻してしまって、よかったのかしら。彼女は、矢島の居所について、決定的な情報を持っているかも知れないのよ」

「いや、彼女に訊かなくても、別のルートがあるよ」

「河合園子さん？」

私は無言だった。奇妙に張り詰めた空気は、収まらなかった。妻も、漠然とではあるが、私の考えていることを感じ取っているようだった。だが、ある種の倫理的抑制が働いて、それを口にすることができないのだろうと思った。

胸ポケットの携帯が鳴った。携帯を取り出し、受信ボタンを押した。

「高倉君ですか？」

女性の声が聞こえた。

「そうですが――」

言いながら、意味ありげに妻のほうに視線を投げた。妻も、一層、緊張した表情で私のほうを凝視していた。

「河合です。河合園子です」

園子は念を押すように、姓と姓名を繰り返した。

「ああ、河合さん、お久しぶりです」

「さっき、成田にいる娘から、電話がかかったの。高倉君、今日、娘とお会いになったそうですね」

「ええ、会わせていただきました」

「それで、お願いがあるの。娘を巻き込まないで欲しいの」

園子の声はせっぱ詰まっていた。怒りよりは、悲しみに満ちていた。

「巻き込むつもりはまったくありません。ただ、今日、あなたの許可なく彼女に会ったことは謝りますが――」

受話器の向こうで、短い沈黙があった。

「娘さん、もうパリに発《た》たれたのですか」

その沈黙を埋めるように、私はさして意味のない質問をした。

「ええ、もう日本には戻ってこないと思います」

再び、沈黙が流れた。

今度は、長い沈黙だった。私は、あえて口を開かなかった。やがて、絞り出すような、苦しげな声が聞こえた。

「ねえ、高倉君——、明日、私の家に来ていただけないかしら。お会いしたいの」

「ええ、私もぜひお会いしたいですね」

即答で、了承した。

「でも、お一人でいらしてね。他の人は困るんです」

園子は、早口に付け加えた。「他の人」というのは、「警察」と言っているようにも聞こえた。

「分かりました」

「住所は、北鎌倉の——」

園子は具体的な住所を告げた。反射的に、目の前にあった広告チラシに書き留めた。しかし、それは無意味な匿名の記号のようにも思えた。さらに、道順を説明しようとする園子を遮って、私は言った。

「最寄り駅は、ＪＲの北鎌倉なんですね。でしたら、駅に着いたら、私のほうからお電話を差し上げます。そのとき、道順を教えていただきます。何時頃、伺えばいいでしょうか？」

「何時でもいいわ。でも、午後三時でどうかしら？」

「では、三時頃伺います」

互いに、挨拶の言葉も交わすことなく、電話が切れた。

携帯をテーブルの上に置いて、妻のほうを見た。妻は、すべて話の内容を了解しているというように、大きく頷いた。

「河合園子さんでしょ。明日、彼女と会うんでしょ」

「ああ、会うことになった。これで、事態は大きく進展するかも知れない」

「でも、危険じゃないの。罠かも知れないでしょ。矢島が陰で彼女を脅して、あなたをおびき出そうとしているのかも知れないわ」

「それはないと思うよ」

「どうして分かるの？」

「勘さ。それに、彼女はまともな人間だよ。僕がそんな危機に陥る状況を容認するはずがない。いくら、矢島に脅されたとしても――」

「あなたが、彼女を信用する気持ちは分かる。でも、心配なの。せめて、一人では行かないで。谷本さんと一緒に行けないの？」

「いや、彼女は一人で来てくれと言っている。たぶん、それが絶対の条件なのだと思う。

心配いらないよ。彼女は、事件について、僕の知らないことを知っていて、それを話したいだけだと思うよ。矢島の居所は、僕らと同じように彼女も知らないのかも知れない」

「じゃあ、約束して。明日、河合さんの自宅に着いたあと、一時間おきに携帯で私に連絡を入れて。その連絡が途絶えたら、私は、警察に通報するわ」

「分かった。そうしよう」

私は、園子の住所が書かれた広告チラシを妻に渡した。住所が分かっていれば、警察への通報は容易だろう。だが、そんなことをしても意味がないと思っていた。ただ、妻の気休めのために、私はその面倒な手続きに同意したのだ。矢島が園子の家に潜んでいて、私を殺す気なら、防ぎようがないだろう。妻のうしろの窓から、外を見つめた。矢島の不可視の殺意が、漆黒の闇のなかで、不気味な光を発しているように見えた。不意に雨音が聞こえ始めた。明日は、雨なのかも知れない。

（九）

プラットホームから降り、線路を渡って、反対側の出口に出た。駅前は、観光客で混雑していた。土産物屋の軒下には、相当数の人々が群れていた。日曜日だった。北鎌倉駅が、鎌倉観光の拠点の一つであるのは知っていた。遠い昔、とある春の日、友人数名と一緒に近くの寺院に桜見物に来た記憶がある。

曇天で、ときに雨がぱらついたが、本降りにはならなかった。手提げ鞄の中に入れてある折りたたみ傘を出すほどではなかった。ただ、雨のせいで、比較的過ごしやすい気温にはなっていた。私は、しばらく歩いて、雑踏から逃れた。それから、園子に連絡を入れた。丁寧な道順の説明があった。その声は落ち着いていて、特に緊張しているようには聞こえなかった。歩けば、二十分近くかかるという。駅前をかなり過ぎていたため、タクシーは見つからなかった。歩くことにした。その間に、冷静な思考が可能になるだろう。

園子の家は、高台にあった。途中、山道《やまみち》に近い急斜面の道を上った。途中までは、舗装道路だったが、道幅が狭くなるにつれて、土道になった。あたりは、住宅街というよりは、別荘地帯という印象だった。園子の家は、まばらな家屋が並ぶ一帯の、一番奥の山際にある白い瀟洒《しょうしゃ》な二階建ての家だった。近くの家と言えば、下《くだ》に五十メートルくらい下った位置に、やはり別荘のような一軒家があるだけである。曇り空のため、時間の割にあたりは異様に暗く、山影が園子の家を蝙蝠《こうもり》の羽のように覆っていた。

園子の家の前で、携帯で妻に連絡を入れた。

「ああ、僕だ。今、河合園子の家の前に来た。これから、中に入る。一時間したら、適当な口実をつけて、また、電話するよ」

「分かったわ。気をつけてね」

妻の声は緊張していた。携帯を切った。園子の自宅のチャイムを鳴らした。

一階の応接室に通された。軽く冷房が掛かっていた。十畳くらいの洋室だったが、隣室と繋ぐ中扉が開け放たれていた。隣室の中央に一台のピアノが見えている。防音装置の施されたピアノ練習室のようだった。

園子が紅茶を出して、私の前のソファーに座った。焦げ茶のテーブルを挟んで、対座する形になった。園子は、濃い緑のワンピース姿だった。園子の顔を見た。頬がこけていた。体全体も、十年前に比べて、明らかにふくよかさが失われたように見えた。園子も私と同じように、五十七歳になったはずだ。老いの気配は間違いなく、彼女にも忍び寄っていた。いや、それは老いの気配だけなのか。

二階はしんと静まりかえっている。私は、息を潜めて階下の物音に聞き耳を立てる矢島を思い浮かべた。だが、何か実感がなかった。二階に誰かいるという兆候はまるでなかった。

勧められて紅茶に口をつけた。中国風の美しい陶器の紅茶《ティー》カップだった。だが、その派手で濃い色彩が毒薬を連想させた。飲む一瞬、全身が緊張した。青酸カリでも入っていれば、私はたちどころに、一命を失うだろう。だが、しばらくしても、私の体には、何の異状も生じなかった。

「お痩せになりましたね」

私は、紅茶《ティー》カップを受け皿に戻しながら、正直な感想を述べた。

「そうでしょ。分かるでしょ。私、実は胃ガンなの」

あまりにもあっさりした告白だった。私は、一瞬、何と答えていいか分からず、黙り込んだ。

「医者から手術を勧められているんだけど、今のところ拒否してるの」

「しかし、僕の知り合いで、ガンに罹った人は何人もいるけど、ほとんどの人が回復していますよ。ガンは今や死病じゃない」

「だから困るのよ。私は、手術なんかして、無理に生かされたくないの。もう十分生きたわ」

そう言うと、園子は私から視線を逸らし、虚空を見つめた。五十七年の人生が、十分だったと言うのか。しかし、それは人の感じ方の問題だから、私がとやかく言う問題ではない。

「ねえ、それより、どうして、優に会ったの？」

園子は、不意に本題に入ってきた。非難しているというより、本当にその理由を知りたがっているような口調だった。

「確かめたいことがあったんです」

私の答えに、園子の顔が曇った。予想していたことが、自分の予想通りであったことに対する、落胆の表情にも見えた。

「それで、確かめられたの？」

「いや、必ずしも――。確かに、彼女は、僕の探していた人に似ていましたよ。だが、それは僕が見た記憶の幻影かも知れない」

一瞬の沈黙が流れた。

「記憶の幻影？　うまいことをおっしゃるわね。率直に言って欲しいの。何を疑ってらっしゃるんですか？」

たじろいだ。こんな正攻法の問いかけは、予想していなかった。妙な詐術は、通じないだろうし、使うべきでもない。

「それでは、率直に言います。僕は、あの事件を、十年経った今になって、少し違う角度から、見つめ直すようになったんです。すると、どうしても、気になることが出てきた。あなたから手渡された野上君の手紙のことです。あれは、本当に野上君が書いたものだろうか？」

「偽物とおっしゃるのね」

反論というよりは、話を促しているように聞こえた。感情の起伏を示す表情には、乏しかった。戦いを放棄して、告白のタイミングを計っているようにも見えた。

「いや、偽物という表現は、適切ではないでしょう。彼の気持ちが代弁されているという意味では、あれは限りなく、本物に近い。それに書かれていることも、ほとんどが本当でしょう。しかし、あの手紙は、彼が殺される前に書かれたものではなく、殺されたあとで書かれたものだ。死人が、あのような告白録を書けるわけがない」

園子は無言だった。私は、先を続けるしかなかった。

「それにも拘らず、あの手記は多くの真実を含んでいる。それが何を意味しているかは明らかだ。野上君のことをよく知っている、彼とごく親しい関係にある人間によって、書かれたということですよ。おそらく、野上君は、その人物に、あの手記に書かれていることを直接、語ったのでしょう。だから、あんなに多くの真実を含み得たのでしょう。こう考えたとき、僕はずっと考えてきた疑問に一つの答えが出たように思った。野上君は、どこで殺されて、田中邸に運ばれたのか。それから、西野澪を奪って、逃走する矢島が、あれほど世間で話題になり、顔も知れ渡っているのに、何故いっこうに捕まらないのか。答えのキーワードは、共犯です」

「共犯？」

園子がようやく反応して、うつむきがちだった顔をあげた。

「共犯というよりは、共犯と見なされてもやむを得ない人物と言い換えるべきでしょうか。あの手記を読む限り、野上君が矢島を急襲して、彼を殺害しようとしていたように取れる。そして、あとで起こった結果から判断すると、逆に捕捉され、殺害されたと予測し得るように書かれている。あの手紙の最大の嘘がそこにあるんです。手紙の書き手は、巧みな嘘の原則をよく知っている。九十パーセントの真実と、十パーセントの嘘というように、虚実の織り交ぜ方をよく知っている。しかし、冷静に考えると、それはあまりにも不自然な想定です。拳銃で武装して、被疑者を殺害しようという気構えで、乗り込んでいった現役の刑事が、そうやすやすと殺されてしまうはずがない。あの手記では、矢島が『悪の天才』であることが強調されていますが、おそらく、手記の本当の書き手もその不自然さに気づいていて、それを強調することによって、何とかリアリティーのある話に変えようとしていたのでしょう。野上君は、別の、非常に意外な場所で、非常に意外な殺され方をした。そして、逃走中の矢島が匿われていたのも、あるいは、西野澪が監禁されていた場所もその同じ場所だったのではないでしょうか？」

「その場所はどこなの？」

園子は、静かな口調で訊いた。顔には、すでに諦念が浮かんでいる。

「この家です」

躊躇なく、言った。園子の表情は変わらなかった。私の発言を予想していたようでもあった。

「おそらく、この家のどこかで、野上君は、不意を突かれて、殺されたのでしょう。彼は、そんなことが起こり得るとは、まったく予想していなかったはずです」

た。

「その動機は何なの？」

園子と私の視線が交錯した。それを私に尋ねるのは、お門違《かど》いだろう。そう、私の目は、園子に語りかけていたはずだ。だが、私は無言のままだった。園子が納得するように頷いた。

「いいわ、私の口から、それを話せと言うのね。今日は、そのために来ていただいたんだもの。でも、ちょっと待って。お薬の時間なの。二階から薬を取ってくるわ」

私の目が顕著に反応した。それを許していいものか、咄嗟の判断は難しかった。

「大丈夫よ。自殺なんかしたりしないわ。そんなことをわざわざしなくても、どうせあと少しで死ねるんですもの。必ず、戻ってくるから」

私の不安を察知したのか、園子は、そう言いながら、乾いた声で笑った。その発言を信じていいものかどうか分からなかった。だが、止める術はなかった。園子が立ち上がった。左手の扉を開け、足を引きずる独特の歩行で、廊下に出た。やがて、階段を登る、鈍い振動音が聞こえ始めた。高校時代の風景が目に浮かんだ。教室や渡り廊下で、足を引きずりながら歩く、園子の姿を頻繁に見かけていた。私は、彼女と口をきくことはほとんどなかった。しかし、私の視線は、いつも彼女に吸い寄せられた。それは、異質なものが、周囲への浸潤を拒否されて、異質であり続けることに対する純粋な感動であったのかも知れない。

腕時計を見た。私が園子の家に入ってから、すでに一時間近くが経とうとしていた。私は、咄嗟に、白のワイシャツの胸ポケットから携帯を取り出した。自宅の番号を押した。

「ああ、僕だ。今、彼女と話している。何も起こってはいない。これからも起こらないだろう」

「ほんと？　本当に大丈夫なのね」

相変わらず、緊張感に満ちた妻の声が聞こえた。

「うん、心配しなくていい。帰ったらゆっくり話すよ」

一方的に、電話を切った。次の一時間後に、電話を掛ける約束はしなかった。私は、自分の携帯をマナーモードにした。

（十）

どうやら、私の心配は、杞憂に終わったようだった。園子は約束通り、応接室に戻ってきた。二階に誰かがいて、誰かと話している気配もなかった。

「それで、どこから話せばいいのかしら」

園子は再び、私の正面のソファーに対座すると、ため息をつくように言った。膝の上には、二階から持ってきたのか、小さなベージュの革鞄を置いている。そこに薬が入っているのかも知れない。しかし、園子はそこから薬を取り出して、飲もうとはしなかった。

どんな話し方をするかは、園子次第だった。彼女がどんな話し方で、何を話そうとも、私は、ただその告白に虚心に耳を傾けるしかないのだ。

「確かに、あの手紙を書いたのは、私よ。結局、私は、野上を憎んでいたのね。離婚の原因が、あの人のお兄さん、つまり矢島善雄ではないことは分かっていたのよ。もちろん、周縁的な事情としてはそれがあったわけだけど、そんなこと、二人の間に強い愛があれば、いくらでも乗り越えられることだったわけでしょ。私は、いつでも彼を愛していた。初めての男性だったたし、私から障害者というレッテルを剝がしてくれた唯一の人だったから、忘れられなかった。でも、彼は違った。最初に私を抱いたのは、やっぱり私が障害者だったからだと思うのよ。人間って、ほんの気まぐれから、ときには異質なものを抱いてみたい気持ちになるんじゃないかしら。それは変態的な性欲とも、無関係じゃないのかも知れない。

あの人のお兄さんは、明らかに変態性欲者だったでしょ。だから、血は争えないというか、半分くらいは野上にもその血が流れていて、ある種の性的好奇心は旺盛な人だった。血は争えないと言えば、野上も父親と同じで、女癖はひどかった。私は、そのことにどんなに苦しんだか知れない。私の体に触れてきたのは、最初の一年くらいで、あとはまったく放っておかれた。そのくせ、外には、何人も若い女をこしらえていたのよ。でも、女たらしの特徴というのは、縁が切れると、今度は、逆に、いろいろな口実をつけて、近づいて来ることなの。前にも話したように、離婚後何年かは、音沙汰がなかったけれど、やがて、時々メールが来るようになって、野上が死ぬ二年前くらいから、私の家、つまりここに顔を出すようになっていた。

ほとんど、目的は、お金だった。彼は、矢島に苦しめられていて、そのことでお金がいることを強調して、私の同情を買おうとしていたけど、私は必ずしも全面的には、信じていなかった。半分くらいほんとで、半分くらい嘘だと思っていた。彼自身の生活も荒れていて、夜の遊びやギャンブル、それに、もちろん、女にお金をつぎ込んで借金まみれになっていたのよ。結婚した当初に比べて、私もピアニストとして名が売れていたから、金銭的余裕ができていることを知っていたのね。でも、情けないことに、彼のそんな意図を知りながらも、私は彼をはねつけることができなかった。実際に、お金も貸していたの。いや、あげていたと言ったほうがいいのかしら。すでに離婚していて、私には彼の面倒を見なきゃならない義務はまったくなかったのに。それで、問題の年のお正月、彼が突然、私の家にやって来て泊まったのよ」

「彼がやって来たのは、何日だったんですか？」

ここで私がようやく口を挟んだ。園子の話が、事件の核心部分に迫り始めているのを感じていた。

「一月七日よ。私は、六日にヨーロッパから帰国していたから、きわどいタイミングだった」

やはりそうだったのか。園子は、以前に話したときは、十三日前後に帰国したことを臭わせており、自分の書いたエッセイでは、一月一杯海外にいたとも受け取れなくはない、書き方をしていたのだ。あれはやはり、いざというときに備えてのカモフラージュだったのだろう。

「それ以前は、彼はどこにいたと言っていたのですか？」

「何も言っていなかった。でも、そこら中に女性がいたから、借金の取り立てから逃れるために、匿ってくれる人はいくらでもいたはずです。それはともかく、彼は、日野市の事件の捜査にとても熱心だった。久しぶりに仕事に打ち込んでいるという印象でした。だから、そのときは借金の関係で一時的に行方をくらましているって感じになっていたけれど、いずれ警視庁に復帰するつもりだったことは間違いないわ。そして、彼、自分の兄である矢島が日野市の事件に関係している可能性があることに、ひどく興奮していたのよ。彼を必ず、逮捕してみせるって言っていた。あなたの家の隣に彼が住みついていることを確信していて、必ずあそこで逮捕するって。そうしないと、あなた方ご夫婦も危険にさらされる可能性があるって、心配していたのよ。野上が言うには、矢島のやり方は、自分が住みついた隣に住む人間を徹底的に調査することから始めるらしいの。そして、借金とか女性関係の弱みを握って、そこから犯罪の端緒を引き出そうとする。でも、あなたの場合は、あなたが有名な犯罪心理学者だってことを知っていたから、いずれあなたが隣家の秘密をかぎつけることを予想していて、そうなったときに備えて、あなたの情報を集めていたのかも知れない。矢島って、何事もすごく先を読む人なの」

かつての燐子と私のあいまいな関係を思い浮かべた。私の場合、弱みは、借金ではなく女性関係であると、矢島はその調査とやらで、思いこんだのだろうか。そして、大和田に接近し、偽メールを使って、私を攪乱《かくらん》しようとしていたのだろう。エレベーターのなかで、私と燐子の写真を撮り、それを私の妻に送りつけたのは、家族関係の分断を狙った行為だったのかも知れない。私は、矢島の家族支配が、「秩序だった計算し尽くされたものだった」という例の手紙の文言を思い浮かべた。彼は父親と母親の微妙な心理関係のバランスの上に立って、巧みな家族支配を実施していたのだ。あの写真を妻に送りつけたのも、それと類似の行為に思えた。だが、今となっては、それはもう終わったことだった。私はもっと重要なことを質問した。

「すると、野上君は、手記とは違って、初めから矢島を殺すとは言ってなかったのですね」

「ええ、ただ、抵抗されたら、射殺しても仕方がないとは、言っていたけど。そこの所を、手記では大げさに書いて、彼の殺意を強調するような書き方をしてしまったのね。あの部分はあとから不安になったわ。大げさに書きすぎたんじゃないかって。実際、刑事だったら、まず逮捕しようとするのが普通でしょ。でも、野上は、なんだかんだ言っても、矢島とつるんで、不正なことにも手を出してお金を儲けていたから、矢島が生きていて、いろんな自白をされると困ることは事実だったのよ。だから、彼に殺意がなかったとは必ずしも言えないと思うけど」

「だが、実際には、野上君が矢島と直接対峙することはなかったんですね」

「ええ、十三日の夜だったわ。彼はこの部屋で、ウイスキーを何杯も飲んで、酔いつぶれて寝てしまった。最初は、今、あなたが座っている場所で飲んでいたんだけど、眠くなるとどういうわけか、隣のピアノのある部屋に入っていって、そのまま絨毯《じゆうたん》の上で寝てしまったんです。今と違って、寒い季節だったから、私は、部屋の暖房をつけて、毛布も掛けてあげた。そして、彼の寝顔を見ている内に、ひどく悲しくなってきたの。いろいろなことが頭をめぐった。あのバス停で彼が私を助けてくれたことから始まって、結婚したばかりの幸せだった頃のことが、走馬燈のように流れて、その時々の風景が、浮かんでは消えていった。自分の肉体のせいで、恋愛なんて、完全に諦めていた私にとって、野上は神のような存在だったんです。

その野上が結局、私を愛さなくなったってことは、私にとってすべてを失ったことと同じだった。人間の肉体的劣等感って、なかなか克服できないものだって、つくづく思った。

何か不幸なきっかけがあると、どんなことでも、否定的に考え始めるのよ。彼が昔、本当に私に対して、優しい気持ちを持っていたかさえ分からなくなった。初めから、本気じゃなくて、ただ遊んでみたかっただけじゃないかと思ったりしたわ。私と結婚したのも、当時、私が、ピアニストとして売り出しかかっていたので、将来、生まれるかも知れない経済的利益に目をつけたんじゃないかって。もちろん、誰もがそれは考えすぎだよって言うことくらい、分かっているのよ。でも、そんなことを考えざるを得ないほど、私の結婚は、惨めな失敗だった。

私、あの日、野上を隣の部屋に残して、いったん、この応接室に戻ったわ。そして、野上が飲み残したグラスのウイスキーをぐっと飲み干した。ウイスキーなんか、飲んだことがなかったのに。頭がくらくらして、目が回った。それから、何となく、彼がこの部屋に置いてあった鞄を手で弄《もてあそ》びながら開いてみたの。拳銃が入っていた。でも、私、拳銃を見たの、それがはじめてじゃなかったから、それほど驚かなかった。結婚していた頃、彼が何度か、拳銃を自宅に持ち帰ったことがあって、そのとき、おもしろ半分に彼から弾の詰め方など、操作の仕方を習ったことがあった。だから、簡単な操作ならできたのよ。でも、どういうわけか、その拳銃にはすでに弾が込められていた。おそらく、野上も矢島と殺し合いになる可能性を考えて、普段から警戒して準備していたのでしょうね。

でも、野上がどういう気持ちで弾を込めていたかなんて、どうでもよかった。私の人生にとって重要だったのは、要するに、その拳銃は撃鉄を起こして、引き金さえ引けば、弾が飛び出す状態になっていたってこと。そのあとのことは、よく覚えていない。時々、意識が途切れる瞬間があった。気づいてみると、私は再び、ピアノの部屋に入ったらしく、私の眼下には、眠りこける野上の顔があった。幼い顔だった。子供のように眠りこけていた。どーんという轟音《ごうおん》で、ふっと正気に返った。いつ撃鉄を起こして、引き金を引いたのか、まったく覚えていない。その部屋に防音装置が施されていたなんてこと自体全然意識していなかった。でも、皮肉ね。警察はその事実を知って、私の計画的犯行だと思うだろうなって、あとで思った。私が右手に持つ拳銃からは、硝煙が上がっていた。目の前には、頭を血だらけにした、野上の体が転がっていた。最初は、少しうめき声を上げていたけど、すぐに聞こえなくなった。私が撃ったのは、間違いないわ。だいいち、この家の中で他に誰がいたと言うの。

でも、私が、正気に戻ってから地獄が始まった。現実的なことを考え始めた。私がこれまで血の出るような努力をして得たピアニストとしての今の地位はどうなるんだろうって、恥ずかしくなるほど俗っぽいことを考えた。死ぬことも考えたけど、自分の地位を守ることのほうが、もっと重要に思えた。捕まれば、殺人犯になって、マスコミからさんざん叩かれ、長い刑務所生活と、老いて惨めな死が待っているだけ。でも、私を助けてくれる人なんか誰もいないはずだった。そのとき、ふと一人の人間の顔が思い浮かんだ。矢島だったの。野上が、悪の天才と呼ぶ、彼なら、私に罪が及ばないような偽装工作が可能じゃないかと思ったの」

ここで園子は、ようやく、一区切りつけるように言葉を止めた。蒼白《あおじろ》かったその顔は、幾分紅潮し、むしろ、人間らしい生気が漂い始めているように見えた。私は、ただ黙って聞いているのは、耐えられない気持ちになっていた。

「だが、あなたは前に私と話したとき、離婚後、矢島もあなたをまったく訪ねてこなくなったと言っていましたね」

「そうね。でも、あれは嘘なの。確かに、最初の三ヶ月くらいはやって来なかった。だが、ある日、チャイムが鳴って、出てみたら、矢島が立っていた。ぞっとしたわ。それが野上だったら、どんなによかったかとも思った。でも、私は何故か、彼を家の中に入れてしまった。野上がいなくなって、本当に孤独で、人恋しかったのかも知れない。それに、訪ねてきた矢島は、意外に優しくて、私と野上が一緒に暮らしていた頃、やって来ていた彼とは別人に見えた。私は何となく、野上と矢島の血筋を感じたわ。半分しか血はつながっていないと言ったって、兄弟は兄弟なのよ。体の部分部分は、やっぱりすごく似ているの。手記では、細部は似ていても、全体としての印象は、すごく違うことを強調して書いたけど、それは逆の言い方もできたのよ。全体としてのイメージは、そんなに似ていないけど、細部の一つ一つは、とても似ているって。

私は、離婚後、何度か矢島と会う内に、野上と会っているような錯覚を持ち始めた。矢島も、ただ、おみやげを持ってきたりするだけで、私が嫌がることはいっさい言わなかったし、やらなかった。そして、私は、ある日、彼に抱かれた。抱かれている最中、私は、ずっと野上のことを考えていた。矢島もそれを知りながら、私を抱いていたのかも知れない。そういう点では、矢島は野上よりずっと物わかりのいいところがあって、変な余裕のある人だったの。それに意外かも知れないけど、野上と違って、彼は私にはお金を要求するようなことはほとんどなかった。一度の例外を除いて。もちろん、他の悪徳商法で高額の金を手に入れていたから、その必要もなかったのかも知れないけど。

結局、矢島も私と肉体関係ができてから、次第に遠ざかるようになっていった。でも、本当に一年に一度くらい、ぽかっと姿を現すことがあった。別にたいした用件もなく、私と一時間くらい喋って帰っていくことが多かったけど、私も昔の親戚に久しぶりに会った気分で、少なくとも不愉快ではなくなっていた。そして、私が野上を殺した三ヶ月ほど前にも、およそ一年ぶりくらいに矢島が訪ねてきていたのよ。矢島に連絡する危険は、分かっていた。特に、野上から彼が日野市の事件に関与している可能性を聞かされていたから。それでも、野上の死体のある家で、一人でいるのが気が狂うほど怖かった。

それでついに、矢島の携帯に電話したの。理由を言わず、とにかくすぐに来てくれって言った。彼は、すぐにやって来た。一人だった。あとから分かったことだけど、この頃、彼は西野邸に澪と奥さんを監禁してたわけだけど、夜、外出するときは、澪を一階の部屋に縛り、奥さんを二階の部屋に縛っていたみたいね。もっとも、奥さんは、彼の虐待で瀕死の重傷を負っていて、動くこともできない状態だったから、縛る必要もなかったらしいけど。でも、要するに、監禁のシステムははっきりしていて、彼が奥さんと二人で家に残っているときは、平気で澪を学校なんかに出していたのね。やはり、マインド・コントロールに加えて、人質の効果を確信していたのでしょうね。もっとも、その頃は、私は野上の抱《いだ》いていた疑惑を聞かされていただけで、そんなことは想像さえできなかったけど。

とにかく、矢島は、野上の死体を見ても、それほど動揺しているようには見えなかった。これも今から思うと、矢島は、すでに何人もの人を殺していて、今更、死体一つぐらいに驚かなかったのだろうけど、そのときは、彼がまさかそれほどの殺人鬼とも思っていなかった。現に、私から日野市の事件との関係を訊かれて、彼はそれを強く否定していた。そんなの野上のでっち上げだ、って言って。ただ、あなたの隣に住んでいることは認めていて、そこの奥さんとわけありの関係だとは言っていた。それはともかく、矢島は死体の処理は、俺に任せろって言ったわ。あんたに罪がいかないように、うまく偽装してやるって。その代わり、一千万円要求された。彼が初めて私にした金銭的要求だった。でも、たいした金額には思えなかった。何しろ、人殺しの後始末をするんだから、それは当然の報酬に思えた。私は、支払う約束をして、あとで実際に、支払いもしたわ。矢島は、その日の夜、野上の死体を乗ってきた車に積んで、どこかに出て行った。私は、海か山に捨てるのだと思っていた」

「ところが、彼の遺体は、私の家の前の田中邸から、焼死体となって発見されたわけですね」

「ええ、ショックだった。マスコミの発表では、田中母娘《おやこ》の遺体の他に、身元不明の遺体があるってことだったけど、すぐにピンと来た。私が矢島に頼んだのは、死体の処理だけ。罪もない人を巻き込むなんて、夢にも思っていなかった。やがて、矢島から電話が掛かり、野上が田中邸に窃盗に入ったところ、二人のどちらかに見つかってしまい、やむなく射殺して、自分も自殺したように見せかけたって、言ったの。愚かなことだけど、このとき初めて彼の正体を知ったような気持ちになった。悪人なことは分かっていたけど、これほどの悪人とは思っていなかった。私が泣きながら、罪のない人を巻き込んだことを抗議したら、一石二鳥だったって言ったのよ」

「一石二鳥？」

「そう、一つは私に頼まれた野上の死体の処理。もう一つは、田中さんの娘さんのほうに、西野さんの奥さんのことで疑いを掛けられていたというの。ある日、田中さんの娘さんが訪ねてきて、奥さんどうなすったんですかって、訊いたんですって」

　十年前の記憶が蘇った。やはり、妻の予感は的中していたのだ。妻は、私に頼まれて、田中の娘のほうに、当時、西野と思われていた男のことを訊いていた。そして、そのとき、西野の妻のことも尋ねたはずである。それで、おそらく、田中の娘は、矢島のところを訪ねたのかも知れない。見舞い程度の気持ちで、他意はなかったのだろう。だが、矢島は過敏に反応し、危ない芽は早めに摘み取る決断をしたのか。私は、あらためて、田中母娘に申し訳ない気持ちになった。

「それから、児童相談所事件のあと、西野澪を連れて逃走した矢島がこの家に現れたのですね」

私は、話題を転じるように言った。私は、すでに矢島の潜伏先は、河合園子の家しかなかったと確信していた。

「ええ、そうよ。私は、彼を匿わざるを得なかった。彼は、みごとなジレンマを私に課してきたの。田中邸、西野邸、児童相談所などで起こった一連の事件のことを考えると、矢島の構想、つまり、田中邸の放火殺人の罪を野上に負わせようという構想は、すでに破綻していたも同然だった。だいいち、彼自身が最初から、そんなことがうまくいくとは信じていなかったのかも知れない。やはり、田中邸の放火殺人の本質は口封じで、野上の遺体の処理は、矢島にとっては、どう転んでもいいことだったような気がするの」

それはともかく、私は矢島を恐れながらも、彼が捕まることが何を意味するか、よく分かっていた。矢島は私が野上を殺したことを知っている。彼が捕まれば、彼は間違いなく、警察にそのことを話すわ。早く私の家を出て行って欲しいと思う一方では、彼に捕まってもらうのは絶対に困るのよ。私にしてみれば、私の罪の分まで矢島にかぶってもらって、彼には永遠に行方不明になってもらいたかった。もちろん、最初は、約束の一千万円払って、彼に出て行って欲しいと頼んだ。澪も解放するように頼んだ。でも、矢島は『ほとぼりが冷めるまで、ここに居させてもらう』と言って、私の要求を受け入れなかった。

でも、今から考えてみると、もし彼がその要求を受け入れていたら、私はかえって困ったでしょうね。矢島は、澪の前でも、平気で私が野上を殺したことに触れていたから、彼女も事情は分かっていたはずよ。だから、万一、澪をここに置いて、矢島が出て行ったら、私は彼女をどうしたらいいのか、困ったでしょうね。彼女から見れば、最初は、私も犯人の片割れにしか見えなかったでしょうから」

「演奏会の日、あなたが私に会うことを矢島は知っていたんですか？」

私は時間を一気に飛ばして質問した。演奏会は、二月二十三日だったと記憶している。そのとき、矢島と澪は、すでに隠れ家として、園子の家に住みついていたのだ。

「もちろん、知っていたわ。というより、あなたに会うことは、むしろ、矢島の意向だったのよ。彼は、あなたに偽情報を渡すようにいろいろと指示していた。でも、彼の指示には従わなかった。もちろん、彼には、すべて指示された通りにあなたに話したって、あとで嘘を吐いたけど。そして、あなたに対しては、矢島に対する嫌悪感をことさら強調して、彼が私の家にいることがバレないように、やっぱり嘘を吐いていたの。でも、最大の嘘は、野上が死んでいるのが分かっていたのに、あなたに知らされて初めて知った振りをして、取り乱して見せたことだった。だけど、変ないいわけに聞こえるかも知れないけど、私、あのとき本当に取り乱していたのよ。自分がやった残酷な行為をあらためて認識させられたような気持ちだった。だから、あのとき、流した涙は、けっして嘘の涙じゃなかった。

　でも、一方では、何とか自分の罪がバレないようにと狡猾に企む私がいた。矢島の目を盗んで書いた野上の手記をあなたに渡すことで、事が、私に有利に展開するように、仕組んだのよ。つまり、野上殺しも含めて、すべて矢島の犯行としたかった。ただ、矢島がすぐに捕まるのは、困ると思っていた。いや、すべての罪を背負って、永遠に行方不明になって欲しいと思った。私、あの手紙、本当はワープロで書きたかったの。そのほうが筆跡の問題を回避できるから。でも、コンピューターを使うと矢島に何かを書いているのがバレやすかったから、手書きにした。それに、私、もともと人の字をまねて書くのが得意だった。特に、野上の字は、仲がよかった頃、よく彼の字をまねて書いて、彼とふざけあっていたことがあった。だから、それほど苦労することもなく、かなり似た字が書けたの」

「じゃあ、あのとき、つまり、私とあなたがホテルの部屋で話していたとき、西野澪は、ここに矢島と二人で残っていたのですか？」

「そうよ。矢島は、私が裏切らないことには、よほどの自信があったのでしょ。裏切れば、私が野上を殺したことが暴露される。私がそんな危険を冒すはずがない。そう、彼は高《たか》を括《くく》っていたのね。実際、私はあなたに本当のことは話せなかった。その後、私は警察にも呼ばれて、手記のことでいろいろと訊かれたけど、その頃、矢島は澪と一緒に私の家にいたのよ。でも、彼は平然としていた。灯台下《もと》暗し、ってうそぶいていたくらいだから。彼、人の心を読むのは、天才なのよ。私が自分の身がかわいくて、警察にも本当のことを言うはずがないと確信していた。実際、彼の確信通りに事が運び、私は警察での事情聴取もうまく乗り越えたの」

「しかし、それにしても、あなたらしくないのは、矢島と由岐の関係をどうしてあんなに詳細に書いたんですか？　もちろん、あれがあなたが野上から直接聞いた話であるというのは、分かりますよ。しかし、事件の本質ということから言えば、必ずしも書く必要はなかった」

「おっしゃることは、よく分かります。今では、彼女のことを書いたことは本当に後悔しているの。彼女を自殺に追いやったのは、元はと言えば、あの手記が原因なんですものね。私、やっぱり、鬼のような妄執に取り憑かれていたのね。何とか罪から逃れたかった。由岐さんに関する、ああいう話を書いておけば、私のことより、彼女のほうに注目が向くという計算があったことは否定しない」

園子は、再び、視線を落とした。その眉間には、深い皺が刻まれた。

「西野澪は、ここで監禁されていたころは、どんな状態だったのでしょうか?」

私は、話題を変えるように訊いた。園子を責めるのが、目的ではなかった。

「羽をむしられた鶏《にわとり》みたいだった。可哀想だった。抵抗する気力はもとより、逃げ出す気力もないように見えた。世間では、マインド・コントロールってことが言われてましたけど、私にはそんな言葉さえ的確ではなく、むしろ、人間であることをやめていたように見えた。矢島は、時々外出したけど、そのときは、一応、彼女をロープで縛り、私に見張るように命じた。でも、私は、彼が居なくなると、すぐにロープを外してあげ、できるだけ優しく彼女に接したわ。彼女、逃げる素振りなんか、まったく見せなかった。というより、逃げるという行為が存在することも忘れているように、呆然としていた。私は、矢島がいなくなると、彼女に食事を作ってあげたりして、彼女が少しでも元気を取り戻すように努めたの。それがせめてもの罪滅ぼしだった。

するど、二、三日して、彼女、少しだけ私に口をきくようになった。私は、ますます優しくしたわ。私は、ときどき、彼女をこの部屋に残し、わざとそこの中扉を開け放ったまま、ピアノを弾いたの。彼女が逃げることを恐れたんじゃない。彼女に私のピアノを聴かせたかった。どんなに精神的に苦しいときでも、私は、一日に一度はピアノに触れないと耐えられない人間なの。心が癒えるような曲を弾いた。あなたが好きな『革命のエチュード』は弾かなかった。あれは、私にとって、癒しの曲じゃなくて、心が乱れる曲なの」

そう言うと、園子は力なく笑った。軽く目を閉じると、その光景が瞼に浮かぶようだった。羽をむしり取られた鶏《にわとり》みたいだった澪。その澪の心に、園子のピアノの旋律は届いたのだろうか。

「あるとき、澪が私の顔をまっすぐに見つめて言った。河合園子さんじゃありませんかって。彼女はピアノを習っていて、将来、ピアニストになりたいと思ってたくらいだから、私のことを雑誌なんかで見て知っていたのね。脚が不自由なのも、彼女が気づく原因だったのかも知れない。私、脚の不自由なピアニストとしても有名だったから。私は、認めざるを得なかった。それは、河合園子が殺人者で、希代の殺人鬼と何らかの関係がある人物であることを認めることでもあったから、つらかったけど。私は、澪がピアノを習っていることを知って、彼女にピアノを弾くことを勧めた。彼女、最初は、最近全然練習していないからとても恥ずかしくて弾けないって、尻込みしていたけど、大丈夫よ、弾いている内に慣れるわよって、言ったら、おずおずとではあったけど、ヴィヴァルディの『春』を弾いた。才能があったわ。それは、一瞬にして分かるものなの。ほめてあげたら、彼女はとても嬉しそうに微笑んだ。その微笑みの表情は、今でも忘れられないくらい。それから、私は毎日、いろんなことを喋りながら、澪にピアノのレッスンをつけるようになった。澪も随分打ち解けて、私に話をするようになった。澪はみるみるうちに上達していった。実は、この頃はもう、矢島はいなくなっていたんだけど――」

微妙な表現だった。矢島が、すでに園子の家を出て行っていたという意味なのか。だが、それは園子が故意に話を簡略化したようにも聞こえた。私は、とりあえず、その部分は聞き流そうと思った。

「私は、澪にすべて本当のことを喋りました。私の生い立ちから始まって、私のピアノ人生、それから野上との関係、あるいは矢島との関係。中学生には難しい、大人の問題もたくさん含まれていたけど、彼女は、とても聡明な子だった。ピアノで少し気力を取り戻してきたこともあったのかも知れないけど、彼女は、驚くほどの理解力を示したわ。私を励ますようなことさえ言ってくれた。それで最後に訊いたの。

あなた、もうこの家を出て行っていいのよ。でも、出て行ったら、私を訴える? 彼女は、しばらく、考えてから、にっこり笑って首を横に振ったわ。それで、私、さらに訊いたの。私、あなたにどうしても罪滅ぼしがしたい。でも、嫌だったらはっきりと言って頂戴。私、あなたを一流のピアニストに育てたい。できたら、一緒に暮らして、あらゆる面であなたの面倒をみたい。ご両親も、お兄さんもなくしてしまったあなたが、これからどう生きていくのかとても心配なの。ここで起こったことを隠したくて、こんなことを言ってるんじゃない。その責任は、自分で引き受ける覚悟はある。でも、本当にあなたの人生が矢島のような男に歪められ、間接的に自分も加担していたと考えると、耐えられない。だから、あなたに私の養女になってもらいたいの。西野澪という名前を捨ててもらいたいのよ。私の言うことを静かに訊いていた澪は、最後にこう訊いた。『先生、私にピアノの才能がありますか？』それが澪の答えでした」

長い沈黙があった。園子は、不意に疲労に襲われたように、視線を落として、眉を顰《ひそ》めた。その顔から、再び、生気が失われ、蒼白《あおじろ》い輪郭が、山の稜線のように頬と顎に細い筋《すじ》を伸ばした。窓の外を見た。薄闇が、濃い霧の水蒸気と交錯し、山影との色域を不分明にしていた。もう一度、腕時計を見た。先ほど妻に電話してから、すでに二時間近くが経過している。だが、私は妻に電話する気はなかった。

「ねえ、高倉君、私はもう自分が死ぬような気がしているの。それで、高校時代の同級生として、お願いしたいんだけど、優のことは、どうか静かに見守って欲しい。あの娘《こ》、今、パリにフランス人の恋人がいるの。幸せなのよ。ピアノもこれから伸びるところなんです。だから、私が、今日、彼女について語ったことは、どうか――」

「ちょっと待ってください」

園子の語尾を断ち切るように遮った。

「あなたは確かに、西野澪については語った。だが、西野澪は、河合優とは別人だ。違う人間について、私が何を知っていようと意味がない――」

「そう、ありがとう」

園子は弱々しく微笑んだ。

「しかし、――」

私は、口ごもった。

「しかし、――」

園子も私の言葉を反復した。再び、不安の色がその顔に滲んだ。

「矢島のことは、そうはいかないんです。彼のために、多くの人が死んでいった。私のゼミ生も犠牲になりました。私は、彼を発見するまでは、この事件から手を引くわけにはいかない。分かってくれますね」

「分かります。だから、今日は、あなたに彼に会ってもらおうと思って待っていたの」

「今日、会えるんですか？」

「その前に、これを見てくださらない」

園子は、手元の革鞄から、小さな透明の容器を二つ取り出して、テーブルの上に置いた。一つの容器は、水のような液体に粉末状の白い粉が浮遊している水溶液だった。直感的に思った。シアン化カリウム。俗に言う、青酸カリだ。もう一方の容器は、空っぽだった。

「これ、矢島からもらったものなの」

園子は、水溶液の入っている容器のほうを手に取って言った。

「メッキ工場の経営者からもらった、青酸カリの固体を水に溶かしたものだって、彼、言ってたわ。好きなときに飲めばいいとも。彼も同じものを用意していた。捕まりそうになったらこれで死ぬんだってはっきり言ってた」

それから、園子は手に持っていた水溶液のほうをもう一度、テーブルに置き、今度は空の容器を手に取った。

「彼は自殺したの？」

私は、つぶやくように訊いた。

「彼は捕まりそうにはならなかったわ」

それ以上の説明はなかった。

「ねえ、二階に来てくださらない？」

園子は、静かに立ち上がった。私も、無言で立ち上がった。

二階は、三部屋だった。廊下に近い二部屋は、六畳と四畳半の和室だった。すべての襖が開け放たれている。しかし、一番奥の部屋は、木製の扉がしっかりと閉じられていた。

園子は、脚を引きずりながら、戸口に近づき、小さな鍵を差し込んだ。扉を押し開けた。

後ろに立つ私には、中の暗闇しか見えなかった。雨戸が繰られているようだった。

園子が、壁際のスイッチを押した。薄明かりが灯《とも》った。天井の蛍光灯の大きなランプのほうは、切れているようだった。もう一方の小さなランプだけが、闇の航路を辿る小舟のような微弱な光の航跡を描いていた。フローリングの床に、蒲団が敷かれているようだった。矢島は、病気なのか。生《せい》の臭いは希薄だった。かび臭い臭いを感じた。園子が後ずさりし、私の体を前に押し出した。室内を凝視した。蒲団の上に横たわる人間の顔が、私の網膜の片隅を捉えた。頭髪と肉のそげ落ちた頬骨が、髑髏《しゃれこうべ》を晒していた。眼窩《がんか》は陥没し、鼻梁との境界を喪失していた。所々にわずかに残る皮膚が、剝がれ落ちた壁の塗料のように、不規則な斑《まだら》模様を散らしていた。思わず、目をそらした。後ろから、園子のささやくような声が聞こえた。

「矢島よ。死んでもう十年になる。一ヶ月余、ここで私たちと暮らしたの。でも、あなたの学生を殺して逃げ帰ってきたあと、インフルエンザに掛かって、寝込んでしまった。彼、薬を欲しがったから、その薬に、さっきの溶液を混ぜた。彼はあっけなく死んだ。でも、警察には届けられなかった。彼には、永遠に逃げてもらわなければならなかったの」

私は、無言のまま、扉を閉めた。結局、矢島のほうが死んでいて、澪は生き続けていたのだ。神の摂理を感じた。園子が、もう一度戸口に近づき、施錠した。私たちは、再び、階段を降り始めた。外でパトカーのサイレンが小さく聞こえていた。私に背中を見せて、階段を降りる園子の表情は見えなかった。

応接室に戻った。サイレンの音が大きくなった。私たちは、再び、ソファーに対座していた。その前に置かれた水溶液の容器が目に留まった。素早く手を伸ばして奪い取り、それを私のズボンのポケットに突っ込んだ。園子が哀願するように私の顔を見た。私は、無言で、首を横に振った。窓の外を見た。坂道の左側にパトカーが停車した。扉が開き、警官二名がこちらに歩いてくるのが見えた。ゆっくりした足取りで、特に、急いでいるようには見えない。やがて、チャイムが鳴った。

「一緒に出よう」

私は、立ち上がり、園子を促した。

園子が玄関の扉を開けた。比較的若い警官二名が立っていた。

「河合園子さんのお宅でしょうか？」

「ええ、そうですが」

園子が答えた。

「先ほどお知り合いの方から、訪問販売の男が、家に上がり込んで帰ろうとしないので、様子を見てきてくれという一一〇番通報があったのですが」

「その一一〇番通報をしてくれた方の名前は？」

私が横から口を挟んだ。

「ええ、高倉康子さんという方《かた》ですね」

もう一人の警官が、メモを見ながら、妙にのんびりした口調で言った。

「ああ、それなら私の妻です。私は親戚の者ですが、こちらを訪問中、随分脅迫的な訪問販売の男がやって来て、なかなか帰ろうとしないので、私が携帯のメールで、妻にこっそり通報を頼んだのです。相手の前で、直接、警察に電話すると、刺激すると思いましたので。でも、もう解決しました。さきほど、諦めて帰って行きました」

我ながら、いいかげんな説明だった。だが、相手の警官はさほど不審がる様子も見せなかった。

「間違いありませんか？」

最初の警官が、最終確認を取るように、園子に訊いた。

「ええ、間違いありません。お手数を掛けて申し訳ありませんでした」

「そうですか。それでは、また、何かあったら、連絡してください。近頃は、悪質な訪問販売に対する取り締まりを強化していますから」

二人の警官は、敬礼をして帰って行った。

応接室に戻った。また、同じ位置に座った。園子の前で、携帯を取り出した。マナーモードの表示が見えた。着信履歴を見ると、妻からの着信がずらりと並んでいる。そのまま、妻に電話した。

「ああ、僕だ。すべてうまくいった。警察には帰ってもらった。もうすぐ帰るから」

「どううまくいったの？」

「帰ってから話すよ」

一方的に電話を切った。それから、園子に向かって、言った。

「失礼しました。私の連絡が遅いので、妻が、心配して、ああいう形で通報したのだと思います。彼女は、まだ矢島が生きていて、この家に潜伏している可能性を考えていたのです」

「そう。でも、矢島がここで死んでいたことは、奥様には分かってしまうのね」

できたら、言わないで欲しいとその顔は言っている。

「私は、この家で矢島を発見できなかった。私は、妻に会ったら、そう言うだけです」

園子は小さく頷いた。安堵の表情が見て取れた。それから、園子は言った。

「ねえ、高倉君。さっきあなたがズボンのポケットに突っ込んだもの返してくれない？ 私には、あれが必要なの」

私は立ち上がり、ズボンのポケットから青酸カリの容器を取り出した。部屋の外に出て、トイレに入った。便器の中に中身を捨て、水を流した。その水音《みずおと》は、園子にも聞こえたはずだ。再び、部屋に引き返し、園子と対座した。

「すぐに死なせてはもらえないのね」

「手術を受けることです。胃ガンから、生還するのは難しくない」

「二階のお荷物を永遠に背負って、生きろと言うの。澪は優しい子で、今度の帰国でも、ずっとここにいてくれたわ。彼女、二階のあの部屋に何があるか知ってるのに。そして、私を励ましてこう言うの。あと何年かすれば、髪の毛と骨だけになり、持ち運びができるようになるわ。そうなったら、海かなんかに撒いてしまえばいい。それまでは、がんばってって。死体って、本当にそうなるんですか？」

園子は、言いながら、悲しげに私を見つめた。

「そうかも知れない。しかし、そうならなくても、今の状態はとりあえず、安全だ。有名な犯罪学者の言葉にこういうのがあります。死体のもっとも安全な隠し場所は、自宅である。家の中に密告者がいない限りは――」

「そう、じゃあ、今すぐには、死なないほうがいいのかしら」

「もちろんです。澪さん、いや、優さんを悲しませてはいけない。母親が自殺して、喜ぶ娘はいませんよ」

私は立ち上がった。園子も立ち上がった。玄関まで送ろうとする園子を手で制した。

「今日は本当にありがとうございました。心から感謝しています。お元気で」

園子の涙声が、私の背中から聞こえた。

暗闇の山道を下った。すでに夜の九時過ぎだった。ほどよい風が流れて、心地よかった。まだ、七月の初旬だったから、この時刻になると、凌ぎやすかった。雨もあがり、星空が見えていた。眼下に見える鎌倉市の夜景が美しかった。北鎌倉駅から乗る電車の中で、妻への説明方法を考えるつもりだった。すべて、私の杞憂であったで済ませることもできる。いや、仮に、妻が真相に気づいたとしても、園子や優を追い詰めることをするはずがない。それから、谷本への多少の説明も必要なときが来るかも知れない。だが、それもさほど困難なことには思えなかった。仮にあの手紙を園子が書いたことが判明したとしても、それが、即、彼女が何らかの犯罪に関与したことの証明にはならないのだ。むしろ、野上の無実を証明したい一心で書いたと、主張することも可能だろう。だが、求められない限り、私は自分のほうから谷本にそんな説明をするつもりもなかった。

分からないことは、まだ、あった。澪は矢島から性的な暴行を受けていたのだろうか。そのことに園子は言及しなかったし、私も訊かなかった。訊くべきではないという倫理観が働いたことも、否定しない。だが、私は、何となく、矢島は案外、澪に対して、そういう行為に及んでいなかったのではないか、という気がしていた。根拠はない。ただの直感だった。だが、私はその直感に満足していた。

それから、澪が矢島の殺害に関して、あらかじめどの程度知っていたのかも不明だった。園子は、澪が二階の白骨死体の存在を認識していることは明言していた。ふと妙な想像が湧いた。ひょっとしたら、矢島に青酸カリを飲ませる段階から、澪はそのことを知っていたのではないか。そして、その事実が園子との共犯のような心理関係を生み出し、園子の提案に同意したとも考えられた。だが、仮にそうだとしても、澪に罪があるはずはないのだ。

園子の罪は、いったい何なのかと考えた。野上を殺したことは、確かに許されるべきことではない。ただ、それは男女間の愛憎に関わる心理的問題で、他人が言葉を挟むことができないことのように思えた。最大の皮肉は、今、園子が矢島の死体と共に暮らしていることだった。不意に切なさを伴う衝撃が、私の体内で突き上がった。十年という歳月の流れの中で、本来異母兄弟である野上と矢島の区別を園子は失い始めているのではないかと思ったのだ。考えてみれば、園子があのような異常な環境の中で、ともかくも生き続けることができたのは、かつての夫と暮らしているという幻影のせいではなかったのか。そうだとしても、私の願いは、ただ一つだった。園子に生きて欲しかった。

その後、私は河合園子に会うことはなかった。ただ、私の願いが現実のものとなったことは、やがて確認できた。それから一年後、ピアニスト河合園子のガン手術からの生還が、女性週刊誌で報じられた。さらに、それから何年かに亘《わた》って、日本やヨーロッパにおける彼女の演奏活動がさまざまなメディアで伝えられた。同時に、娘の優の活躍も、顔写真入りで、母親と一緒の紙面を飾ったこともある。

河合園子が死亡したのは、私が最後に彼女に会ってから、八年ほどの歳月が流れた頃だった。ガンが再発し、転移を重ねて、死亡に至ったのである。私は、葬儀には出ず、遠くから、彼女を見葬《みおく》るほうを選んだ。優がこの葬儀に参列したか、私は知らない。葬儀の日、園子の自宅で依然として眠っているはずの、矢島の死体を思い浮かべた。だが、その後、北鎌倉の園子の家から、白骨死体が発見されたというニュースもいっこう耳にしない。矢島善雄は、依然として逃走中である。

解説

香山《かやま》二三郎《ふみろう》
（コラムニスト）

【この解説では真相の一部に触れています。本文を読了後にお目通しください】

事実は小説より奇なり――現実の出来事というのはときとして小説でもかなわぬような奇天烈《きてれつ》なものだったりする。一九世紀初頭に活躍したイギリスのロマン派詩人バイロンのあまりに有名な言葉であるが、現代の日本においても、小説でも描かれたことがないような奇怪な事件は起きている。

たとえば二〇〇二年に発覚した北九州市の連続監禁・殺人事件。主犯の男は内縁の妻とともに狙った相手の弱みにつけ込み、複数の家族を支配下に置いて虐待、金を巻き上げるなどし、ときに被害者たち同士に虐待を強要したり相手を殺させるなど残虐非道な犯行を続けていた。被害者は別に廃墟のような人けのない場所に鎖《とざ》されていたわけではないけれども、警察に訴え出たくても出来ないようマインドコントロールを受けていたのだ。

ごく日常的な生活風景に埋もれた凶悪事件というのは、外側からはうかがいにくく、明るみに晒《さら》されたときの衝撃は計り知れない。二〇一二年に発覚した尼崎《あまがさき》事件もまた、主犯とその取り巻きが複数の家族を支配し、虐待、監禁、殺人まで犯した凶悪事件として世を賑《にぎ》わしたが、巷《ちまた》には人畜無害を装った無慈悲な犯罪者がまだまだ潜在しているであろうことを考えるとまさに背筋の凍る思いがする。

本書『クリーピー』は二〇一一年、第一五回日本ミステリー文学大賞新人賞を受賞した著者のデビュー長篇で（刊行は一二年二月）、表題は「(恐怖のために）ぞっと身の毛がよだつような。気味の悪い」を意味する。日々の暮らしの中で普通に会っていた人が怪物へと変貌する恐怖をとらえたサスペンスである。

主人公の高倉《たかくら》は東洛《とうらく》大学文学部の教授で、犯罪心理学専攻の四六歳。東京・杉並区に妻とふたり暮らしをしていたが、物語はある夜帰宅途中の彼が職務質問を受ける場面から幕を開ける。隣人の西野《にしの》の話では、前夜女子中学生が中年男に襲われたらしい。高倉は卒論指導に当たっている学生の影山燐子《かげやまりんこ》と何度か食事をしていた。彼女は同じゼミ生の大和田《おおわだ》から口説かれているようであったが、高倉自身は品行方正に努めていた。

そんなある日、高校の同窓会で久しぶりに再会した同級生の野上《のがみ》と会うことに。警視庁捜査一課の警部となった野上は、八年前に日野市で起きた一家三人行方不明事件の捜査に携《たずさ》わっていた。その事件で唯一残った娘が新たな証言をしたのだという。高倉はその信《しん》憑性《ぴょうせい》について相談を受けたのだ。三週間後、再び野上から連絡が入り、高倉邸にやってくる。野上は、行方不明事件はさておき隣人・西野や高齢な母娘が住む向かいの田中《たなか》家のことに触れるが、訪問の理由は今ひとつはっきりしない。後日、警視庁の谷本《たにもと》という刑事から、野上の訪問について問い合わせがあったが、それが何を意味するのかも不明。

やがて、高倉の妻が西野の様子がちょっとおかしいといい出す。燐子から大和田がストーキングをしているらしいことも知らされる。谷本の話では、どうやら野上も行方不明になっているらしい。高倉の身辺で次々と不審な出来事が起きる中、向かいの田中家から出火、焼け跡から三人の遺体が発見されるが……。

序盤の展開をざっと紹介したものの、これではどういう話なのか今ひとつわからないかもしれない。何が物語の本筋なのか定かでないのだ。高倉家の近所で起きた女子中学生襲撃事件はその後あっさり犯人がつかまってしまうし、影山燐子の一件が何だか不気味だと思っていると、日野市の一家三人行方不明事件が絡んでくる。そうかと思えば、西野の様子もかなり怪しそうだ。どの話が物語の軸となって膨らんでいくのか、ちょっと見当がつかない。選者のひとり、作家の綾辻行人《あやつじゆきと》は、「展開を予測できない実に気味の悪い物語《クリーピーな》」という惹句《じゃっく》を寄せているが、なるほどサイコミステリーはサイコミステリーでも、著者は狡猾な犯人と捜査陣との対決という安易な図式は意図的に避けたようなのだ。いいかえれば、前半は主人公の高倉がじわじわと追い詰められていく恐怖それ自体の演出に心血が注がれているということである。

もっとも、田中家の火災をきっかけに事態は急変。西野の娘は、高倉の妻に「あの人、お父さんじゃありません」といい出し、火災の三人目の被害者は野上であったことが判明する。そこから隣人の思いも寄らない素顔が明かされていくだけでは止まらず、血腥《ちなまぐさ》い暴走劇も繰り広げられることに。高倉はさらにトンデモないプレゼントまで受け取る羽目になり、物語は一気にサイコものらしい様相を見せ始めるのだ。

そこで呈示される「なりすまし」はミステリーでは普通スパイもので応用されることが多い。そう、北の国の諜報員が市井《しせい》に潜伏するため、ホームレスの人々を利用するなどして日本人になりすまし、諜報活動に従事するのである（専門用語で「背乗り」という）。だが考えてみれば、別にスパイの専売特許というわけではなし、犯罪者が自らの目的に応用したとて何ら不思議はない。なりすましといえば、今日ではまずインターネットを舞台にしたサイバー犯罪のひとつとして知られるが、現実の犯罪世界でもいくらでも行われているのであった。そうした狡猾な犯罪者の実像が見えてくれば、次はいよいよ捜査陣との対決になるかと思うと、この著者はやはりひと筋縄ではいかない。犯人の素性が明かされるとともに、今度は彼の血縁関係に興味が移っていく。

サイコミステリーでありながら、犯人と捜査陣（あるいは探偵）との対決を軸にしたストレートな捜査小説にはせず、その異様な犯行、そして犯人像が醸《かも》し出すクリーピーな恐怖を味わわせる——著者の狙いがそこにあることは、後半の展開からも明らかといってよかろう。その点つい、サイコミステリーとしては異色な一篇だといいたくなるが、谷口《たにぐち》基《もとい》『変格探偵小説入門　奇想の遺産』（岩波書店）によれば、これぞ日本ミステリーの本流ということになる。

変格探偵小説とは一九二〇年代、「刑事事件などに付随する謎を論理的に解明していく『本格探偵小説』の対義語として作られた用語」で「謎解きよりも怪奇幻想性やエロ・グロ、SF的要素などに比重を置く」作品群を指す。変格というと、いかにもB級っぽいけど、作家には江戸川乱歩《えどがわらんぽ》はもとより、夢野久作《ゆめのきゅうさく》、久生十蘭《ひさおじゅうらん》、小栗虫太郎《おぐりむしたろう》、国枝史郎《くにえだしろう》等、錚々《そうそう》たる面々が揃っていて、彼らの作品群からしても「主流に対する傍流、正統に対する異端、というかたちにはならなかった」。それどころか、現代文化への多大なる影響度からすると「現代日本エンターテインメントを読み解くための鍵は、戦前『変格探偵小説』にあるといっても過言ではないだろう」と著者はいう。

その後継者である山田風太郎《やまだふうたろう》に「変格探偵小説復興論」というのがあり、その一部を孫引きすると、「近代的怪談可なり、異常心理小説可なり、科学小説可なり、奇妙な味の作品可なり、また奇想天外なる裁断面によっては、全く思いがけぬ人間地獄図が現出するかもしれない。そして、時と場合によっては、いままでの小説概念を超えた全然新形式の小説すら生まれてくるかもしれない」（『エラリイ・クイーンズ・ミステリ・マガジン』一九五八年一月号)。

してみると一見オフビートなサイコミステリーのように思われる本書も、実はクリーピーな恐怖演出で異常犯罪者の軌跡を描くことによって現代の「人間地獄図」を浮き彫りにした、変格の王道を往く作品というべきか。本書の終盤にはヒネり技が用意されており、本格ミステリーとしても読み応えのある作品に仕上がっている。本書を最初に読んだとき筆者が思い浮かべたのは、サイコミステリーの異端派ともいうべき『心引き裂かれて』のリチャード・ニーリィや『嘘、そして沈黙』のデイヴィッド・マーティンといった海外の作家たちであったが、その原点はもっと身近なところに存在した。前川裕《まえかわゆたか》こそ山田風太郎の正統なる後継者なのである。

最後に著者のプロフィール。前川裕は一九五一年、東京都生まれ。一橋大学を卒業後、東京大学大学院比較文学専攻修了。スタンフォード大学客員教授などを経て、法政大学国際文化学部教授。専門は比較文学、アメリカ文学。本書の主人公・高倉教授にリアリティがあるのも当然、キャラクター造形にはご自身の仕事や経験が反映されているのかも。「受賞の言葉」には「小説を書くことを片手間の仕事と考えたことは一度もありません。アカデミズムの世界とは、異質な才能が要求される分野であることも十分に知っているつもりです。その厚い壁を突き抜けることが私の長年の夢でした」とあるが、その意気込みは本書から充分伝わってこよう。

作家活動は順調で、二〇一三年二月には長篇第二作『アトロシティー』(光文社)が刊行されており、こちらは悪質な訪問販売や押し込み強盗殺人、若い母娘が餓死した事件等の闇にフリーのジャーナリストが深く関わっていくクライムミステリー。また二〇一四年二月には初の警察小説となる(といっても作風はやはりクリーピーだけど)長篇第三作『酷《こく》　ハーシュ』(新潮社)も刊行されている。本書を気に入ったかたは、ぜひご一読を。

＊　この作品に登場する組織・団体名は、すべて架空のものであり、現実に存在するものとは、一切、関係がありません。また、ここで描かれている事件の中には、実際に起こった事件との部分的な、あるいは表層的な類似を想起させるものがありますが、背景・人間関係はまったくのフィクションとして構成されており、ノンフィクションとは、似て非なるものであることを念のため、付け加えておきます。なお、「チャールズ・マンソン事件」については、以下の書物を参考にしました。

Vincent Bugliosi with Curt Gentry, Helter Skelter (Bantam Books, 1975)
エド・サンダース著『ファミリー』（小鷹信光訳、草思社、１９７４）

二〇一二年二月　光文社刊

光文社文庫

クリーピー
著者　前《まえ》川《かわ》　裕《ゆたか》

2014年3月20日　初版1刷発行
2016年3月15日　12刷発行

発行者　鈴　木　広　和
印　刷　豊　国　印　刷
製　本　ナショナル製本

発行所　株式会社　光　文　社
〒112-8011　東京都文京区音羽1-16-6
電話　(03)5395-8149　編　集　部
8116　書籍販売部
8125　業　務　部

ISBN978-4-334-76708-2　Printed in Japan

組版　萩原印刷

お願い　光文社文庫をお読みになって、いかがでございましたか。「読後の感想」を編集部あてに、ぜひお送りください。

このほか光文社文庫では、どんな本をお読みになりましたか。これから、どういう本をご希望ですか。

どの本も、誤植がないようつとめていますが、もしお気づきの点がございましたら、お教えください。ご職業、ご年齢などもお書きそえいただければ幸いです。当社の規定により本来の目的以外に使用せず、大切に扱わせていただきます。

光文社文庫編集部